Три мальчика –
Калеб Хоукинс, Фокс О'Делли и Гейдж Тернер –
родились в одну и ту же ночь 7 июля 1977 года
и выросли в провинциальном городке Хоукинс Холлоу.
В день своего десятилетия лучшие друзья принесли клятву
верности у Языческого камня и даже больше –
стали кровными братьями.
С тех пор каждые 7 лет, в течение 7 дней со дня их рождения
в городке случаются вспышки насилия: убийства, грабежи,
пожары... Братья по крови разрушили древнее заклятье
и выпустили на свободу разрушительную силу.
С тех пор прошло больше 20 лет.
Настало время бросить вызов злу и призвать
на помощь самую могущественную силу –
любовь...

NORA ROBERTS

Sign of Seven Trilogy
Трилогия «Знак Семи»

Братья по крови
Подсказка для спящей красавицы
Талисман моей любви

НОРА РОБЕРТС

Талисман моей любви

ЭКСМО

Москва
2013

УДК 82(1-87)
ББК 84(7США)
Р 58

Nora Roberts
THE PAGAN STONE

Перевод с английского *Ю. Гольдберга*

Оформление серии художника *Е. Савченко*

Оформление переплета *В. Щербакова*

Робертс Н.

Р 58   Талисман моей любви / Нора Робертс ; [пер. с англ. Ю. Гольдберга]. — М. : Эксмо, 2013. — 352 с. — (Нора Робертс. Мировой мега-бестселлер).

ISBN 978-5-699-64306-6

Профессиональный игрок Гейдж Тернер привык ставить себе реальные цели и достигать их в одиночку. Случай свел его с цыганкой Сибил Кински, и то, что началось как легкий флирт, может перерасти в нечто большее. Такая умная, сильная и роскошная женщина, как Сибил, встречается в жизни мужчины лишь раз. Но стоит ли идти ва-банк, если не веришь в удачу?

УДК 82(1-87)
ББК 84(7США)

ISBN 978-5-699-64306-6

Старым друзьям

Без откровения свыше народ необуздан.

КНИГА ПРИТЧЕЙ СОЛОМОНОВЫХ,
29:18

Мне нечего вам предложить, кроме крови, тяжелого труда, слез и пота.

УИНСТОН ЧЕРЧИЛЛЬ

Пролог

Масатлан, Мексика
Апрель 2001

Гейдж Тернер шел по пляжу. Солнечные лучи расцвечивали небо перламутрово-розовым, отражались от синей-синей воды, накатывавшей на белый песок. Обувь он снял — через плечо были переброшены разлохмаченные шнурки древних кроссовок «Найк». Края джинсов обтрепались, а сами джинсы на сгибах давно истерлись до белизны. Тропический бриз теребил волосы, несколько месяцев не видевшие парикмахера.

Гейдж подумал, что почти не отличается от бездомных, которые сладко посапывали на песке. Пару раз, когда удача отвернулась от него, он сам ночевал на пляжах и знал, что скоро их прогонят — до того, как приносящие доход туристы проснутся в своих номерах и примутся за утренний кофе.

В данный момент, несмотря на немытый и небритый вид, удача была на его стороне. Это точно. Чувствуя, как ночной выигрыш оттягивает карман, Гейдж размышлял, не сменить ли комнату с видом на море на номер в гостинице.

Бери все, что можно, подумал он, завтрашний день может выжать тебя досуха.

Срок приближался, время утекало, как белый, ласкаемый солнцем песок сквозь пальцы. До двадцать четвертого дня рождения оставалось меньше трех месяцев, и ночные кошмары вернулись. Кровь и смерть, огонь и безумие. Хотя все это — и Хоукинс Холлоу тоже — находилось за тридевять земель от ласкового тропического рассвета.

Но это жило в нем.

Гейдж отпер широкие стеклянные двери своей комнаты, вошел, бросил на пол кроссовки. Потом включил свет, задернул занавески, вытащил из кармана выигрыш и небрежно похлопал ладонью по купюрам. По текущему курсу больше шести тысяч долларов. Неплохая ночь, совсем неплохая. В ванной он выбил дно флакона из-под крема для бритья, сунул деньги в пустую трубку.

Он защищал свое имущество. Научился этому еще в детстве, пряча свои маленькие сокровища, чтобы отец не нашел и не уничтожил их в пьяном угаре. Вопрос, идти ему в колледж или нет, даже не стоял, но Гейдж считал, что в свои неполные двадцать четыре года уже многому научился.

Он покинул Хоукинс Холлоу летом, сразу после окончания школы. Просто собрал свои вещи и смылся.

Сбежал, подумал, Гейдж, раздеваясь, чтобы принять душ. Работы было хоть отбавляй — он был молодым, сильным и не особенно привередливым. Но, копая канавы, таская бревна, а особенно за месяцы, проведенные на морской буровой установке, Гейдж усвоил важный урок. Картами можно заработать гораздо больше, чем физическим трудом.

Кроме того, игроку не нужен дом. Только игра.

Гейдж шагнул под душ, включил горячую воду. Она стекала по загорелой коже, сухощавым мышцам, густым черным волосам, нуждавшимся в стрижке. Гейдж лениво подумал, не заказать ли кофе и что-нибудь из еды, потом решил, что сначала нужно пару часов поспать. Еще одно преимущество профессии. Приходить и уходить, когда захочешь, есть, когда голоден, спать, когда устал. Он устанавливал собственные правила и нарушал их, если они ему мешали.

Плевать ему на всех.

Неправда, признал Гейдж, рассматривая белый шрам на запястье. Вернее, не вся правда. Для него всегда были важны друзья, настоящие друзья. А в мире нет друзей вернее, чем Калеб Хоукинс и Фокс О'Делл.

Братья по крови.

Они родились в один и тот же год, один день и даже — насколько им известно — в один час. Гейдж не помнил времени, когда они не были... командой. Да, это самое подходящее определение. Мальчик из семьи среднего класса, ребенок хиппи и сын алкоголика. Наверное, у них не должно было быть ничего общего, размышлял Гейдж, и его губы растянулись в улыбке, взгляд зеленых глаз смягчился. Но мальчики были друг другу как братья — задолго до того, как Кэл порезал им запястья бойскаутским ножом, чтобы скрепить ритуалом их дружбу.

И этот ритуал изменил их. Изменил ли? Или просто освободил то, что уже существовало, но просто ждало своего часа?

Гейдж отчетливо помнил все, каждый шаг, каждую подробность. Это началось как приключение — прогулка в лес трех мальчишек накануне их десятого дня рождения. Нагруженные эротическими журналами, пивом, сигаретами — его вклад, суррогатными продуктами и колой, которые захватил Фокс, а также собранной матерью Кэла корзинкой для пикника с сэндвичами и лимонадом. Хотя Франни Хоукинс вряд ли стала бы собирать эту корзинку, знай она, что сын собирается ночевать в лесу у Языческого камня.

Гейдж помнил все: липкую жару, музыку из радиоприемника, а также абсолютную невинность, которую они несли с собой вместе с сухим печеньем «Литл Деббис» и «Наттер Баттер» и которую утратили до того, как утром вышли из леса.

Выключив душ, Гейдж вытер мокрые волосы полотенцем. В тот день у него болела спина — отец поколотил его накануне вечером. Когда они сидели у костра на поляне, рубцы пульсировали болью. Он помнил эту боль, помнил блики пламени на серой плите Языческого камня.

Гейдж помнил слова, которые они записали на листе бумаги и произнесли вслух, когда Кэл проделал над ними обряд посвящения в кровные братья. Помнил резкую боль, когда нож вспорол его кожу, помнил прикосновение руки Кэла и Фокса, когда они смешали свою кровь.

А также взрыв, жар и холод, силу и страх, когда смешавшаяся кровь пролилась на выжженную землю поляны.

Он помнил, что тогда поднялось из земли: бесформенная черная масса и ослепительный свет. Чернота зла и ошеломляющая белизна добра.

Когда все закончилось, с его спины исчезли рубцы, а в кулаке оказался зажат осколок гелиотропа. С тех пор Гейдж не расставался с камнем — Кэл и Фокс со своими тоже. Три части целого. Как и они с друзьями.

В ту неделю безумие охватило Холлоу, захлестнуло его, словно эпидемия, заразило, заставляя обычных, достойных людей совершать ужасные поступки. И каждые семь лет безумие возвращается — снова на семь дней.

Как и он сам, подумал Гейдж. Но разве у него есть выбор?

Обнаженный, еще мокрый после душа, он вытянулся на кровати. Время еще есть — для нескольких игр, горячих пляжей и раскачивающихся на ветру пальм. До зеленых лесов и голубых гор Хоукинс Холлоу несколько тысяч миль, а до июля еще несколько месяцев.

Гейдж закрыл глаза и — благодаря годам тренировки — почти мгновенно заснул.

Во сне пришли крики, плач и огонь, радостно пожиравший дерево, ткань, человеческую плоть. Пламя лизало его руки, пока он перетаскивал раненых в безопасное место. Сколько это длится? И кто может сказать, не превратится ли в следующую секунду жертва в агрессора?

На улицах Холлоу правило бал безумие.

Во сне Гейдж стоял с друзьями в южном конце Мейн-стрит напротив заправки с четырьмя колонками. Тренер городской футбольной команды «Олени» Мозер, который привел ее к победе в чемпионате, когда Гейдж учился в последнем классе школы, с веселым смехом поливал бензином себя самого, землю и все, до чего мог дотянуться.

Они бросились к нему, все трое, хотя Мозер вскинул руку с зажигалкой и зашлепал по бензиновым лужам, как мальчишка во время дождя. Они не остановились, даже когда он щелкнул зажигалкой.

Яркая, ослепительная вспышка и грохот, рвущий барабанные перепонки. Горячий воздух обрушился на него и с силой швырнул на тротуар. Вверх взметнулись ослепительные облака пламени, деревянные щепки, куски бетона и осколки стекла, горящий покореженный металл.

Гейдж чувствовал, как срастаются кости сломанной руки, заживает разбитое колено, и боль от заживления была сильнее боли от самих ран. Стиснув зубы, он перевернулся и увидел картину, от которой у него остановилось сердце.

Кэл лежал посреди улицы и горел, будто факел.

Нет, нет, нет, нет! Он пополз, крича и жадно ловя ртом зловонный, лишившийся кислорода воздух. Фокс лежал ничком; вокруг растекалась лужа крови.

Черное пятно в горящем воздухе уплотнилось, превратившись в человеческую фигуру. Демон улыбался.

— От смерти не вылечишься, правда, малыш?

Гейдж проснулся в холодном поту; все тело сотрясала дрожь. Вонь горящего бензина царапала горло.

Время истекло, подумал он.

Гейдж встал, оделся. Потом начал собирать вещи для возвращения в Хоукинс Холлоу.

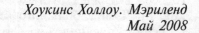

он разбудил его на рассвете, и это было хуже всего. По опыту Гейдж знал, что ему уже не заснуть, сколько ни пытайся — бушующее пламя и кровь прочно засели у него в мозгу. Чем ближе к июлю, чем ближе к Седмице, тем ярче и страшнее сны. Лучше не спать, чем сражаться с ночными кошмарами.

Или видениями.

В том далеком июле он вышел из леса с телом, которое умело само залечивать раны, и с даром предвидения. Но Гейдж знал, что полностью доверять картинам будущего нельзя. У него оставалась свобода выбора и свобода действий, и от этого зависел результат.

Семь лет назад, в июле, он выключил колонки на заправке и принял дополнительные меры предосторожности, отправив тренера Мозера в тюремную камеру. Хотя так и не узнал, спас ли своими действиями жизнь друзьям, или это был просто сон.

Но Гейдж предпочитал не испытывать судьбу.

И теперь тоже, подумал он, натягивая трусы — на тот случай, если в доме еще кто-то есть. Гейдж вернулся, как возвращался каждый седьмой год. Но в этот раз он связал свою судьбу с тремя женщинами, превратившую их с Гейджем и Кэлом трио в команду из шести человек.

Кэл помолвлен с Куин Блэк — белокурой красоткой, писателем, специализирующимся на паранормальных явлениях, — и она часто оставалась у него на ночь. Поэтому спускаться на кухню в чем мать родила, чтобы сварить себе кофе, было бы неосмотрительно. Но красивый дом Кэла среди густого леса выглядел пустым — ни людей, ни призраков, ни Лэмпа, большого ленивого пса Кэла.

Гейдж предположил, что Кэл провел ночь в доме, который арендовали в городе три женщины. Фокс был без ума от сексуальной брюнетки по имени Лейла Дарнел, и они вполне могли ночевать или в этом доме, или в квартире Фокса над его адвокатским кабинетом. В любом случае эта парочка не разлучалась, а если учесть способность Фокса проникать в чужие мозги, им для связи не требовался телефон.

Гейдж включил кофеварку и вышел на террасу, ожидая, пока приготовится кофе.

Только Кэлу могла прийти в голову мысль построить дом на краю леса, в котором их жизнь вывернулась наизнанку. Но Кэл есть Кэл — он из тех людей, кто не сдается, не считает себя вправе отступать. А если очарование сельской местности не оставляет вас равнодушным, это местечко точно для вас. Зеленый лес с последними весенними цветами дикого кизила и кальмии, блестевшими в лучах солнца, казался воплощением безмятежности — для тех, кто не знал. Террасы на склоне перед домом пестрели яркими красками цветущих кустарников и декоративных деревьев, внизу с журчанием перекатывалась по камням извилистая лента ручья.

Кэл здесь на своем месте — и его женщина тоже. Сам Гейдж не сомневался, что сельская тишина уже через месяц сведет его с ума.

Он вернулся в кухню и выпил кофе, черный и крепкий. Вторую кружку взял с собой. Принял душ, оделся и почувствовал, что им овладевает беспокойство. Гейдж попытался унять его, разложив два раза пасьянс, но дом был слишком... упорядоченным. Потом схватил ключи и направился к выходу. Он разыщет друзей, и если все в порядке, то, возможно, на денек смотается в Атлантик-Сити, чтобы немного развеяться.

Дорога была спокойной. Но и Холлоу был спокойным местом, точкой на карте среди холмов на западе Мэриленда, оживлявшейся лишь во время ежегодного парада на День поминовения, фейерверка в парке каждое 4 июля или редких реконструкций событий Гражданской войны. И конечно, каждые семь лет, когда город охватывало безумие.

Кроны деревьев смыкались над дорогой, вдоль нее вилась речушка. Затем деревья расступились, и стали видны холмы со скалистыми выступами, далекие горы, бледно-голубое весеннее небо. Нет, здесь он не чувствует себя дома — ни в сельской глуши, ни в окруженном ею городе. Вполне возможно, ему придется тут умереть, но и это ничего не изменит. Тем не менее Гейдж все же рассчитывал, что он сам, его друзья и присоединившиеся к ним женщины не только останутся живы, но и уничтожат демона, преследовавшего Холлоу. На этот раз покончат с ним раз и навсегда.

Он миновал заправку, где предвидение или удача позволили ему выиграть сражение, затем первые из аккуратных домиков и магазинчиков на Мейн-стрит. Рядом с особняком, где располагались адвокатская контора и квартира Фокса, Гейдж заметил его пикап. Кофейня и «Ма Пантри» уже открылись, и там было полно народу. Женщина на последних месяцах беременности, тянувшая за руку малыша, выходила из булочной с большим белым пакетом.

Пока мать вперевалку двигалась по Мейн-стрит, ребенок тараторил без умолку.

Вот пустой магазин подарков, который взяла в аренду возлюбленная Фокса Лейла, намереваясь открыть там модный бутик. Поворачивая на площадь, Гейдж покачал головой. Надежда расцветает, предположил он, и усиливается любовью.

Повернув голову, Гейдж посмотрел на клуб «Боула-Рама», городскую достопримечательность и наследство Кэла. Потом отвел взгляд. Когда-то он жил в квартире над боулинг-центром вместе с отцом, среди запаха прокисшего пива и сигарет, с постоянным страхом перед кулаками или ремнем родителя.

Билл Тернер по-прежнему живет здесь, по-прежнему работает в боулинг-центре. Гейджу плевать, пока старик будет держаться подальше от него. В душе давно уже все перегорело, и теперь можно поставить точку и забыть.

Он припарковался у обочины позади «Карманн Гиа», принадлежавшей Сибил Кински, шестому члену команды. Знойная цыганка обладала тем же даром предвидения, что и он, — как Куин и Кэл могли видеть прошлое, а Лейла и Фокс были способны проникать в тайны настоящего. Гейдж подозревал, что эта общность делает их партнерами, и держался настороже.

Конечно, нельзя не признать, что она хороша, размышлял Гейдж, направляясь по дорожке к дому. Умна, находчива, остра на язык. В другое время и в другом месте было бы любопытно сыграть с ней пару раундов, посмотреть, кто выйдет победителем. Но мысль о том, что некая внешняя сила, древняя магия или божественный план толкает их друг к другу, отбивала всякую охоту что-либо предпринимать.

Связь Кэла и Фокса с их женщинами — совсем другое дело. Он просто не приспособлен для длительных отношений. Инстинкт подсказывал, что короткая интрижка с такой женщиной, как Сибил, будет слишком сложна, а ему не хотелось сложностей.

Стучать он не стал. Гейдж не видел в этом необходимости, арендованный женщинами дом и дом Кэла служили им чем-то вроде баз. Его встретила музыка — что-то из «Нового Века», флейты и гонги. Он повернул к источнику звука и увидел Сибил. На ней были свободные брюки черного цвета и топик, открывавший гладкий, подтянутый живот и красивые, мускулистые руки. Непокорные черные кудри выбивались из-под стягивавшей волосы ленты.

Ногти босых ног сверкали ярко-розовым лаком.

Он смотрел, как Сибил уперлась головой в пол и приподняла туловище. Развела ноги в стороны, держа перпендикулярно полу, а затем ее тело выгнулось, словно пружина. Медленно и плавно она опустила одну ногу, пока ступня не оказалась на полу за головой, а тело не образовало нечто похожее на эротический мост. Потом Сибил — казалось, без всяких усилий — сменила позу, подогнув ногу к бедру, тогда как другая нога оставалась поднятой вверх позади нее. Потом ее пальцы обхватили ступню поднятой ноги и подтянули к затылку.

Гейдж подумал, что это очередное испытание для его необыкновенной силы воли.

Она изгибалась, скручивалась, вытягивалась, принимала немыслимые позы. Сила воли у Гейджа оказалась не столь велика, и он представил, какой изумительной будет в постели обладающая подобной гибкостью женщина.

Сибил выгнула спину, упираясь ногой в пол за головой, и по блеску в ее глазах Гейдж понял, что она знает о его присутствии.

— Не прерывайся.

— И не собираюсь. Я почти закончила. Уйди.

Сожалея, что не увидит, как Сибил заканчивает упражнения, Гейдж отправился на кухню и налил себе чашку кофе. Облокотившись на стойку, он огляделся: на маленьком столике аккуратно сложена утренняя газета, миска для собачьего корма, привезенная сюда Кэлом, пуста, а миска с водой заполнена наполовину. Вероятно, собака уже позавтракала, но если кто-то из людей последовал ее примеру, то убрал за собой посуду. Новости его не интересовали, и поэтому Гейдж принялся раскладывать пасьянс. На четвертом раскладе в кухню вошла Сибил.

— Сегодня ты ранняя пташка.

Он положил красную восьмерку на черную девятку.

— Кэл уже встал?

— Похоже, никому не спится. Куин потащила его в тренажерный зал. — Сибил налила себе кофе, открыла хлебницу. — Рогалик?

— Конечно.

Разрезав рогалик ровно пополам, она сунула его в тостер.

— Плохой сон? — В ответ на быстрый взгляд Гейджа Сибил склонила голову набок. — Как меня — разбудил на рассвете. У Кэла и Куин тоже. Точно не знаю, но подозреваю, что Фокс и Лейла — они ночуют у него — проснулись по тому же будильнику. Куин спасается гантелями и тренажерами, я йогой. А ты... — Она указала на карты.

— У каждого свое средство.

— Несколько дней назад мы здорово приложили Большого Злого Ублюдка. Теперь нужно ждать ответного удара.

— В отместку нас чуть не испепелили, — напомнил ей Гейдж.

— «Чуть» не считается. Мы с помощью магии соединили три осколка гелиотропа. Исполнили кровавый ритуал. — Она посмотрела на затягивающуюся царапину на ладони. — И остались живы. Теперь у нас есть оружие.

— Но мы не знаем, как им пользоваться.

— А демон знает? — Сибил старалась чем-то занять себя, доставая тарелки и мягкий сыр для рогалика. — Известно ли ему нечто такое, что неизвестно нам? В ту ночь, триста лет назад, на поляне Джайлз Дент придал камню магическую силу и — возможно — использовал его для заклинания, которое заточило демона в облике Лазаруса Твисса в некую тюрьму, где Джайлз держал его несколько столетий.

Сибил ловко разрезала яблоко и разложила дольки на тарелке.

— Тогда Твисс не знал или не почувствовал силы гелиотропа. Вероятно, триста лет спустя тоже — когда ваш кровавый ритуал освободил его и камень раскололся на три равные части. Если придерживаться этой логики, демон до сих пор ничего не знает, что дает нам преимущество. Мы пока не догадываемся, как именно действует камень, но точно знаем, что действует.

Повернувшись, она протянула Гейджу рогалик.

— Мы соединили три части гелиотропа. Магическая сила теперь есть не только у Большого Злого Ублюдка.

Гейдж зачарованно смотрел, как она разрезает половину рогалика еще на две части и намазывает четвертушки тончайшей пленкой мягкого сыра. Сам он взял половину, щедро намазал сыром, а Сибил откусила от своей порции малюсенький кусочек — как ему показалось, не больше полудюжины крошек.

— Может, тебе лучше ограничиться созерцанием еды, а не заморачиваться ее приготовлением? — Сибил лишь улыбнулась в ответ и еще раз откусила крошечный кусочек. — Мне приснилось, как Твисс убивает моих друзей. Я видел это много раз, во всевозможных вариантах.

Их взгляды встретились: темные глаза Сибил светились печалью и сочувствием.

— Обратная сторона нашего с тобой дара — видеть возможное развитие событий. Когда мы шли на поляну, чтобы исполнить ритуал, я боялась. Не только смерти, хотя умирать мне не хочется. Более того, совсем не хочется. Я боялась, что придется пережить смерть близких мне людей и, хуже того, каким-то образом стать причиной их гибели.

— Но ты пошла.

— Мы все пошли. — Сибил взяла дольку яблока, надкусила. — И остались живы. Не все сны, не все видения... сбываются. Ты возвращаешься. Каждую Седмицу ты возвращаешься.

— Мы поклялись.

— Да, в десятилетнем возрасте. Я не ставлю под сомнение прочность детских клятв, — продолжала она. — Но ты все равно возвращался бы. Ради Кэла и Фокса. Я приехала сюда ради Куин, и я знаю силу дружбы. Мы не похожи на них, ты и я.

— Разве?

— Да. — Сибил поднесла к губам чашку с кофе, сделала глоток. — Город и населяющие его люди для нас чужие. Для Кэла и Фокса — а теперь, похоже, для Куин и Лейлы — это родной дом. Люди способны на многое, чтобы защитить свой дом. Для меня Хоукинс Холлоу лишь место, где я случайно оказалась. Моя привязанность — Куин, а теперь и Лейла. И через них Кэл и Фокс. А значит, и ты тоже. И я не оставлю тех, кто мне дорог, не убедившись, что им ничего не угрожает. И готова пролить за них кровь, хотя нахожу все это захватывающим и интригующим.

Лучи солнца, проникавшие в кухню через окно, образовали сияние вокруг ее головы, отражались в маленьких серебряных сережках.

— Пожалуй, ты на это способна.

— Неужели?

— Да, потому что здорово разозлилась. Одна из причин, почему ты осталась, — желание задать этому ублюдку жару, досмотреть представление до конца.

Сибил откусила еще один крошечный кусочек рогалика.

— Точно. Мы с тобой одинаковы, Тернер. Двое непосед. Ладно. Мне нужно в душ, — решила она. — Ты побудешь тут, пока не вернутся Куин и Кэл? С тех пор как Лейла видела змей в ванной, я предпочитаю не принимать душ, когда в доме никого нет.

— Без проблем. Ты это собираешься доедать?

Сибил подвинула к нему нетронутую четвертушку рогалика. Она встала, чтобы вымыть чашку из-под кофе, и Гейдж увидел синяк у нее на плече. И вспомнил, что им здорово досталось в ночь полнолуния у Языческого камня и что на Сибил — в отличие от Кэла, Фокса и его самого — все заживает не так быстро.

— У тебя огромный синяк на плече.

— Посмотрел бы ты на мой зад, — пожала плечами Сибил.

— С удовольствием.

Она со смехом оглянулась.

— Не воспринимай все буквально. В детстве меня била няня, убежденная, что добрый шлепок закаляет характер. Садясь, я теперь каждый раз вспоминаю о ней.

— У тебя была няня?

— Да. Но несмотря на шлепки, мне приятнее думать, что я сама слепила свой характер. Кэл и Куин скоро вернутся. Можешь сварить еще кофе.

Гейдж задумчиво рассматривал ее удаляющиеся ягодицы. Высший класс, решил он. Любопытная и довольно сложная смесь в изящной упаковке. Упаковка ему нравилась, но то, что внутри... Если речь шла о забавах и играх, он предпочитал что-нибудь попроще. Вот когда речь идет о жизни и смерти, Сибил Кински — то, что доктор прописал.

В поход к Языческому камню она взяла с собой пистолет. Маленький револьвер 22-го калибра с перламутровой ручкой, но пользовалась им Сибил с холодной расчетливостью опытного наемника. Именно она изучила кровавые ритуалы, именно она углубилась в генеалогию и доказала, что они с Куин и Лейлой потомки демона, известного как Лазарус Твисс, и Эстер Дейл, девушки, которую он изнасиловал несколько столетий назад.

И эта женщина умеет готовить. Не любит, подумал Гейдж и встал, чтобы сварить еще порцию кофе, но умеет. Ему нравились откровенность и прямота Сибил, умение сохранять хладнокровие в сложной ситуации. Это не слабая женщина, которую нужно защищать.

Он поцеловал ее в ту ночь на поляне. Естественно, Гейдж не сомневался, что все они погибнут в адском пламени, и это было нечто вроде вызова судьбе. Однако он прекрасно помнил вкус ее губ.

Вероятно, думать об этом неразумно — а также о том, что в данный момент она стоит под душем, мокрая и обнаженная. Но мужчина имеет право отвлечься от битвы с древним демоном. И как это ни странно, желание поехать в Атлантик-Сити исчезло.

Он услышал звук открывающейся входной двери, громкий смех Куин. По мнению Гейджа, Кэл мог бы полюбить Куин только за смех. А если прибавить соблазнительное тело, огромные синие глаза, ум, юмор, мужество — о большем его другу можно и не мечтать.

Гейдж допил кофе и, услышав приближающиеся шаги одного Кэла, налил еще чашку.

— Привет. — Кэл взял кофе и открыл холодильник, чтобы достать молока.

Для человека, проснувшегося на рассвете, Кэл выглядел довольно бодрым, отметил Гейдж. Физические упражнения, конечно, способствуют выработке эндорфинов, но Гейдж был готов дать голову на отсечение, что в пружинистой походке друга виновата женщина.

Серые глаза Кэла были ясными, лицо и тело расслабленными. Мокрые русые волосы пахли мылом — он принял душ в тренажерном зале. Кэл добавил молоко в кофе, достал из буфета пакетик с сухим завтраком.

— Хочешь?

— Нет.

Вздохнув, Кэл высыпал глазированные подушечки в чашку, залил молоком.

— Общий сон?

— Похоже.

— Я говорил с Фоксом. — Облокотившись на стойку, Кэл принялся за завтрак. — У них с Лейлой тоже. У тебя что?

— Город истекал кровью, — сказал Гейдж. — Дома, улицы и все, кому посчастливилось оказаться снаружи. Кровь бурлила на тротуарах, стекала по стенам зданий. И горела.

— Все точно. Насколько мне известно, впервые один и тот же кошмар снится всем шестерым. Похоже, здесь заложен какой-то смысл.

— Гелиотроп снова стал целым. Это сделали мы вшестером. Сибил считает камень источником силы.

— А ты?

— Пожалуй, тут я с ней соглашусь. Но у нас осталось меньше двух месяцев, чтобы выяснить, что это за сила. Если осталось.

— Он нападает раньше и становится сильнее. — Кэл кивнул. — Но мы дали ему отпор — уже два раза, Гейдж.

— В третий раз лучше не зевать.

Он не стал задерживаться. Если ничего не случится, женщины большую часть дня будут искать ответы на вопросы в книгах и Интернете. Рассматривать таблицы, карты и графики, пытаясь взглянуть на события под другим углом. И беспрерывно говорить. Кэл отправится в боулинг-центр, а Фокс — в свою адвокатскую контору. А игрок остался без игр, подумал Гейдж.

Значит, сегодня у него свободный день.

Можно вернуться в дом Кэла, кое-кому позвонить, отправить письма по электронной почте. У него свое расследование. На протяжении многих лет он изучал демонологию и фольклор в самых необычных уголках мира. Если соединить его сведения с тем, что сумели откопать Сибил, Куин и Лейла, получится весьма полезная смесь.

Боги и демоны воевали друг с другом задолго до появления людей. Уничтожали друг друга, и когда на сцене появился человек, он довольно быстро получил численное преимущество. Эра людей, так называл ее Джайлз Дент, — об этом писала в своих дневниках его возлюбленная Энн Хоукинс. В эру людей остался всего один демон и один страж. Хотя верится с трудом, подумал Гейдж. По крайней мере, один, для которого это было личным делом. Смертельно раненный страж передал свою силу и свою миссию маленькому мальчику, а тот своим потомкам — и так на протяжении веков, вплоть до Джайлза Дента.

Обо всем этом Гейдж размышлял за рулем машины по дороге в дом Кэла. Он поверил в Джайлза Дента, поверил, что они с друзьями являются потомками Дента и Энн Хоукинс. Вместе с остальными поверил, что Дент нашел способ — нарушив правила, прибегнув к человеческому жертвоприношению — заточить демона в некое подобие тюрьмы, вместе с собой. Минуло несколько столетий, и трое мальчишек освободили его.

Гейдж был готов даже признать, что так было предначертано судьбой. Гордиться этим вовсе необязательно, но смириться можно. Такова их судьба — бросить вызов демону, сражаться, уничтожить его или погибнуть. После нескольких появлений призрака Энн Хоукинс и ее загадочных слов стало ясно, что решающей должна стать эта Седмица.

Все или ничего. Жизнь или смерть.

И поскольку почти во всех его видениях присутствовала смерть, в той или иной форме, Гейдж был не склонен делать ставку на коллективный танец победителей.

Наверное, на кладбище его привели мысли о смерти. Гейдж вышел из машины и сунул руки в карманы. Глупо было сюда приезжать. Бессмысленно. Но все равно зашагал по траве среди памятников и надгробных плит.

Нужно было принести цветы, подумал он, но тут же покачал головой. В цветах тоже нет смысла. Зачем мертвым цветы?

Его мать и ребенок, которого она пыталась произвести на свет, давно мертвы.

Май выкрасил траву и деревья в зеленый цвет, и легкий ветерок шевелил зеленую завесу. Солнце освещало разбросанные по пологому склону холма мрачные серые камни и белые памятники. На могиле матери и неродившейся сестры белая плита. Гейдж не был здесь много лет, но дорогу помнил хорошо.

Один надгробный камень, маленький и округлый, с выбитыми именами и датами.

КЭТРИН МЭРИ ТЕРНЕР
1954—1982
РОУЗ ЭЛИЗАБЕТ ТЕРНЕР
1982

Он почти не помнит мать, подумал Гейдж. Время стерло из памяти ее образ, звук ее голоса, ее запах, и осталось нечто вроде нерезкого снимка. Он с трудом вспоминал, как мать прикладывала его руку к своему большому животу, чтобы он почувствовал толчки ребенка. У Гейджа сохранилась фотография, и он знал, что унаследовал от матери цвет волос, глаза, форму губ. Ребенка он не видел, и никто не говорил ему, как выглядела девочка. Но Гейдж помнил себя счастливым, помнил, как играл с машинками в лучах солнечного света, льющегося через окно. И даже как бежал к возвращавшемуся с работы отцу и радостно визжал, когда сильные руки подбрасывали его вверх.

Да, было время, очень короткое, когда отцовские руки поддерживали его, а не сбивали с ног. Солнечное время. А потом мать умерла, а вместе с ней и ребенок, и все окутал холод и мрак.

Сердилась ли на него мать, кричала, наказывала ли? Наверное. Только он не помнил — или предпочитал не помнить. Возможно, он идеализировал мать, но разве это плохо? Когда мальчик так рано теряет мать, мужчина, в которого он превратился, должен считать ее совершенством.

— Я не принес цветы, — прошептал Гейдж. — Зря.

— Но ты пришел.

Резко обернувшись, он встретился взглядом с глазами, так похожими на его глаза. У него защемило сердце. Мать улыбалась ему.

2

Какая молодая. Это была первая его мысль. Моложе его, понял Гейдж, пока они молча рассматривали друг друга, стоя над ее могилой. Эта спокойная и неприметная красота сохранилась бы и в преклонном возрасте, подумал Гейдж. Но мать не дожила и до тридцати.

Даже теперь, будучи взрослым мужчиной, он ощущал боль утраты.

— Почему ты здесь? — спросил он, и ее лицо вновь расцвело улыбкой.

— А разве ты не хочешь меня видеть?

— Раньше ты никогда не приходила.

— А может, раньше ты не искал? — Она откинула за спину свои темные волосы, вдохнула полной грудью. — Сегодня чудесный день — это майское солнце. А ты такой растерянный и сердитый. Такой печальный. Разве ты не веришь, что существует лучший мир, Гейдж? Что смерть — это начало чего-то нового?

— Для меня она стала концом того, что было. — Две стороны медали, подумал он. — Когда ты умерла.

— Бедный малыш. Ты меня ненавидел за то, что я тебя бросила?

— Ты меня не бросала. Умерла.

— В конечном счете это одно и то же. — В ее глазах проступила печаль, а может, жалость. — Я не была рядом с тобой, и это хуже, чем если бы я бросила тебя одного. Я оставила тебя с ним. Позволила ему посеять во мне семена смерти. Ты остался одиноким и беспомощным, с человеком, который проклинал и бил тебя.

— Почему ты за него вышла?

— Женщины слабы — теперь ты, наверное, это знаешь. Будь я сильной, то бросила бы его. Взяла бы тебя и уехала — от него, из города. — Она повернулась и посмотрела на Хоукинс Холлоу. В глазах матери появилось что-то еще, Гейдж заметил, какое-то чувство сильнее жалости. — Я должна была защитить тебя и себя. У нас с тобой была бы другая жизнь, далеко отсюда. Но я могу защитить тебя теперь.

Гейдж смотрел на ее движения, на развевающиеся волосы, на стелющуюся у ног траву.

— Разве мертвые способны защитить живых?

— Мы больше видим. Больше знаем. — Мать повернулась к нему и протянула руки. — Ты спрашивал, почему я здесь. Именно поэтому. Защитить тебя, чего я не смогла сделать при жизни. Спасти тебя. Сказать, чтобы ты уезжал отсюда. Забыл этот город. Здесь нет ничего, кроме смерти, несчастий, боли и потерь. Уедешь — и будешь жить. Останешься — умрешь и будешь гнить в земле, как я.

— Послушай, до этого момента у тебя неплохо получалось. — Внутри Гейджа вскипала холодная ярость, но голос был таким же небрежным, как пожатие плечами. — Возможно, я купился бы на это, продолжай ты разыгрывать карту «я и мамочка». Но ты ее сбросил.

— Я хочу лишь твоей безопасности.

— Ты хочешь, чтобы я умер. Или, по меньшей мере, уехал. Я никуда не уеду, а ты не моя мать. Так что заканчивай маскарад, ублюдок.

— За это мамочка тебя отшлепает. — Демон взмахнул рукой. Невидимая сила сбила Гейджа с ног. Поднявшись, он увидел, что призрак меняет облик.

Глаза стали красными, по щекам текли кровавые слезы. Из горла вырвался хриплый смех.

— Плохой мальчик. И я накажу тебя, как наказывают плохих мальчиков. Сдеру с тебя кожу, выпью кровь, разгрызу кости.

— Да, да, да. — С деланым безразличием Гейдж зацепил большими пальцами карманы джинсов.

Лицо матери превратилось в нечто уродливое, нечеловеческое. Тело съежилось, спина сгорбилась, на руках и ногах появились когти, затем копыта. Затем на месте матери возник черный бесформенный вихрь, от которого пахнуло жутким запахом смерти.

Ветер швырнул этот запах Гейджу в лицо, но он не дрогнул, не отступил. Оружия у него не было, и после недолгих размышлений он решил обойтись тем, что есть. Сжал пальцы в кулак и обрушил на зловонную черноту.

Пальцы словно обожгло огнем. Гейдж отдернул руку и нанес второй удар. От боли перехватило дыхание, но Гейдж стиснул зубы и ударил в третий раз. Послышался крик. Ярость, подумал Гейдж. Эта ярость перебросила его через могилу матери и с силой ударила о землю.

Теперь демон стоял над ним — на могильном камне, в излюбленном облике мальчика.

— Ты будешь молить о смерти, — прорычал он. — Еще долго после того, как я разорву остальных на куски. Я буду питаться тобой — годы.

Гейдж вытер кровь с губ и улыбнулся, борясь с подступающей тошнотой.

— Хочешь пари?

Мальчишка погрузил пальцы в собственную грудь и разорвал ее, разразился безумным смехом и исчез.

— Совсем свихнулся. Этот сукин сын совсем свихнулся. — Он посидел немного, пытаясь отдышаться и внимательно рассматривая свою руку. Она была красной и покрытой волдырями, из которых сочился гной; неглубокие раны остались, вероятно, от клыков. Гейдж чувствовал, как рука заживает, потому что боль была почти невыносимой. Поддерживая руку, он поднялся и едва не упал снова — голова кружилась, земля уходила из-под ног.

Пришлось снова сесть, прислонившись спиной к могильному камню матери и сестры, и ждать, пока пройдет дурнота и окружающий мир перестанет вращаться. Под ласковыми лучами майского солнца, в окружении одних мертвецов, он глубоко дышал, сражаясь с болью и стараясь сосредоточиться на заживающей ране. Жжение утихло, и дурнота прошла.

Поднявшись, он бросил последний взгляд на могилу, повернулся и зашагал к выходу.

Он остановился у цветочного магазина и купил яркий весенний букет, чем вызвал любопытство стоявшей за прилавком Эми — кто эта счастливица? Пусть строит догадки. Гейдж не стал объяснять — да и с какой стати? — что думает о матерях и цветах.

Это недостаток — на его взгляд, один из многих — маленьких городков. Каждый хочет знать обо всех или делает вид, что знает. А если информации недостаточно, они ее выдумывают, называя истинной правдой.

В Холлоу любили посудачить о Гейдже. Бедный ребенок, плохой мальчик, источник неприятностей, плохие новости, скатертью дорога. Наверное, это ранило его, причем особенно глубоко, когда он был моложе. Но у него имелось средство против таких ран. Кэл и Фокс. Его семья.

Мать умерла, причем уже давно. Именно это он сегодня окончательно осознал, размышлял Гейдж, выезжая из города. И обязан сделать то, что уже давно собирался.

Конечно, ее может не оказаться дома. Франни Хоукинс не ходила на службу. Ее работой был дом, а также многочисленные комитеты, которые она возглавляла или в деятельности которых участвовала. Назовите любой комитет или благотворительное общество в Холлоу, и мать Кэла, скорее всего, будет числиться среди его членов.

Гейдж остановился позади чистой и аккуратной машины — она принадлежала Франни — на аккуратной подъездной дорожке к дому, где, сколько себя помнил Гейдж, жили Хоукинсы. Аккуратная женщина, хозяйка дома, стояла на коленях посреди квадрата ярко-розовой пены, засаживая цветами — наверное, это были петуньи — края и без того потрясающего палисадника.

Светлые блестящие волосы выбивались из-под широкополой соломенной шляпы, на руках прочные коричневые перчатки. Вероятно, темно-синие брюки и розовую футболку она считает рабочей одеждой, подумал Гейдж. Услышав звук подъезжающей машины, Франни повернула свою хорошенькую головку и улыбнулась.

Гейдж не переставал этому удивляться. Она всегда от души улыбалась, когда видела его. Франни стянула перчатки.

— Какой приятный сюрприз. Замечательные цветы — такие же, как ты.

— В Ньюкасл[1] со своим углем.

Она погладила его по щеке, взяла букет.

— Цветов не бывает много. Пойдем, поставлю их в воду.

— Я вам помешал.

— Работа в саду всегда найдется. Я все время там копошусь.

Гейдж знал: в доме тоже. Она меняла обивку, шила шторы, красила, вечно что-то переставляла. Но, как бы дом ни менялся, он всегда оставался теплым и гостеприимным.

Франни отвела его на кухню, а затем в помещение для стирки, где у нее — нужно знать Франни Хоукинс — имелась специальная раковина для составления букетов.

— Поставлю букет в высокую вазу и приготовлю нам что-нибудь холодное.

— Я не хочу вас отвлекать.

— Гейдж. — Отмахнувшись от его протестов, она взяла вазу. — Иди во двор. В такую погоду нечего делать в доме. Я принесу чай со льдом.

Гейдж не стал спорить — в основном потому, что хотел сосредоточиться на том, что именно он собирается сказать Франни, и раздумывал, как это сделать. Она хорошо потрудилась и на заднем дво-

---

[1] Все равно что в Тулу со своим самоваром.

ре. Растения всех мыслимых форм и расцветок выглядели совершенными и в то же время абсолютно естественными. Гейдж знал, сам видел, что каждый год она рисует чертежи клумб.

В отличие от матери Фокса, Франни Хоукинс не допускала посторонних к прополке. Она никому не доверяла — считала, что вместо вьюнка они выдернут петунью или что-то еще. Однако за все эти годы Гейдж перетаскал на клумбы изрядное количество перегноя и камней. Наверное, этот сад, словно сошедший с обложки журнала, в какой-то степени он может считать своим.

На крыльце появилась Франни. Она несла чай со льдом и веточками мяты в кувшине из толстого зеленого стекла, высокие стаканы того же цвета и тарелку с печеньем. Они устроились в тени за столиком, в окружении стриженой травы и цветов.

— Я всегда вспоминаю ваш двор, — сказал Гейдж. — Ферма Фокса похожа на игру «Мир приключений», а тут...

— Что? — Она рассмеялась. — Пунктик матери Кэла?

— Нет. Нечто среднее между волшебной сказкой и святилищем.

Улыбка Франни стала нежной и задумчивой.

— Как ты красиво выразился.

Теперь Гейдж знал, что скажет.

— Вы всегда меня принимали. Я думал об этом сегодня. Вы и мать Фокса. Всегда меня принимали, ни разу не отвергли.

— Ради всего святого, с чего бы это?

Гейдж посмотрел прямо в ее голубые глаза.

— Мой отец был пьяницей, а я источником неприятностей.

— Гейдж.

— Если Кэл или Фокс попадали в какую-нибудь передрягу, то зачинщиком почти всегда оказывался я.

— Думаю, они тебя втягивали в свои проказы с тем же успехом.

— Вы с Джимом позаботились о том, чтобы у меня была крыша над головой, и всегда повторяли, что ваш дом может стать моим, если понадобится. Вы держали моего отца в боулинг-центре, даже когда его нужно было выгнать, и делали это ради меня. Но ни разу не дали почувствовать, что это милостыня. И вы, и родители Фокса всегда следили, чтобы у меня были одежда, обувь и работа, чтобы я мог заработать карманные деньги. И я ни разу не почувствовал, что вы делаете это из жалости к бедному ребенку Тернера.

— Я никогда не считала тебя «бедным ребенком Тернера» — и Джо Барри тоже, можешь не сомневаться. Для меня ты был и остаешься другом моего сына. Твоя мать была моей подругой, Гейдж.

— Знаю. И все же вы могли отвадить Кэла от меня. Многие так и поступили. Ведь именно мне в голову пришла идея отправиться в лес той ночью.

Взгляд, которым Франни посмотрела на него, был взглядом матери.

— А остальные двое не имели к этому никакого отношения?

— Имели, конечно, но идея была моей. Наверное, вы поняли это еще двадцать лет назад. Но не захлопнули передо мной дверь.

— В том, что случилось, твоей вины нет. Я не знаю, чем вы теперь занимаетесь, все шестеро, что вы обнаружили, что собираетесь делать. Кэл мне почти ничего не рассказывает. Я и не настаиваю. Но я знаю достаточно, чтобы убедиться: в том, что случилось у Языческого камня, когда вы были мальчишками, твоей вины нет. И еще я знаю, что без вас троих, без всего, что вы сделали, без того, как рисковали собой, я не сидела бы в своем дворе в этот ясный майский день. Без вас, Гейдж, не было бы Хоукинс Холлоу. Без тебя, Кэла и Фокса город был бы мертв.

Она накрыла его ладонь своей, крепко сжала.

— Я так вами горжусь.

С ней — возможно, особенно с ней — он не мог быть неискренним.

— Я здесь не ради города.

— Знаю. И от этого почему-то еще больше тобой горжусь. Ты хороший человек, Гейдж. Да, хороший, — с жаром повторила она, увидев выражение его лица. — И никогда не убедишь меня в обратном. Ты был лучшим другом моему сыну. Близким, как брат. Дверь нашего дома не просто открыта перед тобой. Если понадобится, он станет твоим домом.

Гейджу потребовалось несколько секунд, чтобы собраться с духом.

— Я вас люблю. — Он смотрел прямо в глаза Франни. — Именно это я и приехал сказать. Я почти не помню мать, зато хорошо помню вас и Джо Барри. Наверное, в этом все дело.

— Да, конечно. — Франни встала, обняла его и немного всплакнула.

Решив не откладывать дело в долгий ящик, Гейдж заехал в теплицы на окраине города. Подумав, что Джоанне Барри больше понравится живое растение, а не цветы, он выбрал понравившуюся цветущую орхидею. На ферме он никого не застал и поэтому оставил орхидею вместе с запиской на широком парадном крыльце.

Разговор с Франни успокоил взвинченные после посещения кладбища нервы. Гейдж хотел вернуться домой и заняться собственным расследованием, но напомнил себе, что он — на радость или горе — член команды. Сначала Фокс, решил он, однако перед адвокатской конторой знакомого пикапа не обнаружилось. Наверное, в суде или встречается с клиентом. Кэл в боулинг-центре, но дорога туда заказана — там работает отец.

Покружив, Гейдж свернул к дому, который снимали женщины. Вероятно, сегодня у него «женский день».

Машины Сибил и Куин были на месте. Гейдж вошел в дом точно так же, как утром, без стука, и направился прямо на кухню, намереваясь выпить кофе. На верхних ступеньках лестницы появилась Сибил.

— Второй раз за день, — удивилась она. — Только не рассказывай, что становишься общительным.

— Я хочу кофе. Вы с Куин в кабинете наверху?

— Точно. Две трудолюбивые рабочие пчелки, гоняющиеся за демонами.

— Поднимусь к вам через минуту.

Повернув на кухню, Гейдж успел заметить сексуальный взлет ее брови. Налив себе кофе, он с чашкой в руке поднялся по лестнице. Куин сидела за компьютером; пальцы порхали над клавиатурой. Не прерываясь, она подняла голову и широко улыбнулась ему.

— Привет. Садись.

— И так нормально. — Гейдж подошел к прикрепленной на стене карте города и принялся изучать разноцветные булавки, обозначавшие места, где наблюдались паранормальные явления.

Кладбище не было самым популярным местом, отметил он, однако события не обошли стороной и его. Затем взгляд Гейджа переместился на диаграммы, нарисованные Лейлой. И здесь кладбище не относилось к числу самых *посещаемых*, если можно так выразиться, мест. Возможно, по меркам Большого Злого Ублюдка, это было бы слишком банально.

Позади Гейджа Сибил не отрывала взгляда от экрана своего ноутбука.

— Я нашла источник, утверждающий, что изначально гелиотроп был частью Альфы, или Камня Жизни. Интересно.

— А там сказано, как с его помощью извести демона?

— Нет. — Сибил подняла голову и посмотрела на Гейджа. — Однако тут говорится о войне света и тьмы, Альфы и Омеги, богов и демонов — в зависимости от версии мифа. Во время этих войн огромный камень рассыпался на мелкие осколки, в которых остались кровь и сила богов. Эти осколки были вручены стражам.

— Ага. — Куин перестала печатать и повернулась к Сибил: — Уже ближе. В таком случае гелиотроп был вручен Денту как стражу. А он, в свою очередь, передал его нашим парням — в виде трех одинаковых фрагментов.

— В других источниках говорится, что гелиотроп используется в магических ритуалах, что он умножает физическую силу и ускоряет заживление ран.

— Опять в точку, — сказала Куин.

— Кроме того, он якобы регулирует менструальный цикл у женщин.

— Интересуешься? — повернулся к ней Гейдж.

— Нисколько, — отмахнулась она. — Но для наших целей важнее то, что по всем признакам это еще и камень-врачеватель.

— Тоже мне новость. Мы с Кэлом и Фоксом все выяснили уже много лет назад.

— Все связано с кровью, — продолжила Сибил. — Это нам тоже известно. Кровавая жертва, кровные узы, гелиотроп или «кровавый камень». И еще огонь. Он играет важную роль во многих инцидентах и был ключевым фактором в ту ночь, когда схватились Дент с Твиссом, а также в ночь, когда вы с Кэлом и Фоксом разбили лагерь у Языческого камня. И конечно, в ту ночь, когда мы вшестером снова соединили осколки амулета. Вспомните, что происходит, если ударить друг о друга два камня? Летят искры, а от искр загорается пламя. Вероятно, укрощение огня было первой магией, которой овладел человек. Гелиотроп — это сочетание крови и огня. Пламя не только обжигает, но и очищает. Может, именно огонь убьет демона.

— То есть ты хочешь стоять и бить камнем о камень в надежде, что волшебная искра упадет на Твисса?

— Сегодня у тебя явно хорошее настроение.

— Если бы огонь мог убить демона, тот давно был бы уже мертв. Я видел, как он скользил по языкам пламени, словно на серфе.

— Это был *его* огонь, а не наш, — заметила Сибил. — Огонь, возникший из Альфа-камня, из его фрагмента, переданного вам Дентом, богами. В ту ночь он вызвал сильнейший пожар.

— И как ты предлагаешь вызвать волшебный огонь из камня?

— Еще не знаю. А у тебя что? — спросила Сибил. — Есть идея получше?

Он не для того сюда пришел, напомнил себе Гейдж. Не для того, чтобы спорить о волшебных камнях и божественном огне. И даже не совсем понимает, зачем задирает Сибил. Она ведь выдержала все, с чем им пришлось столкнуться, соединяя три осколка камня.

— Сегодня меня посетил местный демон.

— Почему ты сразу не сказал? — Куин деловито достала диктофон. — Где, когда, как?

— На кладбище, вскоре после того, как я ушел отсюда.

— Когда? — Куин переглянулась с Сибил. — Часов в десять, да? Между десятью и половиной одиннадцатого? — Она посмотрела на Гейджа.

— Примерно. Я не смотрел на часы.

— И какую форму он принял?

— Моей матери.

Деловитый тон Куин мгновенно сменился сочувственным:

— Ой, Гейдж, прости.

— Такое уже случалось? — спросила Сибил. — Он появлялся в облике знакомых тебе людей?

— Новый трюк. Именно поэтому ему удалось меня провести — но только на минуту. В любом случае он был похож на нее — такую, какой я ее помню. На самом деле я не очень хорошо ее помню. Он был похож на ее фотографии.

На одну фотографию, подумал Гейдж. Ту самую, которую отец держал на прикроватном столике.

— Он... она... была молодой, — продолжал Гейдж. — Моложе меня, в одном из своих летних платьев.

Он сел и, прихлебывая остывающий кофе, подробно рассказал обо всем и передал разговор с демоном почти слово в слово.

— Ты его ударил? — спросила Куин.

— В тот момент мне это показалось хорошей идеей.

Сибил молча встала и взяла его руку, тщательно осмотрела ладонь, пальцы.

— Зажило. Мне нужно было знать, полностью ли зажили раны и может ли демон непосредственно ранить тебя.

— Я не говорил, что он меня ранил.

— Разумеется, ранил. Ты двинул кулаком в живот зверя — в буквальном смысле. Какие это были раны?

— Ожоги, дырки. Эта сволочь меня укусила. Дерется, как девчонка.

Сибил вскинула голову, любуясь его улыбкой.

— Я девчонка, но я не кусаюсь... в драке. Долго заживало?

— Довольно-таки. Наверное, час.

— Явно дольше, чем ожоги от естественного источника. Побочные эффекты были?

Гейдж хотел отмахнуться, но затем напомнил себе, что важна каждая деталь.

— Подташнивало, слегка кружилась голова. Но боль была адской, если тебе интересно.

Сибил недоверчиво посмотрела на него.

— А что ты делал потом? До твоего появления здесь прошла пара часов.

— Были кое-какие дела. Мы ведем учет времени?

— Просто любопытно. Мы все запишем, запротоколируем. Пойду заварю чай. Ты будешь, Куин?

— Я бы не отказалась от рутбира[1], но... — Куин взяла бутылку с водой. — Ограничусь вот этим.

Когда Сибил вышла, Гейдж некоторое время молчал, барабаня пальцами по столу, затем тоже встал.

— Налью себе еще кофе.

— Конечно. — Куин проводила его недоверчивым взглядом. Искры сыплются не только при столкновении двух камней.

Сибил вскипятила воду, достала заварочный чайник, насыпала чай. Когда вошел Гейдж, она взяла яблоко из вазы, аккуратно разрезала на четыре части, предложила четвертинку Гейджу.

— Ну вот. — Она достала тарелку, разрезала еще одно яблоко, добавила несколько веточек винограда. — Если Куин заводит речь о рутбире, значит, ей нужно перекусить. Если хочешь чего-то посущественнее, у нас есть сэндвич или холодный салат с пастой.

— Мне хватит. — Гейдж смотрел, как она выкладывает на тарелку несколько крекеров и кубики сыра. — Нет никаких причин злиться.

Бровь Сибил взлетела вверх.

---

[1] Газированный напиток из корнеплодов с добавлением сахара, мускатного масла, аниса, экстракта американского лавра.

— С чего бы это мне злиться?

— Вот именно.

Она взяла дольку яблока, прислонилась к столешнице и откусила маленький кусочек.

— Ты меня неправильно понимаешь. Я спустилась на кухню потому, что захотела чаю, а не потому, что ты меня раздражаешь. Это вовсе не раздражение. Боюсь, тебе не понравится, если я расскажу, что чувствовала и чувствую теперь.

— А именно?

— Мне жаль, что он использовал против тебя твое личное горе.

— Нет у меня никакого личного горя.

— Заткнись. — Она снова откусила яблоко, на этот раз со злостью. — Вот что меня раздражает. Ты был на кладбище. И поскольку я очень сомневаюсь, что это твой обычный маршрут для прогулок, то делаю вывод, что ты пошел на могилу матери. И Твисс оскорбил — по крайней мере, попытался — память о ней. Только не рассказывай мне, что не оплакиваешь мать. Много лет назад я лишилась отца. Он сам сделал выбор — покинул меня, пустив себе пулю в голову. Но я все равно скорблю. Ты не хотел это обсуждать, и я спустилась на кухню, чтобы не докучать тебе. А ты тащишься за мной и заявляешь, что я злюсь.

— Уже прошло, — сухо ответил Гейдж. — Теперь ты совсем не злая.

— И не была, — пробормотала она. Потом вздохнула и снова откусила яблоко. Закипел чайник. — Ты сказал, что мать выглядела очень молодо. Сколько ей было?

— Думаю, чуть за двадцать. Я помню ее в основном по фотографиям. Я... Черт. Черт. — Гейдж достал бумажник и вытащил из-под водительского удостоверения маленькую фотографию. — Именно так она и выглядела, вплоть до этого проклятого платья.

Выключив горелку, Сибил подошла к нему и стала рассматривать фотографию в его руке, темные распущенные волосы, стройную фигуру в желтом сарафане. На коленях маленький мальчик лет полутора; оба улыбаются в камеру.

— Красивая. Ты пошел в нее.

— Он взял ее у меня из головы. Ты была права. Я не доставал снимок... Не знаю, наверное, несколько лет. Но это самые четкие воспоминания, потому что...

— Потому что ты носишь фотографию с собой. — Сибил сжала его локоть. — Можешь раздражаться, если так тебе легче, но я тебе сочувствую.

— Я понял, что это не она. Примерно через минуту.

И в эту минуту, подумала Сибил, он должен был чувствовать невыносимую печаль и радость. Она отвернулась, чтобы налить воду в заварочный чайник.

— Надеюсь, ты повредил ему парочку жизненно важных органов, если таковые у него имеются.

— Что мне в тебе нравится, так это здоровый вкус к насилию. — Гейдж спрятал фотографию матери в бумажник.

— Я сторонница физического контакта — во всех смыслах. Но согласись, любопытно, что, прикинувшись твоей матерью, он прежде всего попытался уговорить тебя уехать. Не напал, не оскорблял, как раньше, а уговаривал от лица человека, которому ты веришь: уехать, спасать себя. Похоже, мы заставили его поволноваться.

— Да, он выглядел очень взволнованным, когда сбил меня с ног.

— Но ты ведь встал, правда? — Сибил поставила на поднос чайник и чашку. — Через час приедет

Кэл, потом Лейла с Фоксом. Если у тебя нет других предложений, можешь остаться на ужин.

— Готовишь ты?

— По всей видимости, такова моя доля в той странной жизни, которую мы ведем.

— Принимаю предложение.

— Отлично. Отнеси это наверх, а потом мы подключим тебя к работе.

— Я не рисую графики.

Выходя из кухни, она оглянулась и бросила на него самодовольный взгляд.

— Придется, если хочешь есть.

Гейдж вместе с Кэлом и Фоксом сидел на ступеньках парадного крыльца, наслаждаясь первой за вечер бутылкой пива. Фокс сменил строгий костюм на джинсы и футболку. В обычной одежде он чувствовал себя гораздо комфортнее.

Сколько раз они уже сидели так вместе, пили пиво? И не сосчитать, подумал Гейдж. Когда он бывал на другом конце света, то частенько садился, брал бутылку пива и вспоминал о друзьях в Холлоу.

А иногда возвращался в город в промежутках между Седмицами, потому что ему не хватало друзей. И тогда они сидели на крыльце в лучах заходящего летнего солнца, забыв — по крайней мере, Гейдж — о тяжелом грузе ответственности.

Но теперь вся тяжесть мира давила им на плечи — через два месяца им предстоит победить или умереть.

— Можно вернуться на кладбище втроем, — предложил Фокс. — Посмотрим, будет ли второй раунд.

— Вряд ли. Демон уже позабавился.

— В следующий раз, отправляясь на прогулку, бери с собой оружие. Я не имею в виду твой дурацкий пистолет. Можешь купить в супермаркете вполне приличный и абсолютно законный складной нож. А то этот сукин сын еще раз попробует откусить тебе руку.

Гейдж лениво пошевелил пальцами.

— Приятно было вмазать ублюдку, но ты прав. Черт возьми, у меня не было даже перочинного ножика. Непростительная ошибка.

— Значит, он может принимать облик мертвых... Прости, — прибавил Фокс и положил руку на плечо Гейджа.

— Ничего. Куин уже затрагивала эту тему. Принимать облик живых людей очень сложно. Сибил считает, что демон на это не способен. С мертвыми проще. У нее имеется сложная научная теория, в подробности которой я перестал вникать, когда они с Куин принялись спорить. Но тут я, пожалуй, соглашусь с Сибил. Демон материален. Но образ, форма — все это вроде оболочки, и оболочка может заимствоваться. Такова суть длинной лекции Сибил о формах материи и оборотнях. Демон не может заимствовать оболочку у живых, потому что они ее, если можно так выразиться, носят.

— В любом случае, — после минутного молчания сказал Фокс, — мы знаем, что у Твисса появился новый трюк. И если он снова захочет его повторить, мы будем готовы.

Возможно, подумал Гейдж, но шансы невелики. И с каждым днем уменьшаются.

3

Сибил в свободных брюках и майке, используемых в качестве пижамы, брела к кухне навстречу бодрящему запаху кофе. Приятно сознавать, что кто-то встал раньше ее и включил кофеварку. Эта обязанность чаще всего доставалась ей, поскольку Сибил просыпалась раньше других.

И поскольку остальные спали не одни, им доставался и кофе, и секс. Несправедливо, решила Сибил, но ничего не поделаешь. Правда, ей не приходится вступать в разговор до чашки кофе, и у нее есть время спокойно пролистать утреннюю газету, пока игривые щенки еще не вылезли из своих постелей.

На полпути между лестницей и кухней она остановилась, принюхиваясь. Не просто кофе. В воздухе разносился запах бекона — похоже, сегодня настоящий праздник. Кто-то уже готовит завтрак, опередив ее.

Шагнув через порог, Сибил увидела суетящуюся у плиты Лейлу. Негромко напевая, она что-то жарила и переворачивала на сковороде; темные волосы были сколоты в небольшой пучок на затылке. У нее такой счастливый вид, подумала Сибил, удивляясь приступу сестринской любви.

В конце концов, они обе совершеннолетние, и хотя Лейла не так много путешествовала, но несколько лет прожила в Нью-Йорке и даже в обрезанных джинсах и футболке умудрялась сохранять городской лоск. Родственную душу в Куин Сибил почувствовала мгновенно — при первой же встрече в колледже. А теперь Лейла.

Вот с родной сестрой такой близости, такого родства душ никогда не было, подумала Сибил. Они с Риссой никогда не понимали друг друга, и младшая сестра появлялась, только если ей что-нибудь было нужно или она попадала в очередную историю.

Похоже, ей повезло, решила Сибил. У нее есть Куин, которую она давно считает частью себя самой, а теперь появилась Лейла, и все три стали одной командой.

Отложив бекон, чтобы с него стек жир, Лейла потянулась за упаковкой яиц и в этот момент заметила Сибил.

— Господи! — Лейла прижала руку к сердцу. — Ты меня напугала.

— Прости. Ты сегодня рано.

— Да, с мечтой о яичнице с беконом. — Опередив Сибил, Лейла налила ей чашку кофе. — Я нажарила много бекона. Подумала, что ты скоро спустишься, да и Фокс никогда не отказывается от еды.

— Угу. — Сибил добавила молоко в кофе.

— В любом случае, я надеюсь, ты голодна — потому что я поджарила половину свиньи. Яйца свежие, с фермы О'Деллов. Газету я принесла. — Лейла указала на стол. — Садись и пей кофе, пока я тут все закончу.

Сибил сделала первый бодрящий глоток.

— Не могу не спросить. Что у тебя на уме, Дарнелл?

— Все прозрачно, как целлофан. — Поморщившись, Лейла разбила в миску первое яйцо. — Это маленькая услуга, и я бы подкупила завтраком и Куин, ночуй она здесь, а не у Кэла. В моем распоряжении свободное утро и образцы краски. Я надеялась уговорить вас с Куин проехаться вместе со мной по магазинам и помочь в выборе цветовой гаммы.

Сибил откинула волосы назад, сделала еще один глоток кофе.

— У меня вопрос. С чего ты взяла, что мы позволим тебе самостоятельно, без нашего участия, выбрать цвет для бутика?

— Правда?

— От меня ты не отвертишься, но яичницу с беконом я съем.

— Хорошо. Хорошо. Хотя это кажется полным безумием — волноваться из-за образцов краски, когда перед нами стоят вопросы жизни и смерти.

— Цветовая гамма — это вопрос жизни и смерти. Рассмеявшись, Лейла покачала головой.

— Демон, который хочет нас убить, через шесть недель наберет полную силу, а я гоняюсь за несбыточной мечтой, открывая свой магазин в городе, который демон выбрал в качестве места для развлечений. Тем временем Фоксу нужно подобрать и обучить — или это я должна обучить — того, кто заменит меня в качестве администратора. И одновременно мы должны понять, как уничтожить древнего демона и остаться в живых. И еще я хочу попросить Фокса, чтобы он на мне женился.

— Жизнь не останавливается из-за того... Постой. — Сибил подняла руку, ожидая, пока в голове ее окончательно прояснится. — На курсе журналистики это называлось «уходить от существенных фактов». Отлично.

— Это безумие?

— Ты никогда не уходишь от существенных фактов. — Сибил не удержалась и взяла кусочек бекона. — Да, брак — безумие, и именно поэтому это так по-человечески.

— Я имею в виду не брак, а попросить его. Это на меня не похоже.

— Надеюсь, ты делаешь предложения всем мужчинам без разбору.

— Я всегда думала, что, когда все утрясется, когда придет время, я буду ждать, пока любимый мужчина выберет подходящую обстановку, купит кольцо и сделает мне предложение. — Вздохнув, Лейла снова стала разбивать яйца в миску. — Это на меня похоже — вернее, было похоже. Но теперь мне плевать, все ли на своих местах, а какое время подходящее, никто знать не может, особенно мы. И ждать я не желаю.

— Вперед, сестренка.

— А ты сама... Я имею в виду, в таких обстоятельствах?..

— Ты абсолютно права, именно так я бы и поступила.

— Мне кажется... Он идет, — прошептала Лейла. — Ничего не говори.

— Черт, а я хотела все выложить, а потом бросить пару горстей конфетти.

— Доброе утро. — Фокс сонно улыбнулся Сибил, а потом повернулся к Лейле, одарив ее ослепительной улыбкой. — Ты готовишь?

— Босс отпустил меня до обеда, и у меня появилось свободное время.

— Твой босс должен выполнять все твои желания. — Фокс достал из холодильника банку колы, открыл. Потом окинул внимательным взглядом лица женщин. — Что? В чем дело?

— Ни в чем. — Вспомнив о его способности читать мысли и чувства, Лейла ткнула в него венчиком для взбивания яиц. — Не подсматривать. Мы обсуждали бутик, образцы красок и все такое. Сколько тебе яиц?

— Два. Три.

Когда Фокс наклонился, чтобы поцеловать ее, и стянул пару кусочков бекона у нее за спиной, Лейла с довольной улыбкой посмотрела на Сибил.

Здание, в котором Лейла собиралась открыть бутик, было просторным, светлым и удобно расположенным. Большие плюсы, на взгляд Сибил. У Лейлы многолетний опыт в розничной торговле одеждой, а также превосходное чувство стиля — тоже важные преимущества. Кроме того, она, как и Фокс, обладала способностью читать мысли, а знание желаний клиента станет огромным преимуществом.

Сибил прошлась по дому. Ей нравились деревянные полы, теплые тона, широкий цоколь.

— Простота или изысканность? — спросила она.

— Простота с оттенком изысканности. — Лейла стояла у окна рядом с Куин и рассматривала один из образцов при естественном освещении. — Я собираюсь с уважением отнестись к этому дому, но чуть-чуть оживить его несколькими штрихами. Женственно, удобно, но не слащаво. Понятно, но в то же время неожиданно.

— Ни розовых, ни лиловых тонов.

— Нет, — решительно сказала Лейла.

— Пару удобных кресел для клиентов, — предложила Куин. — Чтобы померить туфли или подождать подругу у примерочной. Но только не цветочный орнамент и не ситец.

— Будь это галерея, мы бы сказали, что украшением будет товар.

— Точно. — Лейла с улыбкой повернулась к Сибил. — Вот почему я выбрала именно нейтральный цвет стен. Но теплые тона — из-за дерева. А вместо прилавка... — она провела рукой на уровне талии, — найду старинный письменный стол. И для кассы тоже. А здесь... — она сунула образцы в руку Куин и направилась к противоположной стене помещения, — ...будут несимметрично висеть прозрачные полки с туфлями и маленькими сумочками. А вот там...

Сибил ходила вслед за Лейлой, набрасывая план бутика. Расстановка уже вырисовывалась — открытые стеллажи, полки, стеклянные витрины для аксессуаров.

— Хочу попросить отца Фокса, чтобы он построил в этом месте пару примерочных.

— Три, — поправила Сибил. — Это удобнее, приятнее для глаза, и, кроме того, три — магическое число.

— Значит, три. С хорошим, мягким освещением и встроенными зеркалами.

— Ненавижу эти штуковины, — пробормотала Куин.

— Все ненавидят, но это необходимое зло. Смотрите, здесь маленькая кухня. — Лейла жестом пригласила подруг следовать за ней. — Она сохранилась, несмотря на многочисленные переделки. Я подумала, что примерно каждый месяц могу делать небольшие композиции. Например, свечи и вино на столе, цветы и неглиже или платье для коктейлей на спинке стула. Или коробка каши на столешнице, несколько тарелок в мойке, сумочка — как у почтальона или деловая — на столе, под столом пара туфель-лодочек. Понимаете, о чем я?

— Забавно, разумно. Да, я поняла, что ты имеешь в виду. Давай посмотрим образцы. — Сибил выхватила их из рук Куин и вернулась к окну.

— У меня еще есть, — сказала Лейла. — Просто пока отобрала эти.

— И среди них есть фаворит, — закончила за нее Куин.

— Да, но я хочу услышать ваше мнение. Серьезно. Потому что я боюсь и волнуюсь и не хочу все испортить из-за того...

— Вот. Шампанское. Легкий оттенок золота — не цвет, а намек. Мягкий, нейтральный, но живой, с характером. На его фоне любой тон будет только выигрывать.

Куин сосредоточенно разглядывала образец из-за спины Сибил.

— Она права. Великолепно, женственный, утонченный, теплый.

— Я тоже его выбрала. — Лейла закрыла глаза. — Клянусь, именно его.

— Что доказывает превосходный вкус у всех троих, — заключила Сибил. — Ты собираешься обратиться за кредитом на этой неделе?

— Да. — Лейла с шумом выдохнула. — Фокс говорит, дело верное. У меня есть рекомендации от него, Джима Хоукинса и моего бывшего босса в Нью-Йорке. Мои финансы... как бы это сказать... скромные, но в порядке. А городу необходим малый бизнес. Чтобы доходы оставались здесь, а не утекали в торговые центры и тому подобное.

— Выгодное вложение. Тут очень удачное место, на Мейн-стрит, в двух шагах от площади. Ты выросла в этом бизнесе — у твоих родителей был магазин одежды. Плюс опыт работы, превосходное чувство стиля. Очень выгодное вложение. Я бы согласилась поучаствовать.

— Что? — Заморгав, Лейла удивленно уставилась на Сибил.

— Мои финансы в полном порядке — не с точки зрения банковской ссуды, а в том смысле, что я могу вложиться в разумное предприятие. Во что ты оцениваешь затраты на открытие бизнеса?

— Ну... — Лейла назвала цифру, и Сибил кивнула.

— Треть я потяну. Куин?

— Да, и я могу дать треть.

— Вы шутите? — больше Лейле ничего не приходило в голову. — Вы шутите?

— В результате последняя треть покроется твоими скромными финансами или банковской ссудой. Я бы советовала ссуду — не только чтобы облегчить тебе жизнь, но и ради сокращения налогов. — Сибил отбросила волосы со лба. — Разве что тебе не нужны инвесторы.

— Нужны, если эти инвесторы вы. О боже, это... Подождите. Вы должны подумать серьезно. Возьмите паузу. Хорошенько все обдумайте. Я не хочу, чтобы...

— Мы уже подумали.

— И все обсудили, — прибавила Куин. — С тех пор, как ты решилась. Послушай Лейла, мы уже инвестировали — друг в друга и в этот город. Речь всего лишь о деньгах, и, как выразился бы Гейдж, мы хотим раскошелиться.

— У меня все получится. Обязательно. — Лейла смахнула слезу. — Обязательно получится. Я знаю, что мы значим друг для друга, но если вы это сделаете, я хочу, чтобы все было правильно и по закону. Фокс... Он все устроит, позаботится о формальностях. Я знаю, что справлюсь. Особенно теперь.

Она обняла Куин, потом шире раскрыла объятия и привлекла к себе Сибил.

— Спасибо. Спасибо. Спасибо.

— Не за что. Только помни о том, что еще сказал бы Гейдж.

— Что?

— Еще нужно дожить до августа. — Рассмеявшись, Сибил шлепнула Лейлу и отступила на шаг. — Ты уже придумала название для бутика?

— Опять шутишь? Конечно. У меня целый список. А если точнее, то целых три списка и папка. Но я выбрасываю все в корзину, потому что только что придумала превосходное название. — Лейла вскинула руки ладонями вверх. — «У сестер».

Они разделились: Лейла отправилась в контору, Куин на ленч с матерью Кэла, чтобы обсудить приготовления к свадьбе, а Сибил домой. Ей не терпелось выяснить, как можно использовать гелиотроп в качестве оружия, обдумать идею о том, что он осколок мощного источника магической силы.

Она любила тишину и одиночество. Думать, тасовать мысли, перекладывая их, как фрагменты головоломки, пока они не встанут на место. Ей захотелось сменить обстановку, и она отнесла ноутбук и папку с распечатанными заметками, которые относились к гелиотропу, на кухню. Открыла окно, дверь во двор, сделала чай со льдом, нарезала миску салата. Потом принялась за еду, одновременно просматривая заметки.

7 июля 1652 г. на Джайлзе Денте (страже) был амулет из гелиотропа в ночь, когда Лазарус Твисс привел одурманенную толпу в лес к Языческому камню, рядом с которым стояла маленькая хижина Джайлза. До этой ночи Джайлз рассказывал о камне и показывал его Энн Хоукинс, своей возлюбленной и матери троих его сыновей (которые родились 7.07.1652). Энн скупо и туманно упоминала о камне в своих дневниках, которые вела после того, как Дент отправил ее в безопасное место (теперь там ферма О'Деллов), чтобы она родила сыновей.

Затем амулет был разделен на три равные части, которые оказались в руках Кэла Хоукинса, Фокса О'Делла и Гейджа Тернера после того, как они исполнили кровавый ритуал у Языческого камня в полночь накануне их десятого дня рождения (7.07.1987). Ритуал с использованием крови освободил демона. Каждые семь лет он вырывается на свободу на семь дней и получает власть над Хоукинс Холлоу, заставляя горожан совершать акты насилия и даже убийства.

Однако после освобождения демона три мальчика приобрели необычные качества самоисцеления и ясновидения. *Оружие.*

Сибил кивнула, прочитав выделенное слово.

— Да, это оружие, средство сохранить им жизнь, сохранить силы для битвы. И это оружие явно связано с гелиотропом.

Она просмотрела свои записи, касающиеся слов из дневника Энн о том, что три должны стать одним, а также ее разговоров с Кэлом и Лейлой.

Один из трех, три в одном, размышляла Сибил. Ей почему-то стало обидно, что Энн ей не явилась.

Она бы не отказалась взять интервью у призрака.

Сибил села за клавиатуру и принялась заносить свои мысли в компьютер, используя излюбленный метод «потока сознания». Рассортировать и привести все в порядок можно потом. Время от времени она прерывалась, чтобы черкнуть пометку в блокноте — к чему вернуться позже, где стоит копнуть поглубже.

Услышав, как открылась входная дверь, она не стала отрываться от работы. Что-то Куин рано вернулась, мелькнуло у нее в голове. И даже после того, как через несколько мгновений раздался резкий, как выстрел, хлопок закрывающейся двери. Предсвадебное волнение, подумала она.

Однако хлопок двери у нее за спиной и звук задвигающегося засова все же привлекли ее внимание. Сибил сохранила файл — по привычке, автоматически, почти не думая. Окно над раковиной скользнуло вниз, и это медленное движение почему-то показалось страшнее, чем грохот захлопывающейся двери.

Ему можно причинить боль, напомнила себе Сибил, шагнув к набору ножей на столешнице. Им уже это удавалось. Демон чувствует боль. Сняв большой нож с подставки, Сибил поклялась, что если демон в доме, она заставит его поплясать. Но инстинкт подсказывал, что лучше выбираться наружу. Она протянула руку к задвижке.

Удар током заставил ее вскрикнуть и попятиться. Послышался громкий хлопок, и из водопроводного крана вдруг хлынула кровь. Сибил шагнула к телефону — помощь прибудет через две минуты. Но, прикоснувшись к телефону, почувствовала еще один, более сильный удар.

Тактика запугивания, успокаивала себя Сибил, осторожно приближаясь к кухонной двери. Запереть женщину одну в доме. И произвести побольше шума, прибавила она, услышав грохот, от которого вздрогнули стены, пол и потолок.

В окне гостиной она увидела мальчишку. Он прижимался лицом к стеклу. И ухмылялся.

Она не может выйти, а демон не может войти, подумала Сибил. Любопытно, правда? Она смотрела, как лицо скользит по стеклу, вверх и вниз, словно отвратительный жук.

Стекло кровоточило, приобретая красный цвет, и его облепили черные мухи, слетевшиеся на запах крови.

Жужжащий рой заслонял свет, и постепенно в комнате и во всем доме стало темно, как ночью. Как будто она ослепла, подумала Сибил, и сердце у нее замерло. Вот, значит, что задумал демон. Хочет добраться до нее, используя старый, глубоко укоренившийся страх. Не обращая внимания на жужжание и грохот, она нащупала стену. Что-то влажное и теплое потекло по руке — стены кровоточили.

Нужно выйти на улицу, повторяла Сибил. Она выдержит, справится, выберется из дома. Стену сменили перила лестницы, и Сибил облегченно вздохнула. Уже близко.

Что-то ударило ее из темноты, сбило с ног, бесполезный нож упал на пол. Сибил поползла к выходу на четвереньках. Дверь распахнулась, и свет почти ослепил Сибил. Она рванулась вперед, как бегун с низкого старта.

И врезалась в Гейджа. Потом он подумал, что Сибил пролетела бы прямо сквозь него, если бы могла. Он схватил ее, приготовившись сдерживать бьющуюся в истерике женщину, которая будет царапаться и лягаться. Но Сибил посмотрела на него взглядом, в котором бушевала холодная ярость.

— Ты его видишь? — спросила она.

— Вижу. А соседка, подметающая дорожку перед домом, нет. Вон она, машет нам.

Сибил, на всякий случай не выпускавшая руку Гейджа, повернулась и помахала свободной рукой. По фасадному окну ползал мальчишка, словно огромный паук.

— Давай, — Сибил говорила отчетливо, с расстановкой. — Трать силы на сегодняшний спектакль. — Она выпустила руку Гейджа и села на ступеньки. — Значит, — теперь она обращалась к Гейджу, — решил прокатиться?

Несколько секунд он молча смотрел на нее, потом покачал головой и сел рядом. Мальчишка спрыгнул с окна и побежал по лужайке. По его следам текла река крови.

— На самом деле я приехал к Фоксу. Когда мы разговаривали, у него в голове прозвенел тихий звоночек. Сильные помехи, сказал он, как будто сбилась настройка. И поскольку Лейла сказала, что ты в доме одна, я решил проверить.

— Очень рада тебя видеть. — От кровавой реки взметнулось пламя. — Я не была уверена, что прорвусь, с нашим сигналом «вызова Бэтмена». — Пытаясь обрести душевное равновесие, Сибил снова взяла Гейджа за руку.

С лужайки послышался яростный вопль демона. Он подпрыгнул и исчез в потоке пылающей крови.

— Впечатляющий выход.

— У тебя стальные нервы, черт возьми, — пробормотал Гейдж.

— Профессиональный игрок обязан лучше различать блеф.

Сибил задрожала всем телом. Гейдж взял ее за подбородок и повернул к себе.

— Нужно иметь стальные нервы, чтобы так блефовать.

— Демон питается страхом. И будь я проклята, если дам ему пообедать. Но будь я дважды проклята, если соглашусь вернуться в дом одна — в данный момент.

— Ты хочешь вернуться или отправиться куда-нибудь в другое место?

Тон его был небрежным, почти безразличным, без намека на жалость. Страх наконец разжал свои тиски, и осталась только гордость.

— Я бы хотела лежать на пляже атолла Бимини с коктейлем «Беллини» в руке.

— Поехали.

Она засмеялась, и Гейдж, повинуясь скорее инстинкту, чем трезвому расчету, закрыл ей рот поцелуем.

Он понимал, что это глупо, но разумное поведение не доставило бы такого удовольствия. Вкус был таким же, как внешность — экзотичным и загадочным. Сибил не удивилась, не стала сопротивляться, а приняла поцелуй как должное. Когда Гейдж отстранился, она откинулась назад, глядя ему прямо в глаза.

— Не «Беллини» на Бимини, но все равно очень мило.

— Могу предложить кое-что получше.

— Не сомневаюсь. Но... — Сибил встала и по-приятельски похлопала его по плечу. — Пожалуй, нам лучше пойти в дом и проверить, все ли там в порядке. — Она окинула взглядом зеленую лужайку и блестевшее в лучах полуденного солнца окно. — Наверное, все хорошо, но проверить не мешает.

— Ладно. — Гейдж встал и вместе с ней вошел в дом. — Позвони Фоксу в контору, скажи, что все в порядке.

— Ага. Из кухни. Именно там я была, когда все началось. — Она махнула рукой в сторону гостиной, где на боку лежал стул. — Вот что пролетело через комнату и сбило меня с ног. Маленький ублюдок бросил в меня стул.

Гейдж поставил стул на место, поднял с пола нож.

— Твой?

— Да, только жаль, что я не смогла им воспользоваться. — Сибил вошла в кухню вместе с Гейджем и медленно выдохнула. — Дверь во двор закрыта и заперта, окно тоже. Его работа. Значит, это реально. Лучше знать, что реально, а что нет. — Прополоскав нож и вернув его на подставку, взяла телефон и позвонила Лейле.

Предположив, что Сибил хочет вернуть все в прежнее состояние, Гейдж открыл окно и дверь.

— Я буду готовить, — объявила Сибил, положив телефонную трубку.

— Отлично.

— Поможет успокоиться и сосредоточиться. Мне кое-что понадобится — так что можешь отвезти меня на рынок.

— Я?

— Да, ты. Только возьму сумочку. И поскольку коктейль «Беллини» не выходит у меня из головы, мы остановимся у винного магазина и купим шампанского.

— Ты хочешь шампанского, — помолчав, произнес Гейдж.

— Естественно.

— Что еще в нашем списке поручений?

Сибил лишь улыбнулась в ответ.

— Еще мне нужна пара резиновых перчаток. По дороге объясню, — прибавила она.

Сибил рассматривала, изучала, перебирала разложенный на прилавках товар. На рынке громко играла музыка, и Гейдж подумал, что она выбирает помидоры с таким усердием и тщательностью, с какой женщины, как ему казалось, должны выбирать дорогие украшения. Среди ярких овощей и фруктов, на фоне звучащей музыки она выглядела как королева фей. Наверное, Титания, решил Гейдж. Титания тоже была той еще штучкой.

Он боялся, что поход на рынок и покупка продуктов вызовут у него раздражение или по крайней мере нетерпение, но с удивлением обнаружил, что с интересом наблюдает за Сибил. Движения ее были плавными, взгляд — внимательным и все замечающим. Любопытно, много ли найдется людей, которые после встречи с демоном спокойно прогуливаются вдоль прилавков, толкая перед собой тележку с продуктами?

Гейдж не мог этим не восхищаться.

Она целых пятнадцать минут перебирала цыплят, внимательно рассматривая и отвергая, пока не нашла того, который удовлетворял ее требованиям.

— У нас будет цыпленок? Это все для цыпленка?

— Не просто цыпленок. — Откинув волосы за спину, она улыбнулась одним уголком рта. — Жареный цыпленок с вином, шафраном, чесноком, бальзамическим уксусом... и так далее. Ты будешь плакать от счастья над каждым кусочком.

— Сомневаюсь.

— Тогда твои вкусовые пупырышки никуда не годятся. Ты ведь бываешь в Нью-Йорке, хотя бы иногда?

— Конечно.

— Ты когда-нибудь ужинал в «Пиканте»?

— Модное французское заведение. Верхний Вест-Сайд.

— Да. Известное место. Тамошний шеф-повар был моим первым серьезным любовником. Старше меня, француз — просто идеал для первого серьезного любовника двадцатилетней женщины. — Ее улыбка стала многозначительной и немного развязной. — Он многому меня научил... на кухне.

— Насколько старше?

— Значительно. У него была дочь, моя ровесница. Естественно, она меня презирала. — Сибил пощупала багет. — Нет, здесь я хлеб покупать не буду, по крайней мере, так поздно. В городе остановимся у булочной. Если ничего не подойдет, придется испечь самой.

— Возьмешь и испечешь хлеб.

— Если потребуется. Когда у меня есть настроение, это занятие имеет терапевтический эффект и приносит удовлетворение.

— Как секс.

Ее улыбка была быстрой и беспечной.

— Точно. — Она подкатила тележку к очереди, облокотилась на ручку. — А кто был твоей первой серьезной возлюбленной?

Сибил не заметила или просто проигнорировала стоявшую впереди них женщину, которая оглянулась и посмотрела на них широко раскрытыми глазами.

— У меня ее еще не было.

— Очень жаль. Ты не знаешь, что такое необузданная страсть, отчаянные ссоры, безумные желания. Секс приятен и без них, но все остальное добавляет перцу. — Сибил улыбнулась женщине, за которой они стояли. — Вы согласны?

Женщина вспыхнула, растерянно пожала плечами.

— Да, наверное. Конечно, — пробормотала она и вдруг заинтересовалась — на взгляд Гейджа, притворно — газетами на стенде перед кассой.

— Однако женщины в большей степени склонны искать эти эмоции. Это генетическое, гормональное, — как ни в чем не бывало продолжала Сибил. — Наш пол получает большее сексуальное удовлетворение, когда участвуют эмоции, и мы верим — даже если обманываем себя — в эмоции партнера.

Сибил принялась выкладывать покупки из корзины.

— Я готовлю, — сказала она Гейджу. — Ты платишь.

— Мы так не договаривались.

Сибил похлопала по цыпленку.

— Если тебе не понравится, я верну деньги.

Гейдж посмотрел на нее. Длинные пальцы, бледный лак для ногтей, пара сверкающих колец.

— Я могу и солгать.

— Ты не станешь этого делать. Ты любишь выигрывать, но, как в случае с женщинами, чувствами и сексом, победа слаще, когда она честная.

Гейдж взглянул на выбитый чек.

— Цыпленок должен быть чертовски хорош, — сказал он и достал бумажник.

4

Она была права насчет цыпленка. Вкуснее Гейдж еще не пробовал. И еще она была права, когда объявила, что за едой они не станут обсуждать ее кулинарный талант и упоминать обо всем, что связано с демоном.

Просто удивительно, сколько тем для разговоров находили *остальные* из их шестерки, хотя практически не расставались уже несколько месяцев. Подготовка к свадьбе, новый бизнес, книги, фильмы, скандалы среди знаменитостей, слухи маленького городка — все это летало над столом, словно теннисные мячи. В любое другое время и в любом другом месте они были бы тем, чем казались — компанией друзей и возлюбленных, наслаждавшихся общением друг с другом и великолепной едой.

Но где здесь его место? Отношения с Кэлом и Фоксом менялись и развивались с течением времени, когда они превращались из мальчиков в мужчин, и особенно когда он оторвался от своих корней и уехал из Холлоу. Но основа оставалась неизменной — дружба на всю жизнь. Они всегда с ним.

Ему нравились женщины, которых друзья себе выбрали, — сами по себе и потому, что составили пару его друзьям. Не каждая женщина способна выдержать то, с чем им пришлось столкнуться, и не сбежать. Значит, если они останутся живы, четверо из шести рискнут окунуться в неизведанную область семейной жизни.

Откровенно говоря, Гейдж верил, что у них все получится.

А если он останется жив, то снова уедет. Он единственный, кто уезжал — и возвращался. В любом случае именно такую он выбрал себе жизнь. Впереди всегда есть еще одна игра, еще один шанс. Видимо, так уж он устроен. Джокер, открывающийся после снятия и перетасовки колоды.

Остается Сибил с ее энциклопедическим умом, кулинарным талантом и стальными нервами. За все время знакомства он лишь один раз видел ее беспомощной. Твисс использовал тайные страхи каждого, вспомнил Гейдж, и для Сибил это была Слепота. Когда все закончилось, она плакала в его объятиях. Но не сбежала.

Нет, не сбежала. И не отступила, как и все они. Если им суждено выжить, Сибил тоже уедет. В ее великолепном теле не было ни клеточки от жительницы маленького городка. Хотя она умеет приспосабливаться. Довольно быстро привыкла к Холлоу, к небольшому дому, но это для нее... как ваза для цветов Франни Хоукинс. Всего лишь временная остановка на пути к тому, что ей по душе.

Но куда и к чему именно? Гейдж думал об этом, думал о ней — больше, чем следовало бы.

Поймав его взгляд, Сибил вопросительно вскинула бровь.

— Вернуть деньги?

— Нет.

— Вот и ладно. Я хочу прогуляться.

— Но, Сиб... — попыталась остановить ее Куин.

— Со мной может пойти Гейдж, а вы четверо займетесь посудой.

— Почему это он избавлен от обязанностей по кухне? — обиженно поинтересовался Фокс.

— Он возил меня в магазин, платил. Мне нужно немного подышать воздухом, прежде чем мы займемся Большим Злым Ублюдком. Ну, красавчик? Будешь моим эскортом?

— Возьми телефон. — Куин схватила Сибил за руку. — На всякий случай.

— Возьму телефон, надену куртку и не буду брать конфеты у незнакомых людей. Расслабься, мамочка.

Она выскочила из комнаты, и Куин повернулась к Гейджу:

— Только не уходите далеко, ладно? И не отпускай ее от себя.

— В Хоукинс Холлоу все близко.

Сибил надела тонкий свитер, сунула ноги — Гейдж привык видеть их босыми — в черные башмаки. Оказавшись на улице, она вдохнула полной грудью.

— Люблю весенние ночи. А летние еще больше. Я люблю жару, хотя в данных обстоятельствах весна даже лучше.

— Куда ты хочешь пойти?

— На Мейн-стрит, конечно. Куда же еще? Я предпочитаю знать место, где нахожусь, — продолжала она, шагая по улице. — Поэтому гуляю по городу, объезжаю окрестности.

— И теперь, наверное, уже можешь нарисовать подробную карту и того и другого.

— Не только могу, но и нарисовала. Я умею подмечать детали. — Она с наслаждением вдохнула воздух, пропитанный ароматом розовых пионов, которые цвели в чьем-то саду. — Куин будет здесь счастлива. Это место ей идеально подходит.

— Почему?

Гейдж заметил, что вопрос удивил ее, вернее, не сам вопрос, а тот факт, что он спросил.

— Близость. В этом вся Куин. Новые районы, пригороды... хотя нет, не в этом дело. Слишком... упорядоченно. Свой район, где она знает имена клерков в банке и продавцов в магазине, — это ее. Она общительная, но время от времени ей требуется одиночество. Город даст ей ощущение близости. Дом за городом — возможность побыть одной. Она получает все, — сделала вывод Сибил. — И он тоже.

— Кэл удачно во все это вписывается.

— Еще как. Признаюсь, когда она впервые заговорила о Кэле, я подумала: парень из боулинг-клуба? Куин сошла с ума. — Рассмеявшись, она откинула волосы за спину. — Стыдно, но я опустилась до банальностей. Разумеется, первое, что я подумала, когда увидела его: какой милый парень из боулинг-клуба! Потом увидела их вместе. Мне кажется, они оба получают все. Я с удовольствием буду приезжать сюда, к ним и к Лейле с Фоксом.

Они вышли на площадь, затем свернули на Мейн-стрит. На светофоре остановилась машина; стекла опущены, из салона доносится громкая музыка. «Ма Пантри» и «Динос» еще работали — у пиццерии толклась кучка подростков, — но магазины уже закрылись на ночь. В девять погаснут окна

«Ма Пантри», а в одиннадцать закроется «Джинос». Типичная прогулка по Холлоу, подумал Гейдж.

— Значит, у тебя нет желания построить себе домик в окрестных лесах? — спросил он.

— В таком домике приятно время от времени проводить выходные. То же самое относится к очарованию маленького городка, — прибавила она. — Хорошо для кратких визитов. Обожаю приезжать в гости. Это одно из моих любимых занятий. Но по натуре я житель большого города и люблю путешествовать. Мне нужна база, откуда я уезжаю и куда возвращаюсь. У меня она в Нью-Йорке. Бабушкино наследство. А ты? У тебя есть база, штаб-квартира?

Гейдж покачал головой.

— Мне нравятся гостиничные номера.

— Мне тоже — или, если точнее, номер в приличном отеле. Люблю хороший сервис, удобство комнаты, оборудованной всем необходимым. Здорово, когда можно повесить на дверь табличку «Не беспокоить» или заказать еду в номер.

— В любое время дня и ночи, — продолжил Гейдж. — А еще кто-то приходит и убирает номер, пока ты занят чем-то более интересным.

— Да, конечно. И мне нравится разглядывать из окна чужой пейзаж. Хотя все люди разные. Много таких, как в этом городе, который с таким упорством пытается уничтожить Твисс. Им нравится видеть вокруг все знакомое. Так им спокойнее и комфортнее, такими они созданы.

Вот они и вернулись к началу, подумал Гейдж.

— И за это ты согласна пролить свою кровь?

— Отчасти и за это. Но теперь это город Куин и Лейлы. А за них я готова сражаться. И за Кэла с Фоксом. — Сибил повернулась и посмотрела ему в глаза. — И за тебя.

Гейдж почувствовал словно удар током — так искренне прозвучали ее слова. Но ответить не успел. У Сибил зазвонил телефон.

— Вовремя, — пробормотала Сибил, вытащила телефон, бросила взгляд на дисплей. — Черт. Проклятье. Извини, но мне лучше ответить. — Она раскрыла телефон. — Привет, Рисса.

Она отошла на пару шагов, но Гейджу не составило труда — с этикой тоже проблем не возникло — подслушать то, что она говорила. Долгие паузы, когда она внимательно слушала, перемежались решительными «нет». Несколько раз прозвучало ледяное «я уже тебе говорила, Марисса» и «не в этот раз», за чем последовало «мне очень жаль, Марисса», звучавшее скорее раздраженно, чем виновато. Когда Сибил закрыла телефон, на ее лице явственно читалось раздражение.

— Извини. Это моя сестра, которая никак не может понять, что мир не вращается вокруг нее. Надеюсь, она достаточно сильно разозлилась и оставит меня в покое на пару недель.

— Сестра, проколовшая колесо?

— Что? Ах, да. — Сибил рассмеялась, и Гейдж понял, что она вспомнила ночь, когда они, направляясь в Хоукинс Холлоу, едва не столкнулись на пустой сельской дороге. — Да, та самая сестра, которая взяла мою машину и вернула со спущенной запаской. Та самая, которая время от времени «берет взаймы» все, что ей нравится, а если и возвращает, то обычно испорченное и ни на что не годное.

— Тогда зачем ты даешь ей свою машину?

— Отличный вопрос. Моя слабость. Одна из немногих — по крайней мере теперь. — Взгляд Сибил стал жестким, в нем мелькнуло раздражение.

— Кто бы спорил.

— Она вернулась в Нью-Йорк — не знаю, откуда на этот раз — и не понимает, почему бы ей не остановиться в моей квартире на пару недель вместе с теми пиявками, которые теперь к ней присосались. Но, черт возьми, замки и код оказались сменеными — необходимая мера, потому что в прошлый раз, когда Марисса жила у меня со своими друзьями, они замусорили квартиру, разбили антикварную вазу, доставшуюся мне от бабушки, позаимствовали несколько предметов моего гардероба, в том числе кашемировое пальто, которое я больше не видела, а соседи даже вызывали копов.

— Похоже, веселая девчонка, — заметил Гейдж, когда Сибил умолкла, чтобы перевести дух.

— Еще какая. Ладно, я расскажу. Хочешь слушай, хочешь нет. Она была очаровательным ребенком, и ее избаловали и испортили, как это часто бывает с красивыми детьми. Она очень красива и в высшей степени очаровательна. В детстве нам ни в чем не отказывали. Семья была богатой. Огромный, красивый дом в Коннектикуте, несколько квартир в других интересных местах. Лучшие школы, регулярные поездки в Европу, золотая молодежь и так далее. Потом несчастный случай с отцом, и он ослеп.

Некоторое время она шла молча, сунув руки в карманы и глядя прямо перед собой.

— Отец не выдержал. Знал, что зрение никогда не вернется, и однажды заперся в библиотеке нашего красивого дома в Коннектикуте. Когда мы услышали выстрел, слуги пытались взломать дверь — тогда у нас еще были слуги, и они пытались взломать дверь. Я выбежала наружу, обогнула дом. И через окно увидела, что он сделал. Я разбила стекло, залезла внутрь. Подробностей не помню. Конечно, ничем помочь уже было нельзя. Мать впала в истерику, Марисса обезумела.

Гейдж молчал, но Сибил знала, что его не назовешь разговорчивым человеком. Она продолжила рассказ:

— После несчастного случая с отцом мы узнали о «существенных финансовых потерях», как это принято называть. А преждевременная смерть не позволила отцу компенсировать эти потери, и нам пришлось, если можно так выразиться, ужаться. На потрясение и горе мать — а она очень переживала — отреагировала тем, что отправила нас в Европу, а сама принялась сорить деньгами. Через год она вышла замуж за проходимца, который тратил еще больше, уговорил ее отдать ему большую часть того, что осталось, а потом бросил, устремившись за новой добычей.

Горечь в ее голосе была почти осязаемой, подумал Гейдж.

— Все могло обернуться хуже, гораздо хуже. Мы могли впасть в нищету, но вместо этого нам просто пришлось научиться жить скромнее и самим зарабатывать. Мать потом снова вышла замуж, за очень хорошего человека. Надежного и доброго. Мне продолжать?

— Да.

— Хорошо. В двадцать один год мы с Мариссой получили довольно скромное — по прежним меркам — наследство. К тому времени она уже успела выскочить замуж и со скандалом развестись. Она расшвыряла деньги, словно пятибалльный ураган. Теперь подвизается в модельном бизнесе — получаются вполне приличные снимки для журналов и плакаты, когда у нее есть настроение. Но больше всего на свете ей хочется быть знаменитостью, и она ведет жизнь знаменитости — по крайней мере, как она себе это представляет. В результате часто оказывается на мели, а в качестве валюты у нее остается лишь красота и шарм. Поскольку ни то ни другое на меня давно не действует, мы обычно на ножах.

— Сестра знает, где ты?

— Слава богу, нет. Я ей не сказала и не собираюсь. Во-первых, она хоть и заноза в заднице, но все же моя сестра, и я не хочу подвергать ее опасности. Во-вторых, и это чистый эгоизм, она меня раздражает. Марисса очень похожа на мать — до третьего брака, который утихомирил ее. А мне всегда говорили, что я копия отца.

— Значит, он был умен и сексуален?

Она слегка улыбнулась.

— Очень мило с твоей стороны — после того, как я все это на тебя вывалила. Я все время думала: а вдруг мое сходство с отцом означает, что я не справлюсь с утратами, которые неизбежны в жизни.

— Уже справилась. Ты разбила окно.

Сибил судорожно вздохнула, и Гейдж почувствовал в этом вздохе едва сдерживаемые слезы. Она взяла себя в руки — еще очко в ее пользу — повернулась и посмотрела на него своими глубокими черными глазами.

— Ладно. Ты заслужил это тем, что выслушал меня, а я тем, что правильно выбрала слушателя.

Сибил ухватила его за рубашку, приподнялась на цыпочки. Затем ее руки скользнули по его плечам, сомкнулись на шее.

Ее губы были жаркими, шелковистыми, обещающими. Они скользили по его губам, дразня и заигрывая. Ее аромат, пьянящий и сладкий, проникал в него, манил, словно согнутый палец.

Давай, еще немного.

Когда она попыталась отстраниться, Гейдж стиснул ладонями ее бедра, вновь заставил приподняться на цыпочки. Еще немного.

Она не жалела. С какой стати? Она предложила, он ответил. Разве можно жалеть, что тебя целуют тихой весенней ночью — мужчина, точно знающий, какого поцелуя она жаждет?

Глубокого и страстного, с намеком на укус.

И если пульс ее участился, а в животе что-то затрепетало, если эта проба вызвала волнение и огонь в ее теле, она предпочитала отдаться этому волнению, а не отступить, сожалея о сделанном. Поэтому когда она отстранилась, причиной тому было не сожаление, не осторожность, а ясное понимание того, что мужчины, подобные Гейджу Тернеру, уважают тех, кто бросает им вызов. Вне всякого сомнения, от этого они оба получат большее удовлетворение.

— Наверное, я немного переплатила, — сказала Сибил. — Сдачу можешь оставить себе.

Он ухмыльнулся в ответ.

— Это была *твоя* сдача.

Сибил рассмеялась и — неожиданно для себя самой — протянула ему руку.

— Пожалуй, вечерняя прогулка нам обоим пошла на пользу. Нам пора возвращаться.

Сибил сидела в гостиной, поджав под себя ноги, с кружкой в руке, и рассказывала о дневном происшествии всем остальным и диктофону Куин.

Не упускает деталей, заметил Гейдж, не уклоняется от них.

— В доме была кровь, — напомнила Куин.

— Иллюзия крови.

— А также мухи и шум. И тьма. Ты тоже все это видел и слышал? — Куин повернулась к Гейджу.

— Да.

— Двери и окна были заперты изнутри.

— Водная дверь открылась, когда я толкнул ее снаружи, — поправил Гейдж. — Но когда мы вошли, дверь из кухни во двор была закрыта, и окно над раковиной тоже.

— Хотя он... мальчишка, — медленно произнесла Лейла, — оставался снаружи, на окне, не входил в дом.

— Наверное, не мог. — Сибил с задумчивым видом отхлебнула чай из чашки. — Я бы испугалась гораздо сильнее, будь он там, вместе со мной. Думаю, он вошел бы, если бы мог. Демон заставил меня видеть, слышать и даже чувствовать то, чего не существует. Смог запереть дверь и окно в комнате, где все началось. Но не входную дверь. Возможно, его силы хватило только на заднюю часть дома. Все, что он смог, — заставить меня думать, что входная дверь заперта. Вот дура. Тогда я не догадалась.

— Конечно, — покачал головой Гейдж. — Нужно быть полной дурой, чтобы этого не понять, когда дом трясется и истекает кровью, ты заперта в темноте, а по оконному стеклу ползает демон в облике мальчишки.

— А теперь, когда мы установили, что Сибил полностью теряет голову в трудной ситуации, следует спросить себя, почему демон не мог войти в дом. — Фокс сидел на полу и гладил большую голову Лэмпа. — Может, здесь то же, что и с вампирами. Требуется приглашение.

— Или — если оставить Дракулу в мире мифов, которому он принадлежит, — демон просто не набрал полную силу. Что произойдет, — напомнил Гейдж, — через несколько недель.

— На самом деле... — Сибил нахмурилась. — Если обратиться к легендам о вампирах, то вполне вероятно, что зомби, пьющие кровь, как-то связаны с этим демоном. В некоторых легендах говорится о способности вампира гипнотизировать жертву или врага — нечто вроде контроля сознания. Вампир питается человеческой кровью. Это больше по твоей части, Куин.

— Ты отлично справляешься.

— Ладно, идем дальше. Вампирам часто приписывают способность обращаться летучей мышью или волком. Наш демон явно умеет менять облик, что увеличивает вероятность существования оборотней, одной из разновидностей которых являются люди-волки, часто фигурирующие в легендах. До некоторой степени их можно считать незаконнорожденными отпрысками демона.

Она взяла блокнот и, продолжая говорить, принялась делать в нем пометки.

— Оборотень. Теперь мы знаем, что он может принимать облик умерших людей. А что, если это не новый трюк, а способность, которой демон обладал то того, как Дент лишил его свободы, и только теперь, в преддверии последней, как нам сообщили, Седмицы он смог снова ею воспользоваться?

— Значит, он убивает дядюшку Гарри, — предположил Фокс, — а потом развлекается, принимая облик убитого и терроризируя всю семью.

— Да, чувство юмора у него есть, — кивнула Куин. — Значит, пора готовить острые колья?

— Нет. Лучше выяснить, как действует оружие, которое у нас уже есть. Но все равно интересно. — Сибил задумчиво постучала карандашом по блокноту. — Он не может войти, что дает нам некоторую безопасность и спокойствие. — Кто-нибудь видел его в доме?

— Он просто заставляет людей убивать себя или других или сжигать дома. — Гейдж пожал плечами. — Зачастую все сразу.

— Должен существовать способ его остановить или по крайней мере ослабить. — Лейла соскользнула с кресла и села на пол рядом с Фоксом. — Это же энергия, да? И пополняется она, по всей видимости, за счет негативных эмоций. Гнев, страх, ненависть. Каждую Седмицу или накануне демон сначала использует птиц и животных — маленький мозг и интеллект, несравнимый с человеческим. Подзаряжается от них, а затем переходит к людям, как правило, ослабленным. Алкоголем, наркотиками или, опять-таки, сильными эмоциями. И энергия накапливается.

— В этот раз он с самого начала был сильнее, — заметил Кэл. — Пропустил животных и смог заразить Блока Колера до такой степени, что тот едва не убил Фокса.

Лейла взяла Фокса за руку.

— Но это была конкретная цель, — задумчиво продолжила Сибил. — Ведь он ничего не мог сделать с шефом полиции, который прибыл на подмогу и оттащил Блока. Конкретная цель — это еще одно наше преимущество.

— Если только эта цель не ты, — заметил Фокс. — Тогда придется туго.

— Точно, — улыбнулась Сибил. — Демон не только питается ненавистью, но и сам ненавидит. Особенно нас. Насколько мы знаем, все, что он сделал или смог сделать с февраля, было направлено на одного из нас или на всех вместе.

Сибил положила блокнот на подлокотник дивана.

— Демон потратил огромное количество энергии, чтобы нас напугать или причинить вред. Именно об этом я думала сегодня, когда оказалась запертой в доме. Пока не стало темно и я еще соображала. То есть он тратит силы. Может, нам удастся истощить его. Да, он стал сильнее, и сил у него прибывает, но за каждым шоу, которое он устраивает, следует перерыв. Ему по-прежнему нужно восполнять энергию. И если мы пока не знаем, как остановить или ослабить демона, можно попытаться его отвлечь. Если он сосредоточен на нас, у него может не хватить сил на то, чтобы заразить безумием Холлоу.

— Я могу с полной уверенностью утверждать, что демон много раз нападал на нас, одновременно опустошая Холлоу.

— Это потому, что ты всегда был в городе, пытаясь спасти людей, защитить их от демона.

— Разве у нас есть выбор? — спросил Кэл. — Мы не можем оставить людей без защиты.

— Полагаю, их не понадобится так защищать, если нам удастся отвлечь демона.

— Как? И куда?

— Как — это проблема, — сказала Сибил.

— Куда — к Языческому камню. Уже пробовали, — подхватил Гейдж. — Четырнадцать лет назад.

— Да, я читала заметки Куин, но...

— Ты помнишь наш последний поход туда? — спросил Гейдж. — Так это прогулка по пляжу по сравнению с тем, во что превращается лес ближе к Седмице.

— Четырнадцать лет назад мы пошли туда. И зря, — прибавил Фокс. — Подумали, что остановим безумие, если повторим ритуал — в то же время, на том же месте. В полночь, в наш день рождения, на заре Седмицы, если можно так выразиться. Не помогло. Когда мы вернулись в город, там царил настоящий кошмар. Одна из худших ночей за все время.

— Потому что нас не было, и никто не мог им помочь, — закончил Кэл. — Мы оставили город беззащитным. Больше так нельзя рисковать.

Сибил собралась было возразить, но затем передумала. Пока не стоит.

— Тогда остается гелиотроп. Это нечто новое, работающее на нас. Я нашла кое-какие интересные зацепки, собиралась уже копнуть поглубже, когда меня грубо прервали. Завтра возобновлю расследование. Кроме того, я хотела тебе кое-что предложить, Гейдж. Если ты не против, можно попробовать то, что сделали Кэл с Куин и Фокс с Лейлой.

— Хочешь заняться сексом? Всегда готов.

— Очень мило, но я имела в виду другое — объединить наши способности. У нас есть прошлое. — Она указала на Кэла и Куин. — И настоящее. — Взмах руки в сторону Фокса и Лейлы. — Мы с тобой видим будущее. Может, пришло время проверить, сможем ли мы вместе видеть дальше или яснее.

— Если ты готова, я в игре.

— Может, завтра? Я приеду домой к Кэлу примерно в час.

— Кстати, — Кэл откашлялся. — Думаю, после сегодняшних событий нам нужно по возможности ограничить время, когда мы остаемся в одиночестве. Прежде всего никто не должен ночевать один, ни здесь, ни в моем доме. Можно разделиться, чтобы в каждом месте было как минимум двое, а лучше трое. Днем будем работать в паре, когда это возможно. Ты не должна ехать ко мне домой одна, Сибил.

— Не буду спорить насчет безопасности и численного превосходства. Но кто будет сопровождать Фокса в Хагерстаун или в суд? Или Гейджа, который мотается туда-сюда?

Фокс печально покачал головой и посмотрел на Кэла.

— Кажется, я тебя предупреждал?

— Чтобы не было недоразумений: меня нисколько не оскорбляет желание защитить меня и других женщин. — Сибил улыбнулась Кэлу. — И я согласна, что мы по возможности должны держаться вместе. Но неудобно и просто невозможно практически не разлучаться такое длительное время. Осталось шесть недель. Мы просто должны пообещать быть разумными и осторожными. Я, например, не стану зажигать свечу и спускаться в подвал, чтобы выяснить источник странных звуков.

— Я приеду сюда, — сказал Гейдж.

— Нет, потому что теперь это уже дело принципа. И мне кажется, что в доме Кэла у нас больше шансов. Этот дом кажется мне...

— Нечистым, — закончила за нее Куин. Она протянула руку и погладила колено Сибил. — Это пройдет.

— Да, знаю. Вы пока решайте, кто где сегодня ночует, а я пойду спать. — Она встала и повернулась к Гейджу. — Завтра увидимся.

Сибил хотелось надолго погрузиться в горячую ванну, но это ничуть не лучше, чем спуск в темный подвал. И то и другое — клише из фильмов ужасов. Поэтому она приступила к обычной вечерней процедуре: очищающий лосьон, тоник, увлажняющий крем. Когда она стелила постель, на пороге появилась Куин.

— Мы с Кэлом сегодня переночуем тут.

— Хорошо. Но, может, вам лучше было бы поехать вместе с Гейджем?

— В доме Кэла будут ночевать Лейла с Фоксом. Сегодня я хочу быть здесь.

Сибил почувствовала, как защипало в глазах; она все поняла. Она опустилась на край кровати, взяла руку Куин и прижала к щеке. Куин присела радом.

— Все было в порядке, пока дом не погрузился во тьму. Я чувствовала скорее любопытство, чем страх. Потом свет погас, и я уже ничего не видела. Это самое ужасное.

— Знаю. Если хочешь, я буду спать в твоей комнате.

Сибил покачала головой, прижалась лбом к плечу Куин.

— Мне достаточно знать, что ты рядом, в другом конце коридора. Мы ведь все это чувствуем, правда? Грязь, как ты выразилась, след, который остался на доме. Я боялась, что это галлюцинации, что у меня паранойя.

— Мы все чувствуем. Это пройдет, Сибил. Мы не отступим.

— Демону не понять, почему мы вместе и что мы собой представляем, когда мы вместе. Ему не понять, откуда ты знаешь, что я буду лучше спать сегодня, если ты рядом, и что после двухминутного разговора с тобой мне станет легче.

— Это наше оружие.

— Я в это верю. — Сибил вздохнула. — Марисса звонила.

— Черт.

— Именно. Обычная история. «Сделай это... Можно мне то... Почему ты такая злая?» Ну и денек сегодня. А еще я выложила Гейджу мою грустную семейную историю.

— Правда?

— Да, знаю, на меня не похоже. Минутная слабость, но Гейдж выдержал испытание. Говорил мало, но именно то, что нужно. Потом я поцеловала его — так, что он одурел.

— Отлично. — Куин похлопала ее по плечу. — Давно пора, черт возьми.

— Возможно. Я не уверена. Не знаю, усложнит ли это все, упростит или вообще никак не повлияет. Я не сомневаюсь, что секс будет хорош — просто превосходен, — но точно так же уверена, что это так же рискованно, как спускаться в подвал, чтобы проверить, кто это там стучит.

— Возможно, но поскольку вы будете вместе, тебе не придется идти в подвал одной.

— Точно. — Сибил внимательно изучала собственные ноги. — И это немного утешает — нас обоих зарубит насмерть убийца с топором.

— По крайней мере, у вас сначала будет секс.

— Причем превосходный. Я подумаю. — Она сжала руку Куин. — Иди спать. Твой парень тебя уже заждался. Я немного займусь йогой, чтобы расслабиться, и тоже лягу.

— Позовешь, если нужно.

Сибил кивнула. Именно так, подумала она, когда Куин вышла. Этого у нее не отнять. Если ей нужна Куин, достаточно просто позвать.

5

Она ему снилась. Во сне она пришла к нему. Ее мягкие и страстные губы слились с его губами. Стройное гладкое тело выгнулось дугой, длинные руки и ноги обвили его, обволакивая теплом и пьянящим ароматом. Женственность.

Великолепное буйство ее волос, разметавшихся по белой простыне, темные, манящие глаза, не отрывавшиеся от него.

Она приподнялась. Раскрылась ему навстречу. Вобрала в себя.

Во сне кровь стучала у него в висках, сердце ударами молота бухало в груди. Радость и отчаяние в его душе сплелись в один тесный клубок желания. Растерянный, он снова нашел ее губы. Его словно обдало жаром, и их тела сплелись. Быстрее. Быстрее.

Стены комнаты стали кровоточить и вспыхнули огнем.

Она закричала, и ее ногти впились ему в спину. Кровавое пламя захлестнуло и поглотило их. Он разобрал слово, которое она повторяла: *бестиа*.

Он снова проснулся на рассвете. Пора это прекратить, подумал Гейдж. Он терпеть не мог раннее утро, но снова заснуть после того, как подсознание прокрутило у него в голове этот короткий клип, не получится. Жаль только, что такой многообещающий сон прервался в самый... неподходящий момент.

Смысл понятен, подумал Гейдж, глядя в потолок гостевой спальни в доме Кэла. И понятно, что послужило спусковой пружиной для большей части сна.

Он мужчина. Он сексуально озабочен.

Более того, в логику его фантазии вполне укладывался тот факт, что не он ее соблазнил, а Сибил сама пришла к нему. Не так давно они заключили соглашение на этот счет. Как она сформулировала? *Ты не пытаешься меня соблазнить, а я не притворяюсь, что позволяю соблазнять меня.*

Это воспоминание заставило его улыбнуться в полутьме. Но если Сибил сама делает первый шаг, все соглашения отменяются. Задача заключается в том, чтобы заставить ее сделать первый шаг и убедить, что это была ее собственная идея.

Однако во сне интерлюдия закончилась плохо. Возможно, дело в том, что он по натуре умник и пессимист. А если это знамение? Еще один вариант — предупреждение. Если он позволит себе увлечься ею — потому что во сне это был не просто секс, а настоящая страсть, — им обоим, возможно, придется заплатить высокую цену. Все как обычно, подумал Гейдж. Кровь и огонь. Охваченная страстью и пламенем, она выкрикивала вовсе не имя возлюбленного. *Бестиа.*

Зверь, в переводе с латыни. Мертвый язык, используемый богами и стражами.

Другими словами, отвлекаясь на секс, они потеряют бдительность, и Большой Злой Ублюдок нанесет удар, когда они будут беззащитны. Поэтому во всех трех вариантах разумнее проявить сдержанность, по крайней мере в отношении Сибил Кински.

Он встал. Нужно принять душ, смыть остатки сна и вызванные им желания. Гейдж прекрасно знал, как управлять своими желаниями. Беспокойство и возбуждение снимались игрой и сексом. Поэтому он взял себе за правило находить и то и другое. Краткий визит в Атлантик-Сити удовлетворит обе потребности без всяких осложнений.

А они с Сибил используют взаимное влечение как источник энергии — в благих целях. Разумеется, если они победят, если останутся живы, он сделает все возможное, чтобы оказаться с ней в постели. И тогда проверит, такая ли нежная у нее кожа, такое ли гибкое тело...

Нет, подобные мысли не помогают обуздать желания.

Гейдж решил побриться (с чего бы это, черт возьми?), затем надел джинсы и черную футболку — просто потому, что они оказались под рукой. Спускаясь вниз, он услышал шепот и короткий смешок из-за закрытой двери спальни. Значит, голубки проснулись пораньше и уже милуются. Можно не сомневаться, что это продлится достаточно долго, и он успеет в тишине и одиночестве насладиться чашкой кофе.

На кухне Гейдж включил кофеварку и, пока варился кофе, вышел из дома и направился к почтовому ящику у дороги. Склон перед домом сверкал яркими красками. Пышно цвели азалии — одни из немногих декоративных растений, которые узнавал Гейдж. Какие-то плакучие кусты роняли на землю розовые лепестки. Все это по-детски веселое буйство красок и форм спускалось к дорожке, посыпанной гравием, а по краям тянулся лес, густеющая зелень которого скрывала его тайны.

Щебетали птицы, журчал ручей, под ногами хрустел гравий. Аромат цветущих азалий пропитывал воздух, пятна света переливались на извилистой ленте ручья.

Звуки, запахи, пейзаж — все это успокаивало. Вне всякого сомнения, для такого человека, как Кэл, этого достаточно. Он и сам наслаждался, но недолго. А еще, подумал Гейдж, сунув руку в синий почтовый ящик за утренней газетой, ему просто необходимы инъекции в виде общения с Кэлом и Фоксом. Но если такие периоды затягиваются, он начинает скучать по неоновым вывескам, зеленому сукну, автомобильным гудкам, людским толпам. По действию, по энергии и анонимности казино или города.

Если они убьют демона и сами останутся живы, нужно уехать куда-нибудь на несколько недель. В сентябре придется вернуться на свадьбу Кэла, но до этого перед ним открыт весь большой мир и множество карт, которые можно взять в руки. Может, Амстердам или Люксембург — для разнообразия.

Или — если рассматривать вариант с Сибил — Париж. Романтика, секс, игра, мода — все в одном флаконе. Наверное, ей понравится эта идея. Как бы то ни было, она разделяет его любовь к путешествиям и хорошим отелям. Совместное путешествие может стать превосходным способом отпраздновать тот факт, что ему удалось пережить свой тридцать первый день рождения.

Сибил должна принести ему удачу — или несчастье, будущее покажет. Такие женщины склоняют чашу весов в ту или другую сторону. И он был готов сделать ставку на удачу.

Пару недель одних удовольствий, никаких обязательств, потом вернуться, чтобы посмотреть, как соединяют свои судьбы друзья, и каждый пойдет своим путем. Неплохой план, решил Гейдж. Легко приспосабливаемый к капризам и обстоятельствам.

Сунув газету под мышку, он зашагал по дорожке к дому.

На другом конце маленького деревянного мостика, перекинутого через ручей, стояла женщина. Спускавшиеся на плечи распущенные волосы отливали золотом в бледных лучах утреннего солнца. На ней было темно-синее платье с высоким воротником. Сердце Гейджа замерло — он узнал Энн Хоукинс, умершую несколько веков назад.

На короткое мгновение, на какую-то долю секунды он увидел в ней свою мать.

— Ты последний в череде сыновей моих сыновей. Ты мое порождение, плод любви, сотканной из страсти, холодного расчета и горькой жертвы. Вера и надежда появились раньше тебя и не должны исчезнуть. Ты предвидение. Ты и та, которая пришла из тьмы. Твоя кровь, его кровь, наша кровь. Камень снова стал целым. Ты благословлен.

— Бла-бла-бла, — поморщился Гейдж, подумав, не испепелят ли его боги за насмешку над призраком. — Может, просто скажешь, как использовать камень, чтобы покончить со всем этим, и каждый пойдет своей дрогой?

Энн Хоукинс склонила голову набок, и — будь он проклят — на ее лице промелькнуло материнское выражение.

— Гнев тоже оружие, если его правильно использовать. Он сделал все, что мог, дал тебе все, что нужно. Ты должен лишь увидеть, поверить в себя и взять. Я плакала о тебе, малыш.

— Ценю, но слезы не принесли мне пользы.

— Ее слезы принесут — когда придут. Ты не один. Никогда не был один. Из крови и огня вышли свет и тьма. С помощью крови и огня кто-то из них победит. Ключ к предвидению, к правильным ответам уже у тебя в руке. Поверни его и смотри.

Она исчезла, а Гейдж еще долго стоял, размышляя. Типично для женщин. Вечно все усложняют. Раздраженный, он перешел через мост и поднялся по дорожке к дому.

Голубки были уже на кухне, и он упустил шанс в тишине и одиночестве выпить чашку кофе. Обнявшись, они целовались прямо перед кофеваркой.

— Кончай, — Гейдж толкнул Фокса плечом, расчищая себе дорогу к кофе.

— Еще не выпил свою первую чашку. — Фокс еще раз прижал к себе Лейлу, потом взял уже открытую банку колы. — Поэтому злой.

— Хотите, приготовлю завтрак? — предложила Лейла. — У нас еще есть время до отъезда.

— Ты сама доброта, — проворчал Гейдж, достал из буфета коробку хлопьев, зачерпнул горсть. — И так сойдет. — Прищурившись, он смотрел, как Фокс разворачивает газету. — Эй, я первый — я ее принес.

— Просто проверяю результаты матчей, мистер Злюка. А «Поп-тартс»[1] тут водится?

— Господи, как трогательно.

— Послушай, ты ешь сухой завтрак прямо из коробки. Вот чашка и чайник.

Нахмурившись, Гейдж посмотрел на свою руку. Точно. Кофе прогнал раздражительность, и Гейдж с непринужденной улыбкой повернулся к Лейле.

— Доброе утро, Лейла. Ты что-то говорила насчет завтрака?

Она рассмеялась.

— Доброе утро, Гейдж. Наверное, это была минутная слабость. Но, поскольку настроение у меня хорошее, я отпираться не буду.

— Отлично. Спасибо. А пока ты готовишь, я расскажу, с кем встретился на утренней прогулке.

Лейла замерла, сжав пальцами ручку холодильника.

— Он вернулся?

— Не он. Она. Хотя формально призрак — это «он». Я особенно не задумывался.

— Энн Хоукинс. — Фокс отложил газету. — Что она сказала?

Гейдж налил себе еще кофе и рассказал о встрече.

— Теперь все, так или иначе, ее видели, кроме Сибил. — Лейла поставила тарелку с французскими тостами на стойку.

— Точно, и готов поспорить, что это выводит ее из себя. То есть Сибил, — уточнил Гейдж, подцепив вилкой два ломтика.

---

[1] Печенье со сладкой двухслойной начинкой.

— Кровь и огонь. Было много и того и другого — в реальности и в снах. Именно они воссоединили осколки гелиотропа. Благодаря Сибил, — напомнил Фокс. — Может, она что-нибудь придумает и на этот раз.

— Я расскажу ей, когда она приедет днем.

— Чем раньше, тем лучше. — Фокс щедро полил свою горку французских тостов сиропом. — По дороге в контору мы с Лейлой будем проезжать мимо дома.

— Сибил все равно захочет, чтобы я рассказал ей сам.

— И все же. — Фокс попробовал тост и улыбнулся Лейле. — Потрясающе.

— Но не «Поп-тартс».

— Лучше. Ты уверена, что мне не нужно идти с тобой в банк? Зная тебя, я не сомневаюсь, что все бумаги в порядке, но...

— Я прекрасно справлюсь сама. У тебя сегодня напряженный день. Кроме того, с двумя моими инвесторами ссуда не будет слишком велика. Скорее, маленькая и эффективная.

Любопытный переход от призраков к процентным ставкам, подумал Гейдж. Он перестал прислушиваться и развернул газету, которую стянул у Фокса. Затем уловил несколько фраз.

— Сибил и Куин вкладывают деньги в твой магазин?

— Да. — Лейла широко улыбнулась. — Это здорово. Надеюсь, и для них тоже — я постараюсь. Так чудесно, что они в меня верят. Ты знаешь, как это бывает. Вы с Кэлом и Фоксом всегда верили друг другу.

Наверное, так и есть, и наверное, это самая осязаемая причина тесной связи всех шестерых. Энн сказала, что он не одинок. Никто из них не одинок, понял Гейдж. Может быть, именно это и склонит чашу весов на их сторону.

Оставшись в доме один, он целый час потратил на электронные письма. В Европе у него был знакомый, профессор Линц, специалист по демонологии и фольклору. Несмотря на изобилие теорий и многословную риторику, от него, как считал Гейдж, можно было получить полезную информацию.

А чем больше исходных данных, тем выше вероятность вытащить из шляпы счастливый билетик. Пусть Линц проверит новую гипотезу Сибил — вреда не будет. Неужели гелиотроп — *их* гелиотроп — является фрагментом чего-то большего, некоего источника мифической волшебной силы?

Печатая письмо, он качал головой. Если бы кто-то за пределами круга близких друзей узнал, что большую часть времени он проводит в охоте за демонами, он бы умер со смеху. Хотя нужно признать: те, кто не входил в круг близких друзей, видели лишь то, что Гейдж позволял им видеть. И никого из них он не мог назвать другом.

Знакомые, игроки, любовницы. Иногда они выигрывали у него деньги, иногда он у них. Гейдж мог угостить их выпивкой, а они его. Что касается женщин — не за игровым столом, — то они дарили друг другу несколько часов или даже дней, если так им обоим хотелось.

Что легко достается, то легко тратится.

Интересно, почему вдруг все это показалось ему еще более жалким, чем взрослый мужчина, желающий получить на завтрак «Поп-тартс»?

Разозлившись на самого себя, Гейдж взъерошил волосы и откинулся на спинку стула. Он делал то, что ему нравится, жил так, как хотел. Даже приехать сюда, противостоять демону — его собственный выбор. И плохо, черт возьми, если первая неделя июля станет для него последней. Но жаловаться грех. Ему тридцать один год, и он успел повидать мир. Время от времени он вел довольно-таки роскошную жизнь. И не прочь еще несколько раз вернуться к той роскоши. Еще несколько бросков игральных костей, еще несколько сдач. Если нет, придется зафиксировать убытки.

Он уже добился главной цели в жизни. Уехал из Холлоу. И уже пятнадцать лет на удар отвечал ударом, еще более сильным.

В ту ночь старик напился, вспоминал Гейдж. Напился в стельку после воздержания, которое длилось насколько месяцев. В такие периоды было еще хуже, чем когда он просто пил.

Лето, подумал Гейдж. Августовская ночь, когда казалось, что сам воздух пропитан потом. В квартире было чисто, потому что старик держался с апреля. Но на третий этаж над боулинг-центром все поднимался и поднимался пропитанный потом воздух и скапливался здесь, словно насмехаясь над неумолчным гудением кондиционера. Даже после полуночи в квартире было влажно, и, едва переступив порог, Гейдж пожалел, что не отправился к Кэлу или Фоксу.

Но он вернулся со свидания — того рода, когда парню нужно отделиться от друзей, чтобы иметь шансы на успех.

Полагая, что отец в постели — спит или пытается заснуть, — он снял туфли и прошел на кухню. Там стоял кувшин, наполовину заполненный чаем со льдом, растворимой дрянью, которая всегда казалась слишком сладкой или слишком горькой, как ее ни разводи. Но Гейдж выпил два стакана и принялся искать еду, чтобы утолить разыгравшийся аппетит.

Ему хотелось пиццы. Боулинг и гриль-бар уже закрылись, так что с этой мыслью пришлось расстаться. Он нашел половину сэндвича с тефтелями, явно двухдневной давности. Но на такие мелочи подростки не обращают внимания.

Он съел сэндвич стоя, прямо над раковиной.

Потом убрал за собой. Гейдж слишком хорошо знал, как пахнет в доме во время запоев отца. Прокисшая еда, мусор, пот, выдохшийся виски и дым. Хорошо, что, несмотря на жару, в квартире был нормальный запах. Не такой приятный, как в доме Кэла или Фокса. Там всегда были цветы, свечи или девчачьи вазочки с лепестками, а также особый аромат. Женский, как считал Гейдж, — от лосьонов для кожи и духов.

По сравнению с домами друзей его квартира была настоящей дырой, куда не захочется привести девушку, подумал он, оглядываясь. Но в данный момент не так уж плохо. Мебель старая и потертая, стены не мешает покрасить. Может, осенью, когда станет прохладнее, они со стариком займутся ремонтом.

И купят новый телевизор, из тех, что не старше десяти лет. Летом, когда они оба работали на полную ставку, дела пошли на лад. Часть заработка он откладывал на новые наушники, но для такого дела можно выделить половину отложенного. До начала занятий в школе остается пара недель — то есть еще две зарплаты. Да, новый телевизор — это неплохо.

Он убрал стакан, закрыл буфет. На лестнице послышались шаги отца. Гейдж все понял.

Оптимизм вытек, подобно струйке воды. Осталась лишь тяжесть в душе. Глупо, подумал он. Глупо надеяться, что старик останется трезвым. Глупо верить, что в этой квартире, похожей на крысоловку, может появиться что-нибудь приличное.

Гейдж вошел к себе в комнату, закрыл дверь. Потом подумал: какого черта? Посмотрим, что этот пьяный сукин сын скажет в свое оправдание.

Он вышел в коридор и стоял, разозленный, зацепив большие пальцы рук за карманы джинсов, готовый взмахнуть красной тряпкой перед носом быка. Отец распахнул дверь.

Билл Тернер покачнулся и ухватился за дверной косяк. Лицо его раскраснелось от подъема по лестнице, жары и спиртного. Даже с противоположного конца комнаты Гейдж чувствовал запах пропитанного виски пота, выступавшего из всех пор на теле отца. Футболка была влажной под мышками и на груди. В мутных глазах, остановившихся на Гейдже, плескалась злоба.

— Что вылупился?

— Да вот, смотрю на пьяницу.

— Пара бутылок пива с друзьями не делают меня пьяницей.

— Похоже, я ошибся. Ты пьяный лгун.

Злоба в его взгляде сгустилась. Гейдж подумал, что это похоже на приготовившуюся к броску змею.

— Попридержи язык, парень.

— Я должен был знать, что ты не выдержишь. — Хотя отец держался целых пять месяцев. Не напился даже на день рождения Гейджа, и именно тогда у него появилась надежда. Впервые с тех пор, как он начал пить, отец умел удержаться на день рождения сына.

Разочарование, обида от того, что его предали, оставляли более глубокие раны, чем удары ремня. Убивали последние капли надежды.

— Не твое дело, — огрызнулся Билл. — Это мой дом, не указывай, что мне делать в собственном доме.

— Это дом Джима Хоукинса, а я плачу за квартиру наравне с тобой. Опять пропил всю зарплату?

— Я перед тобой не отчитываюсь. Заткни пасть, или...

— Что? — с вызовом произнес Гейдж. — Ты пьян и на ногах не держишься. Что ты можешь сделать, черт возьми? Хотя мне плевать, — с отвращением бросил он, повернулся и шагнул к двери в свою комнату. — Хорошо бы ты сдох от пьянства, и дело с концом.

Билл был пьян, но быстр. Он метнулся к сыну и прижал спиной к стене.

— Паршивец. Ты всегда был паршивцем. Лучше бы ты вообще не родился.

— Ты тоже. А теперь убери от меня свои лапы.

Два быстрых удара, и у Гейджа зазвенело в ушах, на губе выступила кровь.

— Пора бы тебе научиться уважению, черт возьми.

Гейдж помнил первый удар, помнил, как его кулак врезается в лицо старика, помнил удивление в глазах отца. Что-то — старый торшер — с грохотом упало на пол, кто-то ругался на чем свет стоит. Он сам?

Следующая отчетливая картина: он стоит над распростертым на полу отцом, лицо которого все в синяках и кровоподтеках. Кулаки болят — от ударов и от заживления распухших, окровавленных суставов. Воздух со свистом вырывается из легких, по всему телу ручьями течет пот.

Сколько он избивал отца? Ярость, кровавой пеленой застившая глаза, теперь рассеялась, оставив ледяное спокойствие.

— Если ты еще хоть раз в жизни прикоснешься ко мне, попробуешь поднять на меня руку, я тебя убью. — Гейдж присел на корточки, чтобы убедиться, что старик его слышит. — Клянусь. Через три года я уеду. И если за это время ты сдохнешь от пьянства, мне плевать. Теперь плевать. Все эти три года я буду жить тут. Свою часть арендной платы отдаю прямо мистеру Хоукинсу. Ты не получишь ни цента. Я сам буду покупать себе еду и одежду. От тебя мне ничего не нужно. Но как бы ты ни напивался, постарайся не забывать одну вещь. Только попробуй меня ударить, козел, и ты мертвец.

Гейдж встал, прошел в свою комнату и закрыл дверь. Завтра нужно купить замок. Нечего этому ублюдку тут делать.

Он может уйти. Обессиленный, Гейдж сел на край кровати и закрыл лицо руками. Собрать свои вещи и заявиться к Кэлу или на ферму Фокса. Они его всегда примут.

Такие уж они люди.

Нет, нельзя. Он должен доказать старику и самому себе, что не отступит. Три года до совершеннолетия, а потом свобода.

Не совсем точно, подумал теперь Гейдж. Он выдержал, и старик больше не посмел поднять на него руку. А по прошествии трех лет уехал. Но свобода? Это совсем другая история.

Ты не расстаешься с прошлым, размышлял он, тащишь его за собой на толстой, прочной цепи, как бы ни старался заглядывать вперед. Можно его довольно долго игнорировать, но избавиться все равно не удастся. Эта цепь могла растянуться на десять тысяч миль, но Холлоу, люди, которых он любил, и судьба все время тянули его назад.

Оторвавшись от компьютера, Гейдж спустился на кухню за очередной порцией кофе. Устроившись за кухонным столом, он принялся раскладывать пасьянс. Карты — цвет, форма, звук, с которым они ложились на стол, — успокаивали его. Услышав стук в дверь, он взглянул на часы. Для Сибил рановато. Гейдж оставил карты на столе, радуясь, что это простое занятие отвлекло его мысли от прошлого. И от женщины.

Распахнув дверь, он увидел стоявшую на террасе Джоанну Барри.

— Привет.

Она молча смотрела на него. Ее темные волосы были заплетены в косу. Ясные глаза на миловидном лице, стройное тело, обтянутое джинсами и хлопковой рубашкой. Она погладила его по щеке и расцеловала в лоб, щеки и губы — так Джо всегда приветствовала тех, кого любила.

— Спасибо за орхидею.

— Пожалуйста. Жаль, что не застал тебя. Зайдешь? Ты не торопишься?

— Зайду, но на пару минут.

— Наверное, там найдется, чем тебя угостить. — Гейдж повел ее на кухню.

— У Кэла замечательный дом. Я не перестаю удивляться.

— Чему?

— Тому, что он — все вы — взрослые мужчины. Что Кэл взрослый мужчина, у которого собственный красивый дом с чудесным садом. Иногда — довольно часто — я просыпаюсь с мыслью, что мне пора будить детей и собирать в школу. Потом я вспоминаю: дети выросли и разъехались. И чувствую облегчение и грусть одновременно. Я скучаю по своим маленьким мальчикам.

— Вам от нас не избавиться. — Зная вкусы Джо, Гейдж отверг все разновидности газированной воды. — Могу предложить тебе воду или нечто похожее на грейпфрутовый сок.

— Я не хочу, Гейдж. Не беспокойся.

— Могу заварить чай — или сами заварите. Наверное... — Он умолк, заметив слезу, скатившуюся у нее по щеке.

— Что? В чем дело?

— В записке, которую ты мне оставил вместе с орхидеей.

— Я хотел с вами поговорить. Заехал сначала к матери Гейджа, а...

— Знаю. Мне Франни рассказала. Ты написал: «Потому что вы никогда меня не бросали. И я точно знаю — не бросите».

— Все так.

Вздохнув, Джо обняла его, уткнулась головой в плечо.

— Как только у тебя появляются дети, вместе с ними приходят тревоги и сомнения. Правильно ли ты поступил? Нужно ли было делать то или говорить это? А потом вдруг обнаруживается, что дети выросли. Но ты не перестаешь тревожиться и сомневаться. Что я могла еще сделать, не забыла ли это сказать? И если повезет, однажды кто-нибудь из детей... — Она отстранилась и посмотрела Гейджу в глаза. — Я всегда считала тебя своим сыном, и Франни тоже. Кто-то из детей пишет записку, слова которой проникают тебе прямо в сердце. И тревога проходит. — Всхлипнув, она улыбнулась. — Хотя все лишь на мгновение. Спасибо тебе за это мгновение, малыш.

— Без вас с Франни я бы не справился.

— Мне кажется, тут ты ошибаешься. Но мы здорово помогли. — Теперь она рассмеялась и крепко обняла его. — Мне нужно идти. Приезжай, мы тебя всегда ждем.

— Обязательно. Я вас провожу.

— Не говори глупостей. Я знаю дорогу. — Джо шагнула к двери, затем оглянулась. — Я молюсь за вас. Всем — ты же меня знаешь. Иисусу, Богоматери, Будде, Аллаху и так далее. На всякий случай. Хочу, чтобы ты знал: не проходит и дня, чтобы я не молилась за всех вас. Донимаю все высшие силы, какие только есть. С вами все будет хорошо — со всеми. Другого ответа я не приму.

6

Ему следовало знать, что Сибил явится вовремя. Не раньше и не позже, а минута в минуту. Точность — отличительная черта ее характера. На Сибил была блузка цвета сочного персика, темно-коричневые брюки, оканчивающиеся на пару дюймов выше щиколоток, и сандалии на двух тонких ремешках, открывавшие великолепные узкие ступни с ногтями под цвет блузки. Густые черные волосы прихвачены заколками на висках, так что взору Гейджа открывались три крошечных колечка в левом ухе и два в правом.

С собой у нее была коричневая сумка размером с бультерьера.

— Слышала, у тебя был гость. Ты должен мне рассказать — я хочу убедиться, что при пересказе ничего не потерялось.

Прямо к делу, подумал он.

— Отлично. — Гейдж двинулся на кухню. Если придется повторить историю еще раз, лучше делать это с чашкой кофе.

— Не возражаешь, если я поищу чего-нибудь холодного?

— Пожалуйста.

Гейдж смотрел, как она достает из холодильника грейпфрутовый сок и диетический имбирный эль.

— Я немного обижена, что Энн еще не говорила со мной. — Сибил насыпала в стакан лед, затем одновременно стала лить туда напитки, смешивая их. — Но я стараюсь быть великодушной. — Обернувшись, она вопросительно вскинула бровь. — Хочешь?

— Ни в коем случае.

— Если бы я весь день пила кофе, как ты, то ходила бы колесом по потолку. — Она бросила взгляд на карты, разложенные на столе. — Я тебе помешала.

— Просто убивал время.

— Ага. — Сибил внимательно изучала расклад. — Во Франции пасьянс часто называют *Reussite*, что значит «успех»; часть историков придерживаются мнения, что его придумали именно в этой стране. В английском языке его обозначают словом «терпение» — видимо, именно это качество тебя привлекает. Самая интересная теория, с которой я сталкивалась, утверждает, что в основе пасьянса лежит гадание на картах. Ты возражаешь? — спросила она, постучав по столу, и Гейдж пожал плечами.

Сибил открыла карту и продолжила раскладывать пасьянс.

— В последние лет двадцать стали популярными игры через компьютер. Ты не играешь онлайн?

— Никогда. Предпочитаю сидеть в одной комнате с противниками. Анонимный выигрыш не приносит такого удовольствия.

— Я однажды попробовала. Люблю пробовать — почти все.

Гейдж попытался представить, что это значит — почти все.

— И как успехи?

— Неплохо. Но, как и ты, я обнаружила, что это не настоящее. Ладно, где мы устроимся? — Из недр огромной сумки она извлекла блокнот. — Давай начнем с того, что ты расскажешь подробности утреннего визита, потом...

— Ты мне снилась.

— Да? — Она склонила голову набок.

— Учитывая категорию X[1], можешь поделиться с остальными, если сочтешь необходимым, а можешь оставить при себе.

— Сначала я должна услышать. — Ее губы дрогнули в улыбке. — В мельчайших подробностях.

— Ты пришла ко мне в спальню. Голая.

Сибил открыла блокнот, начала записывать.

— Какое бесстыдство.

— В комнату проникал лунный свет, и все было похоже на черно-белый, очень сексуальный фильм. У меня сложилось впечатление, что это не в первый раз; ласки были знакомыми. Как говорится, возможно, немного другие па, возможно, чуть-чуть изменился ритм, но этот танец мы уже танцевали.

— Мы разговаривали?

---

[1] Фильм с элементами эротики и жестокости, только для взрослых.

— Нет. — Ее глаза светились любопытством, отметил Гейдж, и удивлением — бесстрастным. И ни намека на смущение. — Мне был знаком вкус твоих губ и звуки, которые с них слетали, когда я прикасался к тебе. Я знал, где тебя ласкать и как. Когда мы... соединились и любили друг друга, комната начала кровоточить и гореть. — Любопытство усилилось, удивление погасло. — Они обрушились на нас, пламя и кровь. И ты заговорила. На пике оргазма, в ту секунду, когда огонь поглотил нас, ты крикнула: *бестиа*.

— Секс и смерть. Больше похоже на эротический или страшный сон, чем на пророчество.

— Наверное. Но я подумал, что нужно его рассказать. — Он постучал пальцем по блокноту. — Для твоих заметок.

— Трудно отвлечься от мыслей о сексе и смерти — с учетом всего, что происходит. Но...

— У тебя есть татуировка? — Он увидел, как задумчиво прищурились глаза Сибил. — Примерно вот такого размера. — Гейдж раздвинул большой и указательный пальцы на пару дюймов. — На пояснице. Похоже на тройку с тонкой волнистой линией, отходящей от нижнего завитка, а сверху еще один символ, завиток с точкой в центре.

— На санскрите это индуистская мантра «ом». Четыре части обозначают четыре ступени сосредоточения: бодрствование, сон, видения и трансцендентное состояние.

— А я подумал, что это просто сексуально.

— Конечно, сексуально. — Повернувшись, Сибил приподняла блузку на несколько дюймов и продемонстрировала татуировку на пояснице. — Но в этих символах заложен глубокий смысл. А поскольку ты их видел, придется сделать вывод, что в твоем сне тоже заложен смысл.

Она опустила блузку, вновь повернулась к Гейджу лицом.

— Нам обоим прекрасно известно: мы видим потенциал, а не абсолют. Кроме того, очень часто увиденное нами насыщено символами. Так что, судя по твоему сну, у нас есть шанс стать любовниками.

— Можно было догадаться и без всякого сна.

— И как любовники мы рискуем заплатить за удовольствие высокую цену. — Она твердо посмотрела ему в глаза. — Можно предположить, что тебя влечет ко мне на физическом уровне, но не на эмоциональном и ментальном. Мысль о возможной женитьбе вызывает у тебя отторжение, поскольку получается, что ты следуешь примеру друзей. А ты привык быть самостоятельным. Не могу тебя винить — я тоже. Раздражает также — и я разделяю это раздражение — идея, что наше разделение на пары является частью общего плана, составленного сотни лет назад. Правильно?

— В основном.

— Тогда прибавим твою пессимистическую — в отличие от моей — натуру, которая ослабляет подсознание, или твой дар, который создает нечто вроде мертвой зоны.

— Понятно, — усмехнулся Гейдж.

— Что до меня, я не отвергаю любовников только на том основании, что во время оргазма меня могут уничтожить силы зла. Это убивает всю романтику.

— Ты ищешь романтики, Сибил?

— Как все. Только у каждого свое представление о ней. Давай выйдем на свежий воздух, на веранду? Я люблю весну, а она так коротка. Насладимся ею, пока есть такая возможность.

— Хорошо. — Гейдж взял кофе, открыл дверь на веранду. — Тебе страшно? — спросил он, пропуская Сибил вперед.

— Все время, с тех пор как приехала сюда. А тебе? Он оставил дверь открытой.

— Я привык. Привык всю жизнь бояться, но не подавать виду. Потом наступила стадия «да пошло оно все». Теперь осталось одно раздражение. Но тебя это не раздражает.

— Мне интересно. — Она извлекла из сумки солнцезащитные очки, водрузила на нос. — Наверное, хорошо, что у всех у нас разная реакция. Шире охват. — Сибил села за один из столиков, с веранды открывался вид на сад и окаймлявший его лес. — Расскажи об Энн Хоукинс.

Гейдж рассказывал об утренней встрече, а она делала пометки в блокноте.

— Трое, — сказала Сибил, выслушав рассказ. — Три мальчика, потомки Энн и Джайлза Дента. Вера — это по части Кэла. Он верит не только в себя, в вас, в город, но готов принять то, что не может видеть сам. Прошлое — то, что произошло до него. Надежду олицетворяет Фокс. Он оптимист и считает, что способен что-то изменить и обязательно изменит. Значит, на твою долю, хорошо это или плохо, остается предвидение — то, что будет. Вторая тройка — Куин, Лейла и я — укладывается в ту же схему, образуя пары. Кэл и Куин, Фокс и Лейла, а теперь мы с тобой. Три в одном — трое мужчин, три женщины, три пары, объединенные в одно целое. И это наша заслуга, точно так же, как соединение трех осколков гелиотропа.

— Что не помогло выяснить, как им пользоваться.

— Но Энн ясно, по крайней мере для меня, дала понять, что у нас есть все необходимое. Материальных элементов больше не будет. Что-то другое. Слезы. — Нахмурившись, Сибил забарабанила пальцами по блокноту. — Она плакала о тебе, и, если я ее правильно поняла, мне тоже предстоит плакать. С удовольствием пролью пару слезинок, если они отправят Большого Злого Ублюдка в ад. Слезы, — повторила она и закрыла глаза. — Этот ингредиент часто используется в магии. Как правило, женские. Слезы девственницы, беременной женщины, матери, старухи и все такое прочее, в зависимости от обстоятельств. Я в этом плохо разбираюсь.

— Неужели есть такое?

Усмехнувшись, Сибил сдвинула очки на кончик носа и посмотрела поверх них на Гейджа.

— Кое-чего я, конечно, не знаю, но практически во всем могу разобраться. Нужно выяснить. Похоже, Энн говорит, что хотя остальным парам тоже придется кое-что сделать в своих областях, основную часть работы они уже выполнили. Пришло время смотреть вперед, а это наша с тобой задача, приятель.

— Я не могу вызывать видения по собственному желанию.

— Конечно, можешь. Нужна практика, концентрация и внимание. Все это у тебя есть — в противном случае ты не смог бы зарабатывать на жизнь картами. А вот проблемой может стать другое: нам потребуется вызвать свой дар одновременно и сосредоточиться на одном и том же событии.

Сибил снова запустила руку в свою вместительную сумку и достала колоду карт Таро.

— Шутишь?

— Инструменты, — ответила она и принялась довольно ловко тасовать большие карты. — У меня есть еще руны, несколько разновидностей хрустальных шаров, магическое зеркало. Когда-то я серьезно увлекалась колдовством, пыталась найти корни своего дара. Но, как и во всякой религии или организации, у них куча правил. Эти правила начали душить меня. В какой-то момент я примирилась с тем, что обладаю даром предвидения, и расширила поле деятельности.

— Когда ты впервые поняла?

— Что могу видеть будущее? Точно не знаю. Но это не была ослепительная вспышка, как у тебя. Мне всегда снились яркие сны. В детстве я рассказывала их родителям. Или с плачем просыпалась среди ночи, если сон оказывался страшным. Мне часто снились страшные сны. Или то, что можно назвать дежавю, хотя тогда я, конечно, не знала такого слова. Бабушка со стороны отца, в жилах которой текла цыганская кровь, сказала, что у меня дар предвидения. Я изо всех сил старалась развить свой дар, научиться управлять им. Сны не прекратились — иногда хорошие, иногда плохие. Мне часто снился огонь. Я шла сквозь него, умирала в нем или вызывала его.

Она быстро разложила карты. Привлеченный яркими картинками, Гейдж придвинулся к столу.

— Кажется, я видела тебя во сне, — сказала Сибил. — Задолго до нашей встречи.

— Кажется?

— Я ни разу не видела твоего лица. Или не могла вспомнить, когда просыпалась. Но в снах или видениях точно знала, что меня кто-то ждет. Вроде любовника. Первый оргазм я испытала лет в четырнадцать во время одного из таких снов. После них я просыпалась возбужденная или удовлетворенная. Или дрожащая от страха. Потому что иногда это был не любовник — и вообще не человек. Его лица я тоже не видела, даже когда он сжигал меня заживо. — Теперь она смотрела прямо на него. — Поэтому я училась всему, училась управлять разумом и телом при помощи йоги, медитации, трав, транса — всего, что могло дать отпор зверю из моих снов. По большей части помогает, вернее, помогало.

— Здесь, в Холлоу, труднее сосредоточиться?

— Да.

Гейдж сел за стол, ткнул пальцем в карты.

— Итак, что сулит нам будущее?

— Тут ответы на кое-какие личные вопросы. Что касается остального... — Сибил собрала карты, снова перетасовала. — Сейчас выясним.

Собрав колоду, она протянула ее Гейджу.

— Сними. — Он снял, и Сибил разложила карты рубашкой верх. — Попробуем случайный выбор. Ты первый.

Включившись в игру, Гейдж выбрал карту и, дождавшись кивка Сибил, перевернул. На карте была изображена застывшая в объятии пара; черные волосы женщины ниспадали на обнаженные тела.

— «Любовники», — объявила Сибил. — Показывает, о чем ты думаешь.

— Это твои карты, дорогуша.

— Угу. — Она взяла карту. — «Колесо Фортуны». Это больше по твоей части, если понимать буквально. Означает перемены, шанс — неважно, на радость или на беду. Бери следующую.

Перевернутой картой оказался «Маг».

— Старшие Арканы, три из трех. — Между бровей Сибил пролегла маленькая складка. — Одна из моих любимых карт, означает не только искусство, но также воображение, творческие способности и, конечно, магию. В данном случае можно утверждать, что она относится к Джайлзу Денту, твоему предку. — Она выбрала карту и медленно перевернула ее. — А у меня «Дьявол». Жадность, разрушение, мания, жестокость. Давай еще.

Гейдж вытащил «Жрицу». Сибил «Повешенного».

— Наши предки по материнской линии, хотя на моей карте мужчина. Знание и мудрость у тебя, мученичество у меня. По-прежнему Старшие Арканы, что довольно любопытно. Еще раз.

Он вытащил «Башню», она «Смерть».

— Изменения, возможная катастрофа, но с учетом других твоих карт шанс на изменения к лучшему, на восстановление. У меня — явный конец, причем не столь радостный, если принять во внимание остальные. Эта карта редко указывает на реальную смерть, но явно символизирует конец чего-то.

Сибил взяла стакан.

— Хочу еще.

Опередив ее, Гейдж встал.

— Я приготовлю. Видел, как ты это делаешь.

Ей нужно прийти в себя, подумал Гейдж. Каким бы увлекательным ни выглядел процесс, результат явно ошеломил ее. Гейдж кое-что знал о картах Таро — за годы поиска ответов он познакомился со всеми разновидностями оккультизма. И если бы ему предложили пари, он никогда бы не сделал ставку, что два человека вытащат из колоды восемь Старших Арканов подряд.

Он приготовил напиток, взял себе воду вместо кофе. Сибил стояла у перил веранды, глядя в сторону леса.

— Я заново перетасовала колоду, сняла. Вытащила наугад восемь карт. Только две оказались из Старших Арканов, но, что самое странное, опять «Дьявол» и «Смерть». — Сибил повернулась, и Гейдж понял, что она взяла себя в руки. — Правда, интересно? Вместе мы вытаскивали самые могущественные и символичные карты. Это знак, или просто интуиция подсказывала нам их расположение и мы инстинктивно выбирали их?

— Может, попробуем другой способ? В твоем вещмешке не найдется хрустального шара?

— Нет. А что касается вещмешка, это «Прадо». А ты не хочешь попытаться заглянуть в будущее, объединить наши способности и посмотреть, что из этого выйдет?

— Что у тебя на уме?

— Признать нашу связь и использовать ее. Я лучше фокусируюсь во время медитации или после нее, но...

— Я умею медитировать.

— После такого количества кофеина?

— Лучше вернуться в дом. — Он глотнул воды из бутылки.

— Вообще-то я имела в виду лужайку. Сад, лес, свежий воздух. — Сибил сняла очки, положила на перила и стала спускаться по ступенькам. — Как ты расслабляешься, психологически и физически?

— Карты, секс. Мы можем сыграть в покер на раздевание, а после того, как ты проиграешь, я постараюсь, чтобы мы оба расслабились.

— Интересно, но я имела в виду йогу. — Она сбросила обувь и приняла позу молящегося. Потом грациозным движением перешла к позе поклонения солнцу.

— Это не для меня. — Гейдж тоже спустился во двор. — Но посмотрю с удовольствием.

— Всего минутку. А ты сам? У нас уговор. Никакого секса.

— Мы условились, что я не пытаюсь тебя соблазнить. На секс запрета не было.

— Выкручиваешься.

— Просто уточняю.

Приняв позу собаки, Сибил повернула голову и пристально посмотрела на него.

— Пожалуй, ты прав. И все же. — Закончив упражнения, она села на траву в позе лотоса.

— Это тоже не для меня, — сказал Гейдж, но все же опустился на землю напротив нее.

Ладони должны были лежать на коленях, но Сибил взяла руки Гейджа в свои.

— Так ты сможешь сосредоточиться?

— Да, но вместе с тобой.

— Ладно. — Она улыбнулась. — Все, что угодно, кроме карт и секса.

Гейдж не возражал, чтобы майским утром немного посидеть на траве рядом с красивой женщиной. Ничего особенного он не ждал. Думал, она закроет глаза и отключится, повторяя какую-нибудь мантру (например, «ом», вытатуированный у нее на пояснице, на золотистой коже в маленькой ямочке, после которой начинаются ягодицы).

Не думай об этом, приказал себе Гейдж. Так точно не расслабишься.

Как бы то ни было, Сибил не закрыла глаза, а смотрела прямо на него. Что может быть притягательнее для мужчины, чем эти темно-карие, бархатистые глаза? Он старался подстроиться под ее дыхание — или она под его. В любом случае, через несколько секунд их сердца уже бились в унисон.

Он видел только ее глаза. Глубокие, как колодцы. Кончики пальцев Сибил едва касались его пальцев, но Гейджу казалось, что его тело стало невесомым и без этого легкого прикосновения его поднимет в воздух и унесет прочь.

На мгновение он почувствовал, что так и должно быть — их неразрывная связь, абсолютный покой.

Картины и образы хлынули на него непрерывным потоком, сменяя друг друга, как в калейдоскопе. Фокс лежит под дождем на обочине дороги. На полу своего кабинета распростерся Кэл; его рубашка пропиталась кровью. Крича от ужаса, Куин стучит кулаками в запертую дверь, а в ее горло вонзается нож. Лейла, связанная и с кляпом во рту, лежит на полу и обезумевшими от страха глазами смотрит на ползущих к ней змей.

Он увидел себя самого рядом с Языческим камнем, на котором лежало охваченное пламенем безжизненное тело Сибил. Слышал свой крик ярости, а затем из леса выскочил демон и все погрузилось во тьму.

Потом образы и звуки смешались, картинка стала нечеткой, расплылась. Гелиотроп загорелся у него в руке, голоса что-то кричали, но слова он не понимал. Он был один, и пламя из его ладони поднималось к жаркой летней луне. Он был один, когда зверь, ухмыляясь, вышел к нему из темноты.

Гейдж не знал, кто разорвал контакт, он или она, но образы сменились красной пеленой боли. Он слышал, как Сибил повторяет его имя — раз, другой, третий. Вроде словесной пощечины, заставившей его застонать.

— Что?

— Сосредоточься. Сфокусируйся на точках, которые я массирую. Ты должен проделать то же самое со мной, когда я отключусь. Слышишь?

— Да, да, да. — Голова раскалывалась, но голос Сибил все же доходил до сознания. Ее пальцы вонзились в кожу его шеи.

Острая, режущая боль сменилась тупым давлением. А когда Сибил взяла его руку и принялась массировать точку между указательным и большим пальцем, исчезло и давление; остался лишь неприятный зуд.

Гейдж отважился открыть глаза и посмотрел в лицо Сибил. Глубокий бархат ее глаз затуманился. Лицо было бледным, как мел, дыхание медленным и ровным.

— Ну, ну.

Он высвободил руку, сжал пальцами затылок Сибил.

— Так правильно?

— Чуть ниже... Да, да. Сильнее. Не бойся причинить мне боль.

Хуже, чем то, что ему привиделось, быть не могло, и он с силой надавливал на затвердевшие от боли и нервного напряжения мышцы. Сибил массировала акупрессурные точки у себя на ладони.

Сначала она позаботилась о нем, понял Гейдж, чувствуя одновременно смущение и благодарность. Туман боли постепенно рассеивался, и Сибил наконец закрыла глаза — Гейджу было знакомо это облегчение.

— Ну вот, уже лучше. Скоро пройдет. Мне просто нужно... — Не открывая глаз, она легла на спину, подставила лицо солнцу.

— Хорошая идея. — Гейдж последовал ее примеру.

— Мы потеряли контроль, — помолчав, произнесла Сибил. — Нас просто потащило, как собак на поводке. Я не могла ни остановить это, ни замедлить. Не справилась со страхом.

— Что доказывает твой полный провал.

Он услышал приглушенный смешок и представил изгиб ее губ.

— Наш провал, красавчик. Но мы исправимся. Обязаны. Что ты видел?

— Сначала ты.

— Мы все умерли или умирали. Фокс истекал кровью на обочине дороги — в темноте, под дождем. Свет фар, как мне кажется, от его пикапа. — Сибил рассказала все; голос ее слегка дрожал.

— У меня то же самое. А потом все завертелось.

— Картины стали меняться еще быстрее, сделались размытыми, накладывались друг на друга. Обычные сцены перетекали в кошмары, так что их невозможно было отличить друг от друга. Какие-то фрагменты. Но в самом конце амулет оказался у тебя.

— Да, все мертвы, а я стою с камнем в руке. От камня поднимается пламя, демон меня убивает.

— На самом деле убивает или это твоя интерпретация? Я видела лишь камень у тебя в руке, и в нем была сосредоточена сила. — Сибил повернулась на бок и посмотрела ему в лицо. — И я знаю, что мы видим лишь возможные варианты. Предупрежден — значит вооружен. Расскажем остальным, что может произойти, и мы вооружены.

— Чем вооружены?

— Неважно. Что? — спросила она, когда Гейдж прижал пальцы к глазам и тряхнул головой.

— Я представил тот маленький пистолет двадцать второго калибра у тебя на боку. Похоже, мне полегчало.

— Угу. И что на мне было надето?

Он опустил руки и ухмыльнулся.

— Похоже, нам обоим полегчало. Почему бы... — Он перекатился на нее.

— Полегче, ковбой. Уговор дороже денег.

— Я и не думал о соблазнении.

— Я так и поняла. — Она ответила небрежной улыбкой.

— Ты крепкий орешек, Сибил. — Проверяя ее реакцию, он взял ее руки, прижал к земле над головой. Позитивная энергия — вот чего у нее с избытком. Чего ему так не хватает.

Она не сопротивлялась, лишь наблюдала за ним со слабой улыбкой.

— Я подумал, что мы оба заслужили награду.

— Ты имеешь в виду кататься голыми на заднем дворе Кэла?

— Читаешь мои мысли.

— Ни за что.

— Ладно. Скажешь, когда.

Он поцеловал ее, и в этом поцелуе не было ни осторожности, ни вызова. Гейдж искал страсти, и она вспыхнула, словно лихорадка. Пальцы Сибил переплелись с его пальцами, губы приоткрылись. Скорее требование, а не приглашение, вызов, а не капитуляция. По ее телу пробежала дрожь, излучая волны энергии.

В высшей степени позитивной.

Никакого соблазнения, подумала она, никаких уговоров. Ее тело ответило, откликнулось волнением. Или чистой, неприкрытой похотью — что одно и то же. Желания, дремавшие несколько месяцев, вырвались на свободу. Она даст им волю, совсем немного, прежде чем вновь загнать в темницу.

Обвив ногу вокруг Гейджа, она выгнулась, прижалась к нему животом и оттолкнулась от земли, так что они поменялись местами. Теперь первую скрипку играли ее губы; пальцы Гейджа вплелись ей в волосы. Услышав рычание, она рассмеялась, касаясь губами его губ. Звук повторился, и Сибил почувствовала, как по спине пробежал холодок.

Она медленно оторвалась от его губ.

— Слышал?

— Да.

Сибил приподняла голову и вздрогнула.

— Мы не одни.

Пошатываясь, из леса выбежала громадная собака с грязной спутанной шерстью. Из ее пасти клочьями свисала пена.

— Это не Твисс, — прошептала Сибил.

— Нет.

— Значит, настоящая.

— Настоящая и бешеная. Умеешь быстро бегать?

— Если нужно.

— Беги в дом. Мой пистолет наверху, на прикроватном столике. Хватай его, возвращайся и пристрели эту чертову собаку. Я отвлеку.

Сибил поборола приступ тошноты, вызванный мыслью об убийстве.

— Мой пистолет в сумке на веранде. Давай вместе.

— Быстрее, *в дом*. Не останавливайся.

Гейдж рывком поднял ее, с силой толкнул к дому. Собака подобралась и прыгнула.

Он не побежал с ней, и Сибил не позволила себе оглянуться, даже когда услышала жуткие звуки у себя за спиной. Сердце бешено стучало, она прыгнула на веранду, сунула руку в сумку, нащупала револьвер.

Крик, вырвавшийся из ее горла, объяснялся не только ужасом, но и попыткой отвлечь внимание на себя. Но жестокая схватка на красивой зеленой лужайке Кэла не прерывалась — они катались по траве, и собака пыталась вонзить зубы в Гейджа.

Сибил бросилась назад, на ходу снимая пистолет с предохранителя.

— Стреляй! Стреляй в гадину!

— Я не могу прицелиться!

Руки Гейджа были изодраны и кровоточили.

— Стреляй, черт возьми! — Он отталкивал голову собаки; щелкающие челюсти оказались прямо перед его лицом. Пули вонзились в бок пса, и его тело вздрогнуло, но он продолжал тянуться к горлу противника. После следующего выстрела собака взвизгнула, и ее безумные глаза затуманились. Тяжело дыша, Гейдж отбросил обмякшее тело, поднялся на четвереньки.

Сквозь оглушающую боль он услышал плач, увидел, как Сибил шагнула к собаке и выстрелила в голову.

— Он был еще жив. Страдал. Давай отведу тебя в дом. Господи, ты весь в крови.

— Заживет, — отмахнулся Гейдж, но все же обнял Сибил за плечи и позволил себе опереться на нее. Через пару шагов ноги у него подкосились. — Дай мне минуту. Всего минуту.

Она помогла ему сесть на ступени и бросилась в дом. Через минуту вернулась с бутылкой воды, миской и бинтами.

— Может, позвонить Кэлу и Фоксу? Когда Фокс был ранен, вы ему помогли.

— Нет. Ничего страшного.

— Дай посмотреть. Я должна посмотреть. — Она быстро и ловко сняла с него то, что осталось от рубашки. Дыхание ее, может, и прерывалось, но промывавшая раны рука не дрожала. — Плечо сильно разодрано.

— Лишняя информация, если речь идет о моем плече. — Он со свистом втянул в себя воздух, когда Сибил прижала прохладный, влажный бинт к ране. — В любом случае, отличный выстрел.

Она смочила водой из бутылки чистый кусок бинта, протерла Гейджу лицо.

— Я знаю, тебе больно. Заживление так же болезненно, как сама рана.

— Да, веселого мало. Сделай одолжение, а? Принеси виски.

— Конечно.

На кухне Сибил уперлась обеими руками в столешницу. Хорошо бы грохнуться в обморок. С трудом справившись со слабостью, она выпрямилась, достала бутылку «Джеймсона» и щедро плеснула в стакан — на три пальца.

Вернувшись, Сибил увидела, что большая часть неглубоких ран на Гейдже уже зажила, более серьезные тоже начали затягиваться. Он залпом выпил две трети виски, затем, пристально посмотрев в лицо Сибил, протянул стакан.

— Допей, дорогуша. Похоже, тебе не помешает.

Кивнув, она проглотила остаток. Потом сделала то, на что до сих пор не решалась. Повернулась и посмотрела на собаку, распростертую на залитой кровью траве.

— Я еще никогда никого не убивала. Глиняные голуби, мишени, медведи в тире. Но еще ни разу не всаживала пулю в живое существо.

— Не сделай ты этого, я был бы уже мертв. Эта собака весила добрых восемьдесят фунтов, одни мышцы, и она совершенно обезумела.

— На ней ошейник с бирками. — Пересилив себя, Сибил пересекла лужайку, присела на корточки. — Отметка о прививке против бешенства, действующая. Она не была бешеной, Гейдж. В обычном смысле. Хотя мы оба догадывались.

Прихрамывая, Гейдж подошел к ней.

— Что будем делать? — спросила она.

— Похороним.

— Но... Гейдж, это же чья-то собака. Не бродячая. У нее есть хозяева, и они, наверное, ее ищут.

— Что толку, если мы вернем ее мертвой? Как ты объяснишь, почему всадила четыре пули в безобидного и здорового домашнего питомца? — Гейдж взял ее за плечи, встряхнул. — Это война, черт возьми. Понимаешь? Мы ведем ее уже давно. Погибла не только собака, Сибил. Возьми себя в руки. Объяснять какому-нибудь ребенку, что Фидо не вернется к ужину, потому что его заразил демон? Увольте. Похороним его и будем жить дальше.

— Наверное, хорошо быть бесчувственным, не испытывать ни сожаления, ни сострадания.

— Точно. Иди внутрь. На сегодня мы закончили.

— А ты куда? — спросила Сибил, увидев, что он повернул в сторону от дома.

— За лопатой.

Стиснув зубы, Сибил пошла к сараю впереди него, рывком распахнула дверь.

— Я говорю, в дом.

— А я говорю: иди к черту. Посмотрим, кто быстрее дойдет. Я прикончила эту собаку, так? Значит, я помогу ее похоронить. — Сибил схватила лопату, швырнула ее Гейджу, взяла себе другую. — И еще кое-что, сукин ты сын. Мы еще не закончили. Все, что тут случилось, нужно рассказать остальным. Нравится тебе или нет, мы одна команда. Всю эту мерзость требуется описать, задокументировать и классифицировать. Просто закопать недостаточно. Недостаточно. Нет.

Зажав ладонью рот, Сибил подавила всхлип — самообладание окончательно покидало ее. Гейдж притянул ее к себе.

— Отстань.

— Заткнись. Просто заткнись. — Гейдж крепко держал ее, не обращая внимания на попытки вырваться, и не разомкнул объятия, даже когда она сдалась, прильнула к нему.— Ты сделала то, что должна была, — прошептал он. — Отлично справилась, выдержала. Иди в дом, а я сам все закончу. Можешь позвонить остальным.

Помедлив секунду, она отстранилась.

— Вместе и закончим. Похороним его. Потом позвоним.

7

Она попросила Куин привезти чистую одежду. После похорон собаки Сибил была вся в грязи и в поту. Не думая о природе пятен на блузке и брюках, она просто сунула их в полиэтиленовый пакет, чтобы, приняв душ, выбросить в мусор.

Совсем расклеилась, призналась себе Сибил, становясь под душ. Конечно, сделала все, что требовалось, но непрочная стена самообладания рухнула, оставив одни эмоции.

Вот тебе и хладнокровная, рассудительная Сибил Кински.

Хотя хладнокровие сохранить не удалось, можно все-таки попробовать проанализировать случившееся.

Хорошо это или плохо, что она раскисла в присутствии Гейджа? С какой стороны посмотреть. Плохо — очень плохо — для ее гордости, но в целом лучше как следует узнать друг друга. Для успеха общего дела важно иметь представление о сильных и слабых сторонах друг друга, о пределе прочности.

Жаль, конечно, что она сломалась первой, но придется смириться. Никуда не денешься.

Горькая пилюля — ведь Сибил всегда считала себя сильной. Человеком, который сам принимает решение — трудное, если нужно — и не отступает от него. Другие люди ломаются — мать, сестра, — но только не она. Она всегда на высоте.

Придется проглотить еще одну горькую пилюлю — признать, что Гейдж прав. Мертвая собака — еще не самое худшее. Если она не справится с этим, то от нее нет никакой пользы остальным. Значит, должна справиться.

Услышав, как открывается дверь ванной, она почувствовала, как изнутри поднимается волна ярости.

— Поворачивайся кругом, козел, и топай, откуда пришел.

— Это Куин. Как ты?

От голоса подруги на глаза вновь навернулись слезы. Сибил безжалостно подавила их.

— Лучше. Ты быстро.

— Мы сразу бросились сюда. Мы с Кэлом. Фокс и Лейла подъедут, как только смогут. Тебе помочь?

Сибил выключила душ.

— Подай полотенце. — Она отодвинула занавеску и взяла протянутое Куин полотенце.

— Господи, Сибил, у тебя измученный вид.

— Это мой первый день на должности могильщика. Я отлично справилась, хотя, должна тебе признаться, Куин, работа ужасная. С любой точки зрения.

Сибил завернулась в полотенце, и Куин подала ей другое, для головы.

— Слава богу, ты не пострадала. Ты спасла Гейджу жизнь.

— Правильнее назвать это взаимной услугой. — Она посмотрела в затуманенное паром зеркало. Физическое и эмоциональное истощение отступило под напором тщеславия. Кто эта бледная, измученная женщина с ввалившимися, потухшими глазами? — Боже милосердный. Надеюсь, ты догадалась захватить косметику вместе с одеждой.

Ободренная реакцией Сибил, Куин прислонилась к косяку.

— Сколько лет мы дружим?

— Я не должна была в тебе сомневаться.

— Все на кровати. Пока будешь переодеваться, спущусь вниз, налью тебе бокал вина. Еще что-нибудь?

— Нет, похоже, ты уже обо всем позаботилась.

Оставшись одна, Сибил вытерлась, потом с помощью косметики устранила остатки усталости. Переоделась в чистое, окинула взглядом свое отражение в зеркале, взяла пакет с грязной блузкой и брюками. Спустившись, бросила пакет в мусорное ведро на кухне и вышла на переднюю террасу, где уже сидели Куин, Кэл и Гейдж.

На террасу за домом, похоже, никого не тянуло.

Сибил взяла бокал с вином и улыбнулась Кэлу.

— Привет. Как прошел день?

Он улыбнулся ей в ответ, но серые глаза внимательно вглядывались в ее лицо.

— Не такой богатый событиями, как у вас. Утром комитет по празднованию Дня поминовения окончательно утвердил программу мероприятий. Венди Краус, выпившая пару бокалов вина на встрече членов лиги, уронила себе на ногу шар для боулинга и сломала большой палец. Двое подростков едва не подрались за настольным футболом.

— Вечная драма Хоукинс Холлоу.

— Точно.

Потягивая вино, Сибил смотрела на склон с террасами, холмы и ручей.

— Отличное место, чтобы отдохнуть после трудового дня. У тебя красивый сад, Кэл.

— Я люблю свой дом.

— Уединенное место, но связанное с городом. Ты знаешь почти всех в округе.

— Наверное.

— И должен знать, чья эта собака.

Он колебался, но не больше секунды.

— Маллендоров с Фоксвуд-роуд. У них позавчера пропала собака. — Кэл наклонился и погладил бок Лэмпа, дремавшего у его ног. — У них дом в городе. Сюда путь неблизкий, но, судя по описанию Гейджа, это Роско, собака Маллендоров.

— Роско. — Покойся с миром, подумала Сибил. — Заражать животных ему не впервой. У нас есть записи о нападениях диких и домашних животных. Тем не менее до города довольно далеко — пешком. Не было никаких сообщений о бешеной собаке?

— Значит, делаем вывод, что сегодня цель тоже была конкретной. Большой Злой Ублюдок не просто заразил собаку, но и направил сюда. Днем ты здесь часто бываешь один. — Она повернулась к Гейджу. — Твисс не мог знать, что я приеду. По крайней мере, когда заразил собаку. Она ведь пропала два дня назад. Ты мог выйти из дома, например, дремать в уютном гамаке, который Кэл повесил между кленами. А Кэл мог стричь газон. Или Куин гуляла бы по саду.

— Каждый из нас мог оказаться тут один, — согласился Кэл. — И это не обязательно была бы собака, которую вы похоронили.

— Ловкий ход, — размышляла Сибил. — Минимум усилий и затрат энергии.

— Очень удобно иметь под рукой женщину с револьвером. — Гейдж неспешно глотнул вина.

— Которая, — прибавила Сибил, — в конечном счете признала простую истину, что не она убила собаку. Это дело рук Твисса. Еще одно злодеяние, за которое ему придется заплатить. — Она бросила взгляд на дорогу. — А вот и Фокс с Лейлой.

— И ужин. — Куин коснулась руки Сибил. — Я заказала в «Джинос» большую миску салата и две порции пиццы, подумав, что сегодня вечером нам будет не до изысков.

— Здравая мысль. У нас есть что обсудить.

За едой они не говорили, как это часто случалось, о пустяках. Настроение было неподходящее, и вдобавок всем не терпелось поделиться своими мыслями.

— Мы должны все записать, Куин, — начала Сибил. — Гейджу приснился сон.

Выдержав ее взгляд, Гейдж рассказал свой сон о страсти и смерти.

— Символизм, — сделала вывод Куин. — На пророчество не похоже. — Как бы ни был хорош секс, вам обоим пришлось отвлечься, когда вокруг вас загорелась комната.

— Логично, — пробормотала Сибил.

— Может, страсть была настолько жаркой, что произошло самовозгорание. — Фокс пожал плечами. — Просто пытаюсь добавить чуточку легкомыслия.

— Разве что самую малость. — Лейла ткнула его пальцем в бок. — Мы все переживаем стресс, и поэтому... эротические сны вполне естественны. И если принять это во внимание, вполне вероятно, Гейдж, что ты мог чувствовать некоторое...

— Сексуальную неудовлетворенность, — закончила за нее Куин. — И влечение к Сибил. Мы все взрослые мальчики и девочки, и можно говорить откровенно. Прошу прощения, но факт заключается в том, что вы с Сибил здоровые взрослые люди, причем довольно привлекательные, у вас общий дар, и вы испытываете сильнейший стресс. Было бы странно, если бы не возникло сексуальных вибраций.

— Удовлетворишь желание и сгоришь в адском огне? — Кэл разжевывал эту мысль, словно кусок пиццы. — Не думаю, что все так просто, даже с точки зрения символов. Интимная связь чревата последствиями. Но связь, образующая еще одно звено в цепочке, соединившей нас шестерых, усиливает и последствия, и нашу силу.

— Полностью согласна. — Сибил одобрительно кивнула Кэлу. — Если бы не Куин, мы бы с тобой поладили.

— Я запомню, сестренка.

— Ты слишком эгоистичен. Как бы то ни было, я по опыту знаю, что вещие сны часто насыщены символами. Думаю, сон Гейджа может относиться к этой категории. По крайней мере, похоже.

— Можно подняться наверх, — предложил Гейдж, — и проверить теорию.

— Самоотверженное предложение. Прямо-таки героическое. — Сибил умолкла и пригубила вино. — Я пас. Возможно, я готова пожертвовать свое тело сексу ради благородной цели, но не думаю, что в данный момент это необходимо.

— Дашь знать, когда наступит подходящий момент.

— Ты будешь первым. Что? — спросила она, заметив взмах руки Куин.

— Просто глушу эти чертовы сексуальные вибрации.

— Тебе смешно. Ладно, идем дальше, — продолжила Сибил. — Как предположил наш остроумный и проницательный Кэл, речь идет о связи. Существует связь не менее близкая, чем секс.

— Тем не менее он у меня на первом месте. — Фокс ухмыльнулся в ответ на ледяной взгляд Сибил и потянулся за пиццей. — Продолжай.

— Мы с Гейджем почувствовали такую связь, объединив наши способности. Почувствовали и силу, и последствия. Но до общего опыта у Гейджа был собственный. Энн Хоукинс.

Сибил снова умолкла, на этот раз отвлеченная радужным блеском колибри за окном, спикировавшей в самый центр ярко-красного цветка.

— Перед тем как приехать сюда, мы с Куин записали этот инцидент, нанесли на карту и в таблицы. Гейдж еще раз мне все повторил, на случай, если какие-то детали были упущены при пересказе. Все так.

— Я весь день думала об этом, — вступила в разговор Лейла. — Она сказала, что плакала о нем, о Гейдже, и что ты, Сибил, тоже будешь плакать. По крайней мере, я так поняла. Это важно.

— Слезы обладают силой. — Сибил продолжала наблюдать за яркой птицей, опустившейся на следующий цветок.

— Любопытно только, воспринимать ли слезы буквально, как элемент магии, который нам понадобится, или это опять символ. Радости, горя — эмоций. Может быть, значение имеет эмоциональная связь.

— И снова я полностью с тобой согласна, — сказала Сибил.

— Мы знаем, что эмоции играют во всем этом важную роль. Твисс питается негативными эмоциями: страхом, ненавистью, злобой. А позитивные, по всей видимости, не дали нам поджариться во время последнего похода к Языческому камню.

— Другими словами, она не сообщила ничего нового.

— Положительное подкрепление. — Куин посмотрела на Гейджа. — Энн прямо сказала, что у нас есть все необходимое для победы. Осталось выяснить, что это такое и как им пользоваться.

— Слабость против силы. — Фокс сделал глоток пива. — Твисс знает наши слабости и играет на них. Мы должны противостоять этому, компенсировать слабости силой. Вот общая стратегия.

— Хорошо, — кивнула Лейла. — Нужно составить список.

— Моя девушка — специалист по спискам.

— Серьезно. Сильные и слабые стороны — каждого в отдельности и всей команды. Мы ведь на войне, правда? Сильные стороны — наше оружие, а слабые — бреши в обороне. Укрепив оборону или, по крайней мере, выявив бреши, мы получим превосходство.

— Я учил ее играть в шахматы, — сообщил Фокс. — Быстро схватывает.

— Поздновато уже для списков, — заметил Гейдж.

— Для списков никогда не бывает поздно, — нисколько не обидевшись, сказала Лейла.

Сибил взяла вино, наблюдая, как улетает колибри — словно сверкающая пуля.

— В моем списке следующим пунктом стоят карты.

— Хочешь сыграть в карты? — удивился Кэл. — Тебе не кажется, что мы немного заняты?

— Нет ничего важнее карт, — возразил Гейдж. — Но мне кажется, дама имеет в виду колоду Таро.

— Я захватила их сегодня с собой, и мы с Гейджем провели эксперимент.

Сибил доверяла своей памяти, но все же достала блокнот, сообщая результаты эксперимента.

— Все из Больших Арканов, все с особым смыслом для нас обоих, — заключила она. — Присутствующий здесь игрок подтвердит: шансы, что это случайность, астрономически малы. Интерпретировать карты можно по-разному, в зависимости от вопроса, от соседних карт и так далее. Но в данном случае возникает ощущение, что речь идет о связи — физической, эмоциональной, психологической. Кроме того, карты указывали на предков каждого из нас, на возможность серьезных изменений и на последствия. Мне бы хотелось продолжить этот эксперимент. Кэл и Куин, Фокс и Лейла, трое мужчин, три женщины и, наконец, все шестеро.

— Ты всегда ловко обращалась с Таро.

— Цыганская кровь. Но сегодня этим дело не ограничилось.

— Ты раскладывала карты до появления собаки, — сказал Фокс. — До нападения.

— Да. — Чтобы отогнать неприятные воспоминания, Сибил потянулась за бокалом. — До того.

— Может, это сыграло свою роль, — продолжил Фокс. — Ваша связь с Гейджем. Нам не хватает подробностей, но если выпавшие карты не совпадение и связь генерирует энергию и силу, то нападение собаки тоже не выглядит случайным.

— Да, — медленно произнесла Сибил. — Именно так.

— Вы были снаружи, — подсказала Куин. — На заднем дворе Кэла.

— Да. — Сибил посмотрела на Гейджа. — Теперь твоя очередь.

Он не любил давать отчет о своих действиях, но подумал, что Сибил, наверное, еще трудно говорить об этом. Гейдж рассказал, что с ними произошло, от того момента, как они сели на траву и соединили кончики пальцев, до последнего выстрела Сибил.

— Бедняжка. — Лейла сочувственно посмотрела на Сибил и погладила ее руку.

— Прошу прощения. — Гейдж поднял палец. — Зубы, когти, разодранная плоть, пролитая кровь. Обезумевший Роско вырвал из моего плеча кусок размером с...

— Бедняжка. — Лейла встала, обогнула стол и поцеловала Гейджа в щеку, удивив и смутив его.

— Совсем другое дело. Собственно, все.

— Гейдж забыл сказать, что я раскисла. Если мы составляем списки, это нужно занести в раздел слабостей. Когда все закончилось, я совсем расклеилась. Не могу гарантировать, что такого не повторится, но постараюсь.

— Следует отметить, истерика была сильной, но непродолжительной, — продолжил Гейдж. — И случилась потом. Лично мне плевать, если кто-то скрежещет зубами или чудит после того, как дело сделано.

— Принято, — решила Сибил.

— Твисс ошибся. — Голос Куин был спокойным, но в глазах сверкали молнии. — Совершил большую ошибку, черт возьми.

— Какую? — спросил Кэл.

— До сегодняшнего дня для трех человек из нашей команды один важный элемент был лишь теорией. Мы говорили о том, что происходит с людьми во время Седмицы, на что они способны, заразившись безумием. Только ты, Фокс и Гейдж сталкивались с этим лицом к лицу. Только вам троим приходилось защищать себя или кого-то еще от нападения другого живого существа. Обычного существа, превратившегося в смертельную угрозу. Мы не могли знать, не могли быть уверены, как отреагируем, не растеряемся ли в такой ситуации. Теперь знаем.

— Сегодня собака была настоящей, а не одной из мерзких иллюзий, насылаемых Твиссом. Существо из плоти и крови. Расклеилась — как бы не так. Ты не побежала, Сибил, тебя не парализовало страхом. Ты взяла пистолет и пристрелила пса. Спасла жизнь Гейджу. Ублюдок совершил большую ошибку, продемонстрировав, что нас ждет. Теперь опыт есть у четверых, и будь я проклята, если мы с Лейлой не выстоим, как выстояла Сибил. Мое мнение? Большая красная галочка в разделе плюсов.

— Впечатляюще, Блонди, — Кэл наклонился к ней и поцеловал.

— Ты права. — Фокс отсалютовал пивом. — Я хотел похвастаться, но был раздавлен. В буквальном смысле. Сдаюсь.

Сибил смотрела на Куин, чувствуя, как растворяются остатки шока и боли.

— Ты всегда и во всем умеешь найти хорошее, да? Ладно. — Сибил вздохнула полной грудью, впервые за несколько часов. — Воспользуемся моментом и поздравим себя... Убирайте со стола, а я принесу карты.

Когда она вышла, Гейдж встал и последовал за ней.

— Послушай, сегодня ты уже многое доказала.

Сибил сунула руку в сумку, выуживая карты.

— Не стоит опять обращаться к магии. Ты устала.

— Устала, ты прав. — Неприятно слышать такое, когда изо всех сил стараешься скрыть свое состояние. — Полагаю, перед Седмицей вы с Кэлом и Фоксом не думали об усталости.

— Тогда выбора просто нет. Но до этого еще не дошло.

— Дойдет. Конечно, мне хотелось бы что-то доказать, но речь не об этом. Я ценю твою заботу, но...

Гейдж взял ее за руку.

— Терпеть не могу заботы. — На его лице проступило едва сдерживаемое раздражение.

— Нисколько не сомневаюсь. Но тут я ничем не могу тебе помочь, Гейдж.

— Послушай. Послушай. — Раздражение стало явным. — Давай все проясним с самого начала.

— С удовольствием.

— Такая связь, как у остальных, между нами маловероятна. Ни в этих картах, — он ткнул в колоду Таро, — ни в моих, ни в каких-либо еще этого не найдешь. Любовные серенады, семейное гнездышко — все это не для меня.

Склонив голову, она постаралась изобразить на лице милую, слегка небрежную улыбку.

— У тебя сложилось впечатление, что я жду любовных серенад и семейного гнездышка?

— Перестань, Сибил.

— Сам перестань, козел самоуверенный. Если ты боишься, что я собираюсь заманить тебя в сети, чтобы ты пел у меня под окном и выбирал узор для свадебного сервиза, это твои проблемы. — Она ткнула в него пальцем. — Если в твоих крошечных мозгах появилась мысль, что я этого хочу, ты просто глуп.

— Хочешь меня убедить, что, когда остальные бросаются со скалы, как лемминги, ты и не подумаешь схватить меня и потащить за собой?

— Милая картина, еще одно свидетельство твоего взгляда на наши отношения.

— Довольно-таки точная, — пробормотал он. — Прибавь вибрации, о которых говорила Куин, и поймешь, что я имел в виду.

— Тогда позволь тебе кое-что объяснить. Если когда-нибудь я решу, что мне нужны долговременные отношения с мужчиной, это случится не потому, что Судьба вобьет его мне в глотку. Когда и если, — повторила она. — И вопреки тому, во что ты со своей сексистской глупостью веришь, не каждая женщина ищет постоянных отношений — я не собираюсь хватать и тащить. Я если бы и собиралась, то не выбрала бы сукиного сына. Можешь не опасаться моих капризов, самовлюбленный придурок; если это тебя не убедило, можешь поцеловать меня в задницу.

Сибил прошла в столовую и бросила на стол колоду Таро.

— Сначала мне нужно очистить разум, — заявила она, ни к кому конкретно не обращаясь, вышла на кухню, затем через черный ход во двор.

Переглянувшись с Кэлом, Куин отправилась следом.

— Злая, как черт, — сказала она поспешившей за ней Лейле.

— Вижу.

Быстрым шагом пройдясь по веранде, Сибил повернулась к ним.

— Даже в состоянии слепой ярости я не стану утверждать, что все мужчины высокомерные бесчувственные свиньи, заслуживающие лишь хорошего пинка под зад.

— Всего один конкретный мужчина, — перевела Куин.

— Один конкретный, который имел *наглость* предупредить меня о тщетности всех тайных, заветных мыслей и грез, которые я могла иметь на его счет.

— Боже. — Куин закрыла лицо руками, приглушив сорвавшийся с губ звук, нечто среднее между стоном и смехом.

— И тот факт, что вы четверо прыгаете со скалы, словно лемминги, я не должна воспринимать как мое будущее счастье с ним.

— Может, вызвать скорую помощь? Я не уверена, что его способность к регенерации превосходит гнев Сибил.

— В таком случае пусть сначала немного помучается, — заключила Лейла. — Лемминги, говоришь?

— Честно говоря, мне кажется — сама не знаю почему, — рисуя эту картину, он скорее волновался за себя, чем осуждал вас.

— Могу кинуть еще один камень, — Куин смущенно покашляла. — Вполне возможно, он свалял дурака потому, что предвидит кое-какие проблемы из-за сложных чувств, которые он к тебе испытывает.

— Это будут его проблемы, — пожала плечами Сибил.

— Кто бы спорил. Но на твоем месте я была бы довольна. Возможностью, что он беспокоится, что не ты в него влюбишься, а он в тебя.

Теперь уже Сибил поджала губы. Гнев постепенно уступал место рассудительности.

— Ага. Я слишком разозлилась, чтобы посмотреть на все под этим углом. Мне нравится. Он заслужил Наказание.

— Боже милосердный, Сибил, — изобразив ужас, Куин схватила подругу за руку. — Только не это.

— Что такое Наказание? — спросила Лейла. — Это больно?

— Наказание, которое придумано и применяется Сибил Кински, имеет множество уровней и граней. — Ни один мужчина не способен перед ним устоять.

— Это некие действия, — Сибил рассеянно провела рукой по волосам, — направленные на конкретную жертву. Можно добавить совращение и секс, если считаешь это приемлемым, но суть заключается в том, чтобы заманить его туда, куда нужно тебе. Взгляды, язык тела, темы для разговоров, одежда — все нацелено на конкретного мужчину.

Она вздохнула.

— Но теперь не время для подобных вещей. Даже если он заслужил. Но когда все закончится...

— Мне нужно знать, как ты приспособишь Наказание к Гейджу, — потребовала Лейла.

— Тут все просто. Гейдж предпочитает утонченных женщин, с чувством стиля. Сам он, вероятно, думает, что его привлекают сильные женщины, поскольку он уважает силу. Женщина не должна быть скромницей, но о доступной он потом и не вспомнит. Ему нравятся мозги, приправленные юмором.

— Я, конечно, рискую, — сказала Лейла, — но мне кажется, ты описываешь себя.

Сибил замерла на мгновение, потом продолжила:

— В отличие, скажем, от Фокса, он не склонен проявлять заботу. В отличие от Кэла, не привязан к дому и не собирается пускать корни. Гейдж игрок, и женщина, знающая толк в азартных играх, привлечет его внимание. Умеющая выигрывать и проигрывать. Он способен испытывать физическое влечение — как и любой мужчина, но до определенной границы. В большинстве случаев он прекрасно владеет собой, и именно самообладание может стать ключом к нему.

— Перед тем как приняться за дело, она все записывает. — Куин смотрела на Сибил с гордой материнской улыбкой. — Потом разрабатывает подробный план.

— Конечно, но поскольку это все гипотетически... — Сибил повела плечами. — Ему необходим вызов, и поэтому нужно удержаться на тонкой грани между интересом и безразличием, сбивая его с толку. Не резкие переходы — странно, что некоторые мужчины не в силах им сопротивляться, — а оптимальная температура, которая меняется в зависимости от обстоятельств, чтобы всегда держать его в напряжении. И...

Умолкнув, она покачала головой.

— Неважно. Все равно я ничего не собираюсь предпринимать. Для такой игры ставки слишком велики.

— Когда мы учились в колледже, она применила этот метод к парню, который меня обманул, а потом предложила заняться девушкой, с которой он меня обманул. Ха. — Она обняла подругу за плечи. — Сиб завела этого придурка, словно будильник, а когда он уже был готов зазвенеть, просто смахнула со стола. Это было восхитительно. Хотя, следует признать, теперь не та ситуация.

— Ладно. — Сибил снова пожала плечами и откинула волосы за спину. — Приятно было пофантазировать. Успокаивает. Пора возвращаться и приступать к делу.

Когда Сибил вошла в дом, Лейла придержала Куин.

— Я одна заметила, что, рассказывая о женщине, в которую влюбится Гейдж, она описывала себя?

— Нет. Но самое интересное, что Сибил сама этого не сознает. — Куин обняла Лейлу. — В любом случае она права. Именно такая женщина ему нужна. Любопытно будет понаблюдать, правда?

— Это судьба или свободный выбор? Для всех нас?

— Мне больше нравится выбор. Хотя знаешь что? — Она похлопала Лейлу по плечу. — Какая разница, если мы будем счастливы?

Именно так, подумала Лейла, увидев Фокса на кухне. Открывая очередную банку колы, он смеялся над какой-то шуткой Кэла. Взгляд его светло-карих глаз согревал, словно лучи солнца.

— Готова узнать свою судьбу? — Он протянул ей руку.

— Сначала хочу тебя кое о чем спросить. — Лейла поняла, что важно спросить именно теперь, до того, как открылись карты.

— Конечно. О чем?

— Скажи, ты на мне женишься?

Все смолкли. На несколько долгих секунд в кухне повисла тишина. Фокс пристально смотрел на Лейлу.

— Ладно. Прямо сейчас?

— Фокс.

— Потому что я думал о феврале. Знаешь, какой поганый месяц февраль? Было бы здорово, чтобы в таком погаnom месяце произошло что-то замечательное. — Он сделал глоток колы, поставил банку на стол. — Кроме того, мы познакомились в феврале. Только не на День святого Валентина, это слишком банально и традиционно.

— Ты думал?

— Да, потому что по уши в тебя влюблен. Как бы то ни было, я рад, что ты спросила первой. Прямо гора с плеч. — Засмеявшись, он обнял ее, приподнял. — Февраль тебя устраивает?

— Замечательно. — Лейла обхватила ладонями его щеки, поцеловала. Потом вскинула голову и широко улыбнулась. — В феврале мы с Фоксом собираемся пожениться.

Среди поздравлений и объятий Сибил поймала настороженный взгляд Гейджа.

— Не волнуйся. Я не предложу.

Она поставила чайник на огонь — чай поможет ей успокоиться и сосредоточиться, когда они приступят к делу.

8

Гейдж плохо спал, но бессонница не имела никакого отношения к снам или видениям. Он не привык совершать серьезные ошибки или — что еще унизительнее — неловкие промахи. Особенно с женщинами. Он зарабатывал на жизнь не только умением играть в карты и просчитывать шансы, но и умением разбираться в людях, понимать, что прячется за их взглядами, словами, жестами.

Неприятно сознавать — в три часа утра, — что он неправильно понял Сибил. Она была не меньше его заинтригована и заинтересована и, возможно, точно так же остерегалась этих пресловутых сексуальных вибраций.

Нет, он не ошибался насчет взаимного влечения.

Главной ошибкой стало то, что он показал свою растерянность, свое смятение. Вторая ошибка — перестраховка. Он очень хотел, чтобы Сибил согласилась с ним, сказала, что беспокоиться не о чем. Ей не больше, чем ему, хотелось слепо подчиняться судьбе.

Тогда бы они работали вместе, спали вместе, сражались вместе и, возможно, даже умерли вместе — и никаких проблем.

Но рассуждения об эмоциях и эмоциональной связи подлили масла в огонь, уже разгоревшийся у него в душе. Разве он не видел, как влюблялись его лучшие друзья, его братья? Разве они оба уже не шли к алтарю? Человек в здравом уме просто обязан внимательно изучить карты, которые ему сданы, прежде чем делать ход.

Оглядываясь назад, пришлось признать, что ему следовало держать свои мысли и суждения при себе. А вместо этого он все выложил, поставив себя в невыгодное положение. И обвинил Сибил в том, что она загоняет его в ловушку. И вполне заслуженно получил отпор. Без вопросов. Вопрос в том, как вновь выйти на твердую почву, не увязнув в болоте извинений. Можно прибегнуть к хитрости, но вряд ли поможет.

В конечном итоге Гейдж решил действовать по обстоятельствам. Когда он вошел в городской дом, Куин спускалась по лестнице. Увидев его, она остановилось, но после секундного колебания продолжила путь.

— Ты пришел работать, да?

— Вообще-то...

Она ошеломила его напором энергии и слов.

— Потому что у нас не хватает рук. Фокс и Кэл на работе, а у отца Фокса выдалась пара свободных часов, так что они с Лейлой в бутике, составляют план ремонта. Остались мы с Сиб, но мне нужно ненадолго отлучиться. Кое за чем сбегать. Я спустилась за кофе для Сибил — на кухне есть свежий. Принесешь, ладно? Вернусь через двадцать минут.

Не дав ему возразить, она прошмыгнула к двери. По крайней мере половина из сказанного ею было полной чушью, придуманной только что. Разумеется, Гейдж сразу все понял. Но это его устраивало, и он прошел на кухню, налил две чашки кофе и понес наверх.

Масса вьющихся волос выбивалась из-под заколок, которыми Сибил прихватила волосы на затылке. Новый — во всяком случае, для него — облик, подумал Гейдж. И чертовски сексуальный. Она стояла спиной к нему у большой доски. Еще одна таблица, заметил он, и прочел названия карт, которые они открывали вчера вечером. А музыка, наверное, доносилась из одного из ноутбуков, расставленных по комнате. Мелисса Этеридж[1].

— А на компьютере не быстрее?

Гейдж заметил, как она вздрогнула. Потом быстро взяла себя в руки и повернулась. Ее взгляд он оценил как спокойный. Абсолютно безразличный.

— В компьютере все есть, но так нагляднее и вдобавок видно всем. Одна чашка моя, или ты собираешься выпить обе?

Гейдж шагнул к ней, протянул кофе.

— Куин сказала, ей нужно куда-то отлучиться. Вернется через двадцать минут.

На лице Сибил мелькнула тень раздражения, и она снова отвернулась.

— В таком случае тебе лучше спуститься вниз или выйти из дома, пока не появится дуэнья, которая защитит тебя от моих уловок.

— Сам справлюсь.

Она оглянулась. Взгляд уже не безразличный, отметил Гейдж. В нем проступила ярость.

— Другие тоже так думали. И ошиблись.

---

[1] Американская рок-певица.

Будь что будет, решил он, наблюдая, как она выписывает аккуратные буквы. Проиграв, мужчина обязан признать поражение.

— Я был не прав.

— Мы это уже выяснили.

— Значит, никаких проблем.

— Я не представляла, что они у тебя бывают.

Гейдж отхлебнул кофе. Пытался понять, почему холодное безразличие Сибил так его разозлило. Гейдж поставил чашку и взял Сибил за руку, пытаясь привлечь внимание.

— Послушай...

— Осторожнее. — Предупреждение было произнесено сладким, как патока, голосом. — В последний раз ты наговорил с три короба глупостей. Думаю, повторять эту ошибку тебе было бы так же скучно, как мне.

— Я же признал, что ошибся.

Ответом на его слова стало молчание и долгий презрительный взгляд. Гейдж заключил, что в покере она была бы просто великолепна.

— Ладно. Хорошо. Вчера был не самый лучший день. А поскольку я не считаю тебя приставалой, совершенно очевидно, что рано или поздно мы окажемся в одной постели.

Смешок, сорвавшийся с ее губ, напоминал скорее оскорбление.

— Я бы не стала биться об заклад.

— Люблю рисковать. Но, как мне кажется, дело в том, что мы оба хотим сначала установить правила. Та часть, что была нарушением договора, свидетельствует, что ты хочешь чего-то большего.

— Это было нарушение договора?

— Тут ты можешь поверить мне на слово, Сибил.

— На самом деле уже поверила. — Вспомнив о Наказании, она улыбнулась. — Просто ты об этом не знаешь. Ответь мне на один вопрос. Неужели ты считаешь себя таким неотразимым и привлекательным, что я обязательно в тебя влюблюсь и начну мечтать о белом загоне, в который тебя нужно поставить?

— Нет. Это тоже нарушение договора. Хочешь откровенно?

— Да, конечно.

— Все эти отношения, связи, пары, как ты их называешь, — сказал он, указывая на доску, — начинают меня раздражать. Кроме того, чем глубже мы погружаемся во все это, тем сильнее меня к тебе тянет — и я прекрасно знаю, что влечение взаимно, — и я слишком остро на все реагирую.

А вот это, подумала Сибил, очень похоже на извинение. Большего от него не дождешься, разве что с помощью палки. В конце концов, не так уж плохо.

— Ладно, — сказала она, подражая его интонации. — Хорошо. Я поверю тебе еще больше. И также учту факт, что мы с тобой достаточно взрослые и разумные люди, чтобы сопротивляться своим желаниям, если есть опасность, что их удовлетворение ввергнет другую сторону в пучину безумной и безнадежной любви. Это тебя устраивает?

— Да, устраивает.

— В таком случае можешь идти и заняться своими делами или остаться и включиться в работу.

— Что значит «включиться в работу»?

— Взглянуть свежим взглядом на таблицы, графики и карты. Может, увидишь то, что мы пропустили, или хотя бы намек. Мне нужно закончить вот это, затем проанализировать. — Она снова принялась писать на доске. — А потом, если хочешь, было бы неплохо еще раз попробовать установить связь — на уровне психики и только в чьем-нибудь присутствии. Я тут подумала: если бы вчерашние события чуть сдвинулись во времени и собака пришла раньше...

— Да, мне тоже это пришло в голову.

— Так что, пока мы не научимся управлять собой, пожалуй, не стоит заниматься такими вещами в одиночестве или на улице.

Возразить ему было нечего.

— Расскажи мне сначала о картах.

— Хорошо. Давай вместе. Я расположила карты в той последовательности, как они открывались, по парам. Наши с тобой здесь, потом с Куин и Лейлой, потом вся группа. В колоде Таро всего двадцать две карты Старших Арканов. Мы с тобой открыли по пять карт, и все они оказались Старшими Арканами.

Гейдж окинул взглядом доску, кивнул.

— Понятно.

— Теперь только женщины. Пять карт у каждой, всего пятнадцать, все Старшие Арканы. Когда карты открывали все шестеро, первые три у меня тоже Старшие Арканы, а три последние — поскольку я решила открывать карты последней, когда всех Старших Арканов уже вытащили, — были королева мечей, десятка жезлов и четверка кубков. Если ты посмотришь на все три моих раунда, то увидишь, что и в первом, и в последнем я вытащила «Смерть» и «Дьявола». Из повторений в первом и втором раунде также встречается «Повешенный», во всех трех раундах «Колесо Фортуны», а во втором и третьем «Сила».

— У всех карты повторялись.

— Совершенно верно, и эти повторения говорят о значении индивидуальных столбцов. Примечательно, что все женщины открыли королеву, а все мужчины короля. Моя королева мечей символизирует того, кто всегда начеку. Умная женщина, использующая интеллект для достижения цели. Именно так я и склонна поступать. Обычно эту королеву представляют в виде темноволосой темноглазой женщины. Десятка жезлов указывает на бремя, на решимость добиться успеха. Четверка кубков — это помощь из позитивного источника, новые возможности и/или взаимоотношения.

Отступив на шаг, Сибил задумчиво посмотрела на доску.

— Мне кажется, карты из Младших Арканов указывают не только на то, кто мы есть, но и на то, что каждый из нас должен делать, чтобы внести вклад в общую копилку. Повторяющиеся карты символизируют то, что случилось до нас — опять-таки индивидуально, — что должно произойти или происходит, а также чем все закончится.

— А мой король?

— Король мечей. Человек действия, с аналитическим умом. Скорее больше похож на Фокса, и если речь идет о юристе, то указывает на справедливого, рассудительного человека, которого нелегко провести. Затем ты открыл шестерку жезлов, означающую триумф после битвы. И наконец, девятка кубков. Указывает на того, кто наслаждается жизнью и достиг материального успеха.

— Итак... — Она вздохнула. — Поскольку мы с Куин лучше других разбираемся в Таро и в значениях карт, мы этим и займемся. Распределим, проанализируем, уточним смысл карт каждой пары, а также порядка следования для каждого индивидуально, повторений и так далее.

— И это покажет нам...

— Сильные и слабые стороны. Именно в этом смысл, правда? Для каждого в отдельности, для пар, для всех вместе. Кстати, о Куин, — продолжила Сибил, увидев появившуюся на пороге подругу. — Принесла то, за чем ходила? — ласково спросила она.

— Что? А, это. Нет, там было закрыто. Чем займемся?

— Мы с тобой примемся за Таро. А Гейдж использует свой аналитический ум для анализа таблиц, карт и графиков.

— Отлично. Правда, мило, что мы с Кэлом вытащили королеву и короля жезлов? — Она улыбнулась Гейджу. — Оба любят сельскую жизнь, отличаются преданностью и крепкими семейными ценностями.

— Приятное совпадение. — Гейдж решил, что займется картами.

Интересно, подумал он, сколько часов потребовалось на все это — компьютерные распечатки, цветные булавки. Гейдж понимал и ценил необходимость исследований и подготовительной работы, но не мог взять в толк, как раскрашенные карты помогут бороться с силами зла.

Он рассматривал карту Холлоу, которая словно оживала под его взором. Сколько раз он проезжал по этим улицам, сначала на велосипеде, потом на машине? Вот место, где в начале второй Седмицы утонула собака. Но за год до этого они с Фоксом и Кэлом жаркой летней ночью купались голышом в этом бассейне.

А вот здесь банк, на углу Мейн и Антиетам. Он открыл счет в банке в тринадцать лет, чтобы спрятать деньги там, где их не найдет старик. На этом месте придурок Деррик Нэппер однажды напал на Фокса — ни с того ни с сего, — когда тот шел с тренировки в боулинг-клуб. На Парксайд по-прежнему стоит дом Фостеров, в гостиной на первом этаже которого он лишился невинности — вместе с хорошенькой Дженни Фостер, когда ее родители ушли в ресторан отмечать годовщину свадьбы.

Восемнадцать месяцев спустя, когда они с Дженни уже давно расстались, ее мать подожгла кровать, на которой спал отец. В ту Седмицу было много пожаров, и мистеру Фостеру повезло. Он проснулся и сумел утихомирить жену, прежде чем она подожгла детей.

А вот бар, где они с Кэлом и Фоксом напились в дым, когда он вернулся, чтобы отпраздновать их двадцать первый день рождения. А несколькими годами раньше, вспоминал Гейдж, именно из этого бара вышла Лайза Ходжес и принялась стрелять во все, что движется — и не движется тоже. В ту Седмицу она всадила ему пулю в руку, а потом предложила сделать минет.

Странное время.

Он скользнул взглядом по графикам, но, кажется, эпизоды насилия или паранормальной активности распределялись по городу довольно равномерно. Хотя, похоже, лидировала Мейн-стрит, но следует принять во внимание, что здесь гораздо больше людей и транспорта, чем на любой другой улице или дороге в окрестностях Холлоу. Главная улица, ведущая на площадь.

Гейдж представил город в виде колеса или сети с центром на площади. Никакой закономерности не обнаружилось. Пустая трата времени, подумал он. Можно забавляться с этим не одну неделю, и все без толку. Ясно одно: так или иначе пострадал практически весь город.

Парк, футбольное поле, школа, старая библиотека, боулинг-клуб, бары, магазины, частные дома. Зафиксировав все на бумаге, невозможно защитить их, когда снова...

Гейдж отступил на шаг и попытался совместить карту с образом Хоукинс Холлоу, отпечатавшимся у него в мозгу. Может, это ничего не значит, но проклятые булавки торчали именно там. Взяв со стола коробочку, он принялся втыкать в карту синие булавки.

— Что ты делаешь? — спросила Куин. — Почему...

Остановив ее взмахом руки, он продолжал рыться в своей памяти, добавляя новые места. Должны быть еще, подумал он. Как, черт возьми, вспомнить каждый инцидент, согласующийся с его безумной теорией? Причем в некоторых он не участвовал.

Они с Кэлом и Фоксом близкие друзья, но все же не сиамские близнецы.

— Эти места уже отмечены, — заметила Сибил, когда Гейдж остановился.

— В том-то все и дело. А вот эти места пострадали несколько раз, причем некоторые в каждую Седмицу. Кое-где инциденты были уже в этом году.

— Повторение — это логично. — Куин подошла к карте. — Хоукинс Холлоу маленький город. За пределами Мейн-стрит почти ничего нет, и вполне логично, что там более оживленно, больше людей.

— Да, да. Интересно, правда?

— Было бы, знай мы, что означают синие булавки.

— Места, воспоминания, успехи и неудачи. Боулинг-центр. В детстве мы трое проводили там кучу времени. Я жил на третьем этаже, тут же подрабатывал — Кэл и Фокс тоже — на карманные расходы. Первый случай насилия, по крайней мере о котором мы знаем, произошел в боулинг-центре в вечер нашего десятого дня рождения. И каждую Седмицу там что-то происходило. Даже теперь, на День святого Валентина. Кроме того, Твисс вернул меня в ту квартиру — иллюзия, но выглядело очень достоверно. Сколько раз меня там пороли ремнем.

— Насилие притягивает насилие, — пробормотала Сибил. — Твисс возвращается в места, где ты или один из вас сталкивался с насилием.

— Не только. Смотрите сюда. Вот в этом доме я впервые в жизни занимался сексом. В пятнадцать лет.

— Рановато, — заметила Сибил.

— Так получилось. В следующую Седмицу хозяйка дома попыталась сжечь его вместе со всеми обитателями. К следующей Седмице моя первая возлюбленная вышла замуж за парня, с которым познакомилась в колледже, и уехала, а остальные переселились в дом побольше за пределами города. Но парень, купивший дом, разбил в нем все зеркала — это случилось в июле 2001 года, и, судя по рассказам жены, он кричал, что из каждого зеркала на него смотрит дьявол. Школа — слава богу, мы все три раза успевали вовремя — была свидетелем наших драк, переживаний, а в старших классах и долгих, страстных поцелуев.

— Насилие или сексуальная энергия. Твоя, — прибавила Сибил. — Твоя, Кэла и Фокса. Да, интересно.

— Похоже, это еще не все. Обратите внимание, что до прошлого месяца на ферме Фокса не было ни одного инцидента. Это была иллюзия, но все же. Дом родителей Кэла тоже оставался безопасным. Нужно искать что-то еще.

— Я ему сейчас позвоню. — Куин выскочила из комнаты.

— Ну, король мечей, твой пытливый аналитический ум, кажется, на что-то наткнулся. — Сибил постучала пальцем по карте. — Вот наш дом. Никаких инцидентов, пока мы сюда не въехали.

— Возможно, нам не все известно.

— Во всяком случае, серьезных случаев не было, иначе вы бы знали. Все началось, как только мы тут поселились. Направлено на нас и использует в том числе нашу энергию. Ты говоришь, что первый инцидент произошел в боулинг-центре, в присутствии всех троих. В этом году первый серьезный инцидент происходит там же, в присутствии четверых из нашей команды. Куин видела демона, когда ехала на первую встречу с Кэлом к нему домой. То есть четверо из шестерых оказались в одном месте впервые.

— Что ты пытаешься найти?

— Закономерность. Во время второй Седмицы все началось с женщины, которая выскочила из бара и начала стрелять, попала в тебя.

— Точно, а потом чуть не изнасиловала.

— И снова вы были втроем; естественно, алкоголь сделал женщину более восприимчивой. Но вам было семнадцать, и вы вряд ли провели в баре так уж много времени или...

— Старик там часто бывал. — Уловив, куда она клонит, Гейдж подавил желание обойти эту тему. — Вышвырнул меня оттуда в буквальном смысле, когда я пришел его искать. Мне было около семи. Первый случай, когда он здорово меня поколотил. Ты это искала?

— Да.

Ни сочувствия, ни попытки пожалеть. Гейдж вновь расслабился.

— В последнюю Седмицу мы попытались повторить ритуал и в полночь пришли к Языческому камню. Я не знаю, как все началось, но тот год был самым ужасным.

— Ладно, попробуем вспомнить. Ты знал, что Седмица приближается, и приготовился. Картина примерно такая же, как теперь, до полночи седьмого июля. Ты помнишь, с чего все началось?

— Первыми всегда появляются сны. В тот год я вернулся в начале весны. Мы жили в квартире, которую тогда занимал Кэл. Я увидел маленького ублюдка прямо на дорожном знаке, когда въезжал в Холлоу. И в первую же ночь или рано утром, когда мы втроем ночевали у Кэла, случилось нападение ворон.

— Где?

— На Мейн-стрит, это их излюбленное место. Больше всего досталось дому, где были мы. Да, на него пришелся основной удар. И еще много драк среди старшеклассников. Это приписывали усталости и стрессу в конце учебного года, но дрались слишком много.

— С этим можно поработать. — Сибил повернулась к компьютеру и принялась что-то набирать на клавиатуре. — Много вводных данных, перекрестных ссылок, но заняться можно. — Она бросила взгляд на вернувшуюся Куин. — Едет?

— Как только повидает родителей.

— Позови Фокса с Лейлой.

— Она что-то нашла? — спросила Куин Гейджа.

— Возможно.

— Прочная оборона — необходимое условие успешной атаки.

— Точно, — согласился Гейдж.

— Мы выявим места наибольшего риска и примем необходимые меры защиты.

— Какие именно?

— Эвакуация, фортификация. — Она отмахнулась от него как от мухи. — Там видно будет.

Гейдж не очень надеялся на эвакуацию и фортификацию, но понимал, что имеет в виду Сибил. Видел закономерность. Прибыли остальные, и в маленьком кабинете стало тесно.

— Мы уже выяснили, что сами служим катализатором, — начала Сибил. — Нам известно, что трое мужчин, совершив кровавый ритуал, выпустили существо, которое мы называем Твиссом — именно так его звали в последнем воплощении. Известно также, что первый знак был у Куин в феврале, когда она только что приехала сюда. Куин и Лейла остановились в одной гостинице, и там у них было общее видение. Затем события ускорились. Следующим стало происшествие в боулинг-центре на День святого Валентина, в присутствии четырех из нашей шестерки. На Лэмпа напали в доме Кэла, где в тот момент были все мы. Нас посещали видения — всех вместе и каждого по отдельности. И снова боулинг-центр, площадь, контора и квартира Фокса, этот дом. Если вернуться к предыдущим Седмицам, вырисовывается закономерность.

— Главное место действия — боулинг-центр. — Куин разглядывала обновленную карту. — Школа, бар, бывший дом Фостеров, район площади. Абсолютно логично. Но интересно, что до этого года ни у Фокса, ни в этом доме не было никаких инцидентов. Похоже, тут что-то просматривается.

— Почему мы не видели этого раньше? — удивился Кэл. — Почему, черт возьми, пропустили?

— Мы не рисовали таблицы и графики, — заметил Фокс. — Конечно, записывали, но не представляли в такой форме. Логичной и наглядной.

— А еще привычка, — подхватила Сибил. — Вы с Кэлом жили тут. Каждый день видели город — дома, улицы. В отличие от Гейджа. Поэтому когда он смотрит на карту, то видит ее иначе. А с учетом того, чем зарабатывает на жизнь, автоматически начинает искать закономерности.

— И что нам с этим делать? — спросила Лейла.

— Добавим как можно больше информации из их воспоминаний, — объяснила Сибил. — Введем данные, проанализируем связи и...

— Вычислим наиболее вероятное место первого удара, — закончил Гейдж, когда Сибил перевела на него взгляд. — Первый раз это был боулинг-центр, второй раз бар. Куда пришелся первый удар в предыдущую Седмицу, мы не знаем, потому что были у Языческого камня.

— А может, и знаем. — Нахмурившись, Кэл ткнул пальцем в место на карте. — Мой отец остался в городе. Он знал, что мы пойдем на поляну, попытаемся остановить безумие, и поэтому остался на случай... не знаю. Отец ничего не говорил мне, пока все не закончилось. Он был в полицейском участке. Двое парней на стоянке у банка монтировками покалечили друг другу машины — и друг друга.

— На этом месте с кем-нибудь из вас что-то произошло?

— Да. — Фокс зацепил большие пальцы рук за передние карманы джинсов. — Однажды там на меня внезапно напал Нэппер и едва не прикончил, пока у меня не открылось второе дыхание и я не всыпал ему как следует.

— Именно это мне и нужно, — сказала Сибил. — Где ты лишился девственности, Кэл?

— Боже милосердный.

— Не стесняйся. — Подавив смешок, Куин хлопнула его по плечу.

— На заднем сиденье моей машины, как всякий уважающий себя старшеклассник.

— Он у нас поздно созрел, — заметил Фокс.

Кэл сгорбился, потом демонстративно расправил плечи.

— Но с тех пор компенсировал отставание.

— Мне рассказывали, — кивнула Сибил, и Куин снова рассмеялась. — Где стояла твоя машина?

— В конце Рок-Маунт-лейн. Тогда там почти не было домов. Тот участок только начинали застраивать, и... Склонив голову, он снова ткнул пальцем в карту. — Вот здесь. А в прошлую Седмицу два дома там сгорели дотла.

— Фокс?

— На берегу реки. Довольно далеко от города. Теперь там построили несколько домов, только они не относятся к Холлоу. Не знаю, укладывается ли это в схему.

— Все равно запишем. А теперь нам нужно, чтобы вы трое хорошенько порылись у себя в памяти, вспомнили и записали все события, которые могут оказаться важными. Случаи насилия, травмы, сексуальный опыт. Потом попробуем найти связь. У Лейлы это лучше всего получается.

— Хорошо. Мой магазин, вернее, мой будущий магазин, — поправила себя Лейла. — Его громят каждую Седмицу. И теперь он уже пострадал. Там что-то происходило?

— Это была лавка старьевщика.

Изменившийся голос Гейджа, а также молчание Кэла и Фокса подсказали Сибил, что речь идет не просто о важном событии. О чрезвычайно важном.

— Что-то вроде дешевого антикварного магазина. Моя мать время от времени работала там на полставки. Мы все были там — наверное, наши матери собрались пообедать в городе, пройтись по магазинам. Я не помню. Но мы все были там, когда... Ей стало плохо, началось кровотечение. Она была беременна, не помню, на каком месяце. Но мы все были там, когда это случилось.

— Они вызвали «Скорую», — закончил Кэл, щадя Гейджа. — Мать Фокса поехала с ней, а моя отвезла всех троих детей к нам домой. Врачи не смогли спасти ни ее, ни ребенка.

— Последний раз, когда я ее видел, она лежала на полу лавки старьевщика и истекала кровью. Конечно, это очень важно, черт возьми. Мне нужно еще кофе.

Спустившись на кухню, он проскочил мимо кофеварки и вышел на крыльцо. Через несколько секунд к нему присоединилась Сибил.

— Прости, что заставила тебя страдать. Мне очень жаль.

— Я ничего не мог сделать тогда, ничего не могу теперь.

Она придвинулась к нему, положила руку на плечо.

— Все равно я не хотела причинить тебе боль. Я знаю, что такое терять родителя, любимого и любящего. Как эта потеря делит твою жизнь на «до» и «после». Ни минувшее время, ни обстоятельства не имеют значения — ребенок все равно страдает.

— Она сказала, что все будет хорошо. Ее последние слова: «Не волнуйся, малыш, и не бойся. Все будет хорошо». Вышло иначе, но я надеюсь, она в это верила.

Немного успокоившись, он повернулся к Сибил.

— Если ты права — а я думаю, что права, — я найду способ прикончить ублюдка. За то, что питался кровью моей матери, ее болью, ее страхом. Клянусь — здесь и сейчас.

— Хорошо. — Глядя ему прямо в глаза, Сибил протянула руку. — Я тоже клянусь.

— Ты ее даже не знала. Я сам с трудом...

Она не дала ему договорить, обхватив его лицо ладонями и закрыв рот быстрым, страстным поцелуем, успокаивающим лучше дюжины слов.

— Клянусь.

Отстранившись, Сибил не отняла рук от его лица. По ее щеке катилась слеза. Растерянный, Гейдж прижался лбом к ее лбу.

Он испытывал благодарность и находил утешение в ее слезах.

9

Сибил разглядывала яркие пятна краски на разных стенах будущего магазина «У сестер». Свежая краска, подумала она, чтобы скрыть старые раны и шрамы. Верная себе Лейла прикрепила к стене большую схему — в масштабе — помещения с планируемыми изменениями и дополнениями. Не составляло труда представить, как все будет.

А Сибил без труда представила, как все было. Маленький мальчик, испуганный и растерянный, и его мать, истекающая кровью на полу магазина. После этого жизнь Гейджа распалась на части. Ему удалось склеить кусочки, но после тех ужасных минут, после перенесенной утраты линия его жизни совершила крутой поворот.

Точно так же, как изменилась ее жизнь в момент самоубийства отца.

Еще один переломный момент — это когда отец Гейджа впервые поднял на него руку. Еще одна заплатка, еще один поворот. Следующий удар пришелся на десятый день рождения.

Слишком много разрушений и потерь для маленького мальчика. Нужно быть очень сильным и упорным, чтобы не только примириться с этими разрушениями, но и построить на развалинах новую жизнь.

Голоса за спиной смолкли. Повернувшись, Сибил увидела, что Лейла и Куин смотрят на нее.

— Отлично, Лейла.

— Ты думаешь о том, что здесь случилось, о матери Гейджа. Я тоже. — Лейла обвела затуманившимся взглядом комнату. — Я много размышляла об этом ночью. В двух кварталах отсюда есть другое помещение. Может, нужно арендовать его, а не...

— Нет, нет. Даже не думай. — Сибил коснулась рукой схемы.

— Он молчал. Гейдж не сказал ни слова, а я все время болтала о своих планах. И Фокс ни разу... И Кэл. А когда я спросила об этом, Фокс ответил: делай что должно, и будь что будет. Ты знаешь, он умеет формулировать.

— Фокс прав. — Свежая краска, вновь подумала Сибил. Цвет и свет. — Если мы не способны сохранить или вернуть то, что нам принадлежит, мы уже проиграли. Никто из нас не может отменить то, что случилось с матерью Гейджа, или другие несчастья, которые произошли потом. Но ты снова можешь вдохнуть жизнь в этот дом, и я думаю, это будет хороший пинок Твиссу под зад. А что касается Гейджа, он говорил, что мать любила сюда приходить. Ему будет приятно видеть, что ты превратила это место в нечто, что понравилось бы его матери.

— Согласна, и не только потому, что тут будет классно, — прибавила Куин. — Ты вложила сюда много позитивной энергии, которая вытесняет негативную. Это важный символ. Более того, отличное лекарство. Мы лечим раны — на всех уровнях.

— Природа не терпит пустоты, — заключила Сибил, кивая. — Не сдавайся, Лейла. Заполни ее.

Лейла вздохнула.

— Скоро я официально стану безработной и у меня появится много времени. А теперь мне пора в контору. Сегодня первый полный день обучения моей преемницы.

— И как она? — спросила Куин.

— Думаю, отлично справится. Умная, квалифицированная, организованная, привлекательная. Счастливый брак и двое детей-подростков. Мне она по душе, а Фокс ее немного побаивается. Все отлично. — Выходя, Лейла оглянулась на Сибил. — Может, спросишь Гейджа, если увидишь его сегодня? Лекарство, пинок и все такое. Или Гейджу будет тяжело приходить сюда, и Фоксу... то есть мне, стоит присмотреться к другому помещению?

— Спрошу, если увижу.

Когда Лейла заперла дверь и повернула к конторе, Куин взяла Сибил под руку.

— Почему бы тебе этого не сделать?

— Что?

— Поговорить с Гейджем. Ты лучше соображаешь, когда не волнуешься за него.

— Он большой мальчик и сам в состоянии...

— Сибил. Мы это уже проходили. Во-первых, ты связана с ним. Даже если считаешь его лишь членом команды, все равно связана. Но тут нечто большее. Только между нами, — прибавила она в ответ на молчание Сибил.

— Ладно, ты права. Кое-что еще. Не знаю, как это определить, но оно есть.

— Хорошо, пусть остается безымянным. И ты думаешь о маленьком мальчике, лишившемся матери, о мальчике, отец которого повернулся не к сыну, а к бутылке. О мальчике, которому досталось слишком много ударов, и о мужчине, который не сбежал, хотя мог бы. Значит, в твоем неопределенном чувстве присутствуют симпатия и уважение.

— Верно.

— Он умен, способен хранить верность, довольно крут и достаточно непредсказуем, чтобы вызывать интерес. И, разумеется, чертовски сексуален.

— Мы это уже проходили, — согласилась Сибил.

— Значит, иди и поговори с ним. Снимешь груз с души Лейлы, возможно, немного разберешься в своем безымянном чувстве, а потом сосредоточишься на работе. Ее у нас достаточно.

— Вот почему я могу и должна отложить этот разговор. Мы сделали только первый шаг в выявлении «горячих точек». Мне нужно еще раз взглянуть на карты, которые мы вытащили из колоды Таро. А главное, я не оставлю тебя в доме одну. Ни за что.

— Именно для этого изобрели ноутбуки. Я возьму свой в боулинг-центр. — Куин махнула рукой в сторону площади. — Еще одно подтверждение, что я не ошиблась в выборе мужчины и «основной базы». Устроюсь в кабинете Кэла или где-то поблизости, а ты присоединишься ко мне, когда поговоришь с Гейджем.

— Возможно, не такая уж плохая идея.

— Милая, — сказала Куин, входя в дом, — не такие уж плохие идеи — моя профессия.

Гейдж сидел на кухне в доме Кэла; рядом стояла чашка кофе. Он погрузился в воспоминания, записывая самое существенное в ноутбук. Всякое бывает, размышлял он, но чтобы столько сразу... Записывая, отмечал места, где инциденты повторялись.

Но смысла уловить не мог. Худшие минуты в жизни — боль, страх, горе, ярость — он пережил в той проклятой квартире над боулинг-центром. Каждую Седмицу в центре что-нибудь случалось, но всякий раз что-то не очень серьезное. Ни смертей, ни пожаров, ни ограблений.

И это само по себе странно, правда? Одно из самых известных мест города, дом, где прошло его детство, собственность семьи Кэла, любимое место отдыха Фокса. А когда город охватывало безумие и люди поджигали и крушили дома, избивали друг друга, старая «Боул-а-Рама» оставалась целой и невредимой.

Здесь следует поставить большой вопрос — и примечание: как можно это использовать.

И еще старая библиотека, в которой они проводили много времени и которой заведовала прабабка Кэла. Там жила и там умерла Энн Хоукинс в первые годы существования Хоукинс Холлоу. Именно там во время предыдущей Седмицы Фокс пережил ужасную трагедию, когда его невеста прыгнула с крыши.

Но, размышлял Гейдж, прихлебывая кофе, это единственная трагедия, которую он помнит. Ни пожара, ни грабежа. А ведь книги так хорошо горят.

Школа для средних и старших классов каждый раз оказывалась в гуще событий, а начальная школа практически не пострадала. Интересно.

Он принялся изучать карту города, задумавшись не только о «горячих», но и о «холодных» точках.

Стук в дверь вызвал легкое раздражение, но при виде Сибил мысли потекли в другом направлении.

— Почему ты просто не вошла? — спросил он. — Тут никто не стучит.

— Хорошее воспитание. — Она закрыла за собой дверь и, склонив голову, окинула Гейджа внимательным взглядом. — Не выспался?

— Я бы надел костюм с галстуком, если бы ждал хорошо воспитанную персону.

— И побриться не мешало бы. Я пришла, чтобы обсудить одну проблему. Будем говорить прямо здесь?

— Это надолго?

Удивление в ее глазах заставило Гейджа улыбнуться.

— На редкость гостеприимный хозяин.

— Это не мой дом, — заметил он. — Я работаю на кухне. Можешь пройти туда.

— Спасибо. Я так и сделаю. — Сибил пошла впереди, и он любовался ее царственной, плавной походкой. — Не возражаешь, если я заварю чай?

Он пожал плечами.

— Ты знаешь, где все лежит.

— Знаю, — Сибил сняла чайник с плиты, подошла к мойке.

Появление Сибил не вызвало у него особого раздражения. На самом деле, не так уж неприятно смотреть, как красивая женщина заваривает на кухне чай. И не просто красивая женщина, а Сибил, вынужден был признать он. И не просто на кухне, а на его кухне — во всяком случае, в настоящий момент.

Между ними что-то возникло вчера вечером, когда она поцеловала его, когда плакала о нем. Не сексуальное в своей основе, признал Гейдж. С сексуальным он знал, как обращаться. То, что между ними происходит, гораздо опаснее секса.

Сибил оглянулась, и Гейдж ощутил такой знакомый толчок физического влечения. И почувствовал себя увереннее.

— Над чем трудишься? — спросила она.

— Домашнее задание.

Она подошла к ноутбуку, взглянула на карту, одобрительно кивнула.

— Отличная работа.

— Ставишь пятерку?

Сибил посмотрела ему в глаза.

— Вижу, ты не в духе. Со мной тоже часто бывает. Может, пропустить чай и приступить прямо к делу? Быстрее закончим, и я не стану тебе мешать.

— Заканчивай с чаем. Меня это не волнует. Кстати, можешь налить мне еще кофе, раз ты занялась хозяйством. И что у тебя за дело?

Сибил повернулась, достала чашку с блюдцем — и проигнорировала просьбу налить кофе, отметил Гейдж. Потом облокотилась на столешницу и стала ждать, когда закипит вода.

— Лейла задумалась, не найти ли другое место для бутика.

Гейдж ждал продолжения, но так и не дождался.

— И это требуется обсудить со мной, потому...

— Она задумалась об альтернативе, потому что боится задеть твои чувства.

— У меня нет никаких чувств относительно бутиков женской одежды. С чего бы ей...

Кивнув, Сибил выключила горелку под закипевшим чайником.

— Вижу, несмотря на плохое настроение, твой мозг не утратил способности мыслить. Она беспокоится, что, открыв магазин в этом доме, причинит тебе боль. Как верно указывают карты, сильные стороны Лейлы — сострадание и сочувствие. Ты брат Фокса, в полном смысле этого слова, и она тебя любит. И изменит свои планы.

— Нет никакой необходимости. Она не обязана... Это не... — Гейдж не мог подобрать нужных слов. Просто не находил.

— Я ей передам.

— Нет, я сам с ней поговорю. — Боже милосердный. — Это всего лишь место, где случилось несчастье. Если в Холлоу огородить все места, где случилось несчастье, город престанет существовать. На город мне плевать, но в нем живут люди, на которых я плюнуть не могу.

Верность, подумала Сибил, тоже относится к его сильным сторонам.

— Лейла преобразит это место. По крайней мере, настроена. Я видела ее там. Две разные картины. Два варианта будущего. В одном дом сожжен, окна разбиты, стены почернели. Лейла стоит одна посреди этой разрухи. Сквозь разбитое окно в комнату проникает свет, и от этого почему-то еще хуже. Освещает разбившиеся надежды.

Снова отвернувшись, Сибил налила чашку чая.

— В другой картине солнечные лучи отражаются от стеклянных витрин и натертого до блеска пола. Лейла не одна. Комната полна людей, разглядывающих витрины и полки. Движение, яркие краски. Я не знаю, какое видение станет явью. Но Лейле нужно попробовать сделать так, чтобы воплотился второй вариант. Она сможет, если ты не будешь возражать.

— Отлично.

— Ну вот, миссию я выполнила и теперь могу оставить тебя в покое.

— Допей сначала чай.

Она взяла чашку, облокотилась на стол, приблизила лицо к лицу Гейджа.

— Любовь — это тяжкое бремя, да? Хватит с тебя Кэла и Фокса, Хоукинсов, Барри и О'Деллов. А теперь Лейла добавила камень в общую кучу. А еще есть Куин, и это тоже ляжет на твои плечи, потому что она из тех людей, которых нельзя просто выбросить и забыть. Неудивительно, что ты такой мрачный.

— На твой взгляд. По мне, нормальное настроение.

— В таком случае... — Сибил заглянула ему через плечо на экран компьютера. — Черт, ты действительно делаешь домашнее задание.

Она пахнет лесом, подумал Гейдж. Осенним лесом. Никакой эфемерности или полутонов, как весной. Яркий, насыщенный аромат с легким намеком на дым.

— Сколько точек, — заметила она. — Кажется, я уловила принцип, по которому они сгруппированы, но ты не хочешь объяснить...

Он действовал инстинктивно, не раздумывая. Обычно это ошибка, но не теперь. Прежде чем они оба успели понять, что происходит, губы Гейджа прижались к ее губам, пальцы вплелись в ее волосы.

Потеряв равновесие — не только в буквальном смысле, надеялся Гейдж, — она ухватилась за его плечи. Не отпрянула, не отстранилась, а приняла поцелуй. Но не капитулировала — выбрала наслаждение.

— Никакого соблазнения, — сказал он, касаясь губами ее губ. — Я не нарушил соглашения. Все честно. Можно потанцевать здесь, а можно подняться наверх.

— Ты прав. Это явно не соблазнение.

— Ты сама поставила условия, — напомнил Гейдж. — Если хочешь их изменить...

— Нет, нет. Уговор есть уговор. — Теперь уже она поцеловала его, страстно и жадно. — И хотя я люблю танцы, это... — Стук в дверь заставил ее умолкнуть. — Хочешь, я открою? Наверное, тебе нужна минута-другая, чтобы... успокоиться.

И ей тоже, подумала Сибил, выходя из кухни. Она не возражала, чтобы с головой броситься в глубокий омут. В конце концов, она хороший, опытный пловец. Но сделать пару глубоких, прочищающих мозги вдохов не помешает. А потом решить, хочет ли она бросаться именно в этот омут и именно в это время.

После первого вдоха Сибил открыла дверь. Она не сразу узнала человека, которого несколько раз видела в боулинг-центре. И вновь подумала, что Гейдж пошел в мать — между отцом и сыном не было никакого сходства.

— Мистер Тернер, меня зовут Сибил Кински. — Он выглядел смущенным и немного испуганным. Волосы у него были редкими и седыми. Ростом он был с Гейджа, только тощий. Вероятно, глубокие морщины на лице и красная сеточка лопнувших сосудов объяснялись многолетним пьянством. Голубые водянистые глаза, казалось, избегали ее взгляда.

— Простите. Я подумал, что если Гейдж здесь, то...

— Да, Гейдж дома. Входите. Он на кухне. Может, присядете, а я...

— Не стоит. — Голос Гейджа был пугающе бесстрастен. — Уходи.

— Всего минуту, пожалуйста.

— Я занят, а тебя сюда никто не звал.

— Я пригласила мистера Тернера войти. — Слова Сибил падали, словно камни в глубокий колодец молчания. — И приношу извинения вам обоим. Я вас оставлю — разбирайтесь сами. Прошу меня простить.

Она удалилась на кухню, но Гейдж даже не повернул головы.

— Уходи, — повторил он.

— Мне нужно с тобой поговорить.

— Это не моя проблема. Я не желаю слушать. Пока я тут живу, тебе тут нечего делать.

Билл стиснул зубы; на щеках выступили желваки.

— Я откладывал этот разговор с тех пор, как ты вернулся в город. Больше не могу. Пять минут, ради всего святого. Пять минут, и я больше тебя не побеспокою. Я знаю, ты приходишь в боулинг-центр, только когда меня там нет. Выслушай меня, и я буду исчезать каждый раз, когда ты захочешь увидеться с Кэлом. Не буду показываться тебе на глаза, обещаю.

— Ты всегда держал слово?

Лицо Билла вспыхнуло, потом снова стало бледным.

— Больше у меня ничего нет. Пять минут, и ты избавишься от меня.

— Я уже от тебя избавился. — Гейдж пожал плечами. — Ладно, пять минут у тебя есть.

— Хорошо. — Билл откашлялся. — Я алкоголик. Но не пил уже пять лет, шесть месяцев и двенадцать дней. Я позволил спиртному разрушить свою жизнь. Использовал его в качестве оправдания, чтобы причинить тебе боль. Я должен был воспитывать тебя. Заботиться о тебе. У тебя больше никого не было, а я сделал так, что вообще никого не стало. — Он с усилием сглотнул. — Я бил тебя кулаками и ремнем, продолжал избивать, пока ты не вырос и не дал мне отпор. Я давал обещания и нарушал их. Снова и снова. Я был плохим отцом. Плохим человеком.

Билл отвел взгляд; голос его дрожал. Гейдж молчал. Билл несколько раз с шумом втянул в себя воздух, потом посмотрел в лицо сына.

— Я не могу вернуться назад и что-то изменить. Но хочу сказать, что буду жалеть об этом до самой смерти, хотя ничего уже сделать нельзя. Я не буду обещать, что никогда не возьму в рот спиртного — только сегодня. А проснувшись завтра утром, дам себе зарок на день. И каждый день, когда я трезв, я вспоминаю, как обращался с тобой, вспоминаю, что опозорил себя как мужчина и как отец. Что твоя мать смотрит с небес и плачет. Я предал ее. Предал тебя. И буду жалеть об этом весь остаток жизни.

Билл снова вздохнул.

— Пожалуй, все. Разве что... Ты кое-чего добился в жизни. Самостоятельно.

— Почему? — Гейдж понял, что, если они больше не увидятся, он должен получить ответ на вопрос, всю жизнь не дававший ему покоя. — Почему ты со мной так обращался? Пьянство — всего лишь предлог. Это правда. Почему?

— Я не мог достать ремнем до Бога. — Глаза Билла вспыхнули, голос задрожал. — И кулаками тоже. А ты был рядом. Мне нужно было кого-то обвинить, наказать. — Он опустил взгляд на свои руки. — Я был обыкновенным парнем. Умел починить все, что угодно, не боялся тяжелой работы, но в остальном ничего особенного. А потом она посмотрела на меня. Твоя мама, она сделала меня лучше. Она меня любила. Каждое утро, каждый вечер я удивлялся, что она со мной, что любит меня. Она... У меня еще осталась пара минут из тех пяти, да?

— Заканчивай.

— Ты должен знать... Она была... мы были... так счастливы, когда она забеременела тобой. Наверное, ты не помнишь, как было... до того. Но мы были счастливы. Кэти... У твоей мамы были осложнения во время беременности, а потом все произошло так быстро. Мы даже не успели доехать до больницы. Ты родился в машине «Скорой помощи».

Билл снова отвел взгляд, и на этот раз — хотел ли Гейдж видеть или нет — в поблекших голубых глазах плескалась печаль.

— Потом были еще проблемы, и врач сказал, что ей больше не следует иметь детей. Я не возражал. У нас был ты — господи, как две капли похожий на нее. Я знаю, ты не помнишь, но я любил вас обоих больше всего на свете.

— Нет, — сказал Гейдж, когда Билл умолк. — Не помню.

— Да, конечно. Через какое-то время она захотела еще ребенка. Она так сильно хотела. Говорила: посмотри на Гейджа, Билл. Посмотри, кого мы сотворили. Правда, чудо? Ему нужен братик или сестричка. Мы зачали еще одного, и она была очень осторожна. Следила за собой, выполняла все предписания врача, не жаловалась. Но все пошло наперекосяк. Меня вызвали с работы, и...

Он достал платок и, не стесняясь, вытер слезы.

— Я потерял и ее, и маленькую девочку, которую мы пытались родить. Джим и Франни, Джо и Брайан — они старались помочь, чем могли. Больше, чем другие на их месте. Я начал пить, сначала понемногу, редко, чтобы как-то забыться.

Слезы высохли, и Билл сунул платок в карман.

— Я стал винить себя в ее смерти. Нужно было пойти сделать себе операцию, ничего не говоря ей — и все. Тогда она была бы жива. Мне стало еще хуже, и я запил сильнее. Потом стал думать, что она была бы жива, если бы не родила тебя. Без тебя ничего бы не нарушилось в ее организме, и утром, просыпаясь, я видел бы рядом ее. Винить тебя было не так больно, и я убедил себя, что это истинная правда, а не гнусная ложь. Из-за пьянства я лишился работы, но повернул все так, словно бросил работу сам, чтобы присматривать за тобой. Все несчастья я сваливал на тебя, потом снова пил, набрасывался на тебя, лишь бы не смотреть правде в глаза.

Билл тяжело вздохнул.

— Никто не виноват, Гейдж, тут нет ничьей вины. Просто все пошло не так, и она умерла. А когда она умерла, я перестал быть мужчиной. Перестал быть отцом. На то, что от меня осталось, твоя мама даже не взглянула бы. Вот почему. Такой длинный ответ на твой вопрос. Я не жду, что ты меня простишь.

Или забудешь. Просто хочу, чтобы ты поверил: я знаю, что сделал, и сожалею об этом.

— Я верю, ты знаешь, что сделал, и жалеешь об этом.

Кивнув, Билл опустил взгляд и открыл дверь.

— Я не буду путаться у тебя под ногами, — сказал он, не поворачиваясь к Гейджу. — Можешь приходить к Кэлу или пить пиво в баре — я не буду тебе мешать.

Когда Билл закрыл за собой дверь, Гейдж прислонился к стене. Что он должен чувствовать? И что теперь должно измениться? Никакие сожаления не компенсируют даже одну минуту из тех лет страха, горечи и гнева. Не заглушат стыд или печаль.

Итак, старик облегчил душу, размышлял Гейдж, возвращаясь на кухню. Отлично. Теперь между ними все кончено.

В окне он увидел Сибил — она сидела на выходящей во двор веранде и пила чай. Гейдж рывком распахнул дверь.

— Какого черта ты его впустила? Это твое хваленое воспитание?

— Вероятно. Я уже извинилась.

— День извинений, черт бы его побрал. — Гнев, который он сдерживал в присутствии отца — старик его не заслуживал, — вспыхнул с удвоенной силой. — Сидишь тут и думаешь, что я могу простить и забыть. Бедняга теперь трезв и пытается навести мосты к единственному сыну, которого он регулярно лупил до полусмерти. Причина в алкоголе, а алкоголь был реакцией на скорбь и чувство вины. Кроме того, алкоголизм — болезнь, и он подхватил ее, словно рак. Теперь у него ремиссия, по одному дню, и поэтому все, черт возьми, уже в прошлом. Я должен все забыть и простить. Твой отец, прежде чем прострелить себе мозг, бил тебя по лицу?

Гейдж слышал, как у нее перехвалило дыхание, но голос Сибил не дрогнул.

— Нет.

— Он бил тебя ремнем до крови?

— Нет.

— Вот что я имею в виду, когда говорю, что у тебя недостаточно опыта, чтобы сидеть тут и думать, что я должен все это забыть и броситься в объятия к старику.

— Ты абсолютно прав. Но есть еще одна маленькая деталь. Ты вкладываешь мне в голову мысли, которых там нет, приписываешь слова, которые я не собиралась произносить. И это мне не нравится. Думаю, после разговора с отцом ты сделался раздраженным и чересчур чувствительным, и поэтому я не буду тебе докучать. Причем до такой степени, что оставлю тебя одного, и ты можешь спокойно насладиться своей истерикой.

Дойдя до двери, она резко повернулась.

— Нет, я этого не сделаю. Будь я проклята. Хочешь знать, что я думаю? Тебе интересно услышать мое мнение, а не то, что ты мне приписываешь?

Он махнул рукой, и в этом жесте смешались горечь и сарказм.

— Давай.

— Я думаю, ты не обязан что-то прощать или забывать. Не должен закрывать глаза на все эти долгие годы насилия, потому что твой обидчик сейчас трезв и сожалеет о своих поступках. Может, это низко и жестоко с моей стороны, но я считаю, что люди, сразу готовые все забыть и простить, либо лжецы, либо нуждаются в серьезном лечении. Ты выслушал его, и вот мое личное мнение: ты полностью расплатился за то, что обязан ему своим существованием на этом свете. Сейчас модно оправдывать людей, совершивших ужасные поступки, перекладывать вину на алкоголь, наркотики, дурную наследственность или чертов предменструальный синдром. Нет, вся ответственность на нем, и я не посмею тебя упрекнуть, если ты всю жизнь будешь проклинать его. Понятно?

— Неожиданно, — помолчав, ответил Гейдж.

— Я убеждена, что сильный обязан защищать слабого. Для этого и нужна сила. Я убеждена, что родители обязаны защищать ребенка. На то они и родители. Что касается моего отца...

— Прости. — Точно, сегодня день извинений, подумал Гейдж. И это будет одним из самых искренних в его жизни. — Сибил, я жалею о своих словах.

— Тем не менее он ни разу не поднял на меня руку. Но если бы он вдруг оказался передо мной и попросил прощения за то, что убил себя, не знаю, смогла бы я простить. Одним своим поступком, эгоистичным, вызванным жалостью к себе, он разорвал мою жизнь надвое, и мне кажется, просто извинением тут не обойтись. Хотя и от извинения нет никакого толку — отца не воскресишь. Твой отец жив и сделал шаг к тому, чтобы исправить содеянное. Это хорошо. Но если хочешь знать мое мнение, простить можно только того, кому веришь, а твоего доверия он не заслужил. Возможно, никогда не заслужит, и не ты в этом виноват. Он должен отвечать за свои действия. Все.

Вот она и высказалась, подумал Гейдж. Возможно, в порыве гнева и возмущения. Но ее слова стали для него утешением.

— Можно я начну сначала?

— Что именно?

— Я хочу поблагодарить тебя за то, что не вмешивалась и позволила мне разобраться самому.

— Пожалуйста.

— За то, что не ушла.

— Без проблем.

— И наконец, что дала мне хорошую взбучку.

Она вздохнула и попробовала улыбнуться.

— Эта часть мне самой доставила удовольствие.

Гейдж шагнул к ней, протянул руку.

— Пойдем наверх.

Сибил опустила взгляд на его руку, потом посмотрела в глаза.

— Пойдем. — Она взяла протянутую руку.

10

— Ты меня удивляешь.

Не останавливаясь, Сибил вскинула голову и смерила его долгим взглядом.

— Ненавижу предсказуемость. И чем же на этот раз?

— Я предполагал, особенно после всплеска эмоций, что ты скажешь: нет, спасибо.

— Это было бы недальновидно и обречено на провал. Я люблю секс. И абсолютно уверена, что секс с тобой мне понравится. — Она небрежно пожала плечами, не переставая улыбаться. — Почему я должна отказывать себе в удовольствии?

— Не могу назвать ни одной причины.

— Я тоже. Итак. — На верхней площадке лестницы Сибил толкнула его к стене и закрыла рот поцелуем. Легкое возбуждение, вполне ожидаемое и предсказуемое, мгновенно сменилось острым желанием.

Она слегка прикусила его нижнюю губу, потом зашептала, касаясь губами его губ, — каждое слово прозвучало как удар.

— Давай оба получим удовольствие. — Отступив на шаг, она указала на дверь спальни. — Твоя, да?

Потом оглянулась — от ее взгляда у Гейджа перехватило дыхание — шагнула к двери и вошла.

А вот это, подумал Гейдж, отталкиваясь от стены, обещает быть очень интересным.

Она склонилась над кроватью, расправляя смятые простыни.

— До вечера я не собирался сюда ложиться.

Сибил оглянулась, одарила его озорной улыбкой.

— Разве плохо, когда планы меняются? А я предпочитаю стелить постель. Люблю, чтобы все было... гладко, когда ложишься вечером. Или... — Она расправила последние складки. — В любое другое время.

— А мне мятые простыни не мешают. — Он подошел к Сибил, сжал руками бедра, притянул к себе, так что она приподнялась на цыпочки.

— Это хорошо, потому что, когда мы закончим, на них будет много складок, а стелить тебе постель я не собираюсь. — Гибким движением она обвила руками его шею, обожгла губы долгим, медленным поцелуем.

Ладони Гейджа скользнули ей под блузку, плавно поднялись вверх, а большие пальцы дразняще прошлись по ее груди. Руки Сибил взлетели вверх, высвобождаясь из блузки.

— Ловко, — произнесла она, когда блузка упала на пол.

— Я еще не то умею.

— Я тоже. — Улыбнувшись, она расстегнула пуговицу его джинсов, слегка сдвинула вниз молнию. Потом, глядя ему прямо в глаза, провела ногтями по животу, по груди. — Неплохое сложение для игрока в карты, — прибавила она, дернув вверх его рубашку.

— Спасибо. — Хороша, подумал Гейдж.

Они оба прекрасно знали все па этого танца, не раз исполняли его в разных вариантах, в разном ритме. Но в этот раз, первый для них, Гейдж хотел быть ведущим.

Он снова поцеловал ее — игривое прикосновение губ и языков — и стал расстегивать на ней брюки. Потом вдруг резким движением приподнял, небрежно демонстрируя силу, и у нее перехватило дыхание; брюки соскользнули на пол. Готово, подумал он и опустил ее так, что их губы оказались на одном уровне. Услышав тихий стон и почувствовав, как пальцы Сибил стискивают его плечи, он отпустил ее, и она упала на кровать.

Сибил лежала на спине с разметавшимися по подушке волосами. Смуглая кожа, черное кружево.

— Такие мускулы не приобретешь, тасуя карты.

— Ты будешь удивлена. — Он наклонился, и его ладони оказались по обе стороны от ее головы. — Быстро или медленно?

— Попробуем и то и другое. — Запустив пальцы в его волосы, она притянула его к себе. Нежный, шелковистый поцелуй вспыхнул страстью, первыми жадными укусами. Руки Сибил гладили его спину, потом скользнули под расстегнутые джинсы, стиснув напряженные мускулы. Ее ноги обвились вокруг его талии, и он, прижимаясь животом к ее животу, почувствовал, что теряет над собой контроль.

Хороша, вновь подумал он и покрыл поцелуями ее шею.

У него потрясающие, невероятные губы. Сибил запрокинула голову, подставляя шею для поцелуев. Прикосновение этих губ было как ожог; кровь пульсировала под кожей. Его тело — большое, сильное, с рельефными мышцами — прижималось к ней, и нити желания сплелись в тугой узел, удары сердца громом отдавались в ушах.

Жар. Страсть. Нетерпение.

Она сдернула джинсы с его бедер и, перевернувшись, села на него верхом. В ответ он приподнялся, нашел губами ее губы и расстегнул бюстгальтер.

Поцелуй был требовательным и нетерпеливым, но руки Гейджа неспешно скользили по ее коже, лениво гладили изгибы золотистого тела, и эта медленная пытка отдавалась жаром в ее животе. Когда его губы скользнули вниз, чтобы попробовать на вкус то, что открыли руки, Сибил выгнула спину, подставляя себя его ласкам.

Гибкая, стремительная и страстная, подумал Гейдж. Изящные линии ее тела, кожа бледного золота — экзотическое пиршество. Она пировала сама, впитывая собственное наслаждение, купаясь в нем. Что может быть соблазнительнее, чем Сибил, подхваченная неумолимой волной страсти?

Неужели он так ее жаждет? Неужели этот железный кулак желания всегда жил у него внутри — просто ждал подходящего момента, чтобы пробить броню осторожности и самоконтроля? И теперь нанес сокрушительный удар, вдребезги разбив все доводы разума. Гейдж жаждал почувствовать, как трепещет под ним ее тело. Услышать ее крик. Подмяв ее под себя, он принялся ласкать ее рукой, торопясь превратить медленный прилив в бурный, жаркий поток.

Она извивалась под ним, кожа ее блестела в жарких лучах солнца. Темные цыганские глаза, казалось, скрывают океан тайн.

— Весь, — прошептала она, обхватывая ладонью его плоть. — Теперь весь ты. — Обхватив его ногами, она приняла его в себя.

Яркая вспышка, от которой вскипела кровь. Сибил почувствовала, как пламя поглощает ее, вскрикнула на пике наслаждения, но яростный бич желания снова подхлестнул ее. Она не сопротивлялась, когда Гейдж раздвинул ей ноги, глубже погружаясь в нее, а ее ногти вонзились в бедра Гейджа, подгоняя его. Даже когда от наслаждения, мощного, неистового, перехватило дыхание, она устремилась навстречу новой волне.

Она словно взорвалась под ним, увлекая за собой в бушующее пламя.

Они лежали на спине. У него было такое чувство, словно он прыгнул со скалы, несколько раз перевернулся в воздухе и рухнул в горячую реку. У него едва хватило силы воли и сил перекатиться на бок и вытянуться рядом с Сибил, чтобы они могли отдышаться.

Это не секс, подумал Гейдж. Секс предполагает приятное времяпрепровождение, что-то вроде веселой возни. Это было откровение, почти библейское.

— Ну вот, — с трудом произнес он. — Сюрпризы продолжаются.

— Кажется, я видела рай. — С губ Сибил слетел тихий звук, нечто среднее между вздохом и стоном.

Рассмеявшись, Гейдж закрыл глаза.

— Ты похожа на ожившего Гамби[1], только в женском обличье и не зеленого.

— Я склонна считать это комплиментом, — помолчав, ответила она. — Спасибо.

— Пожалуйста.

— Раз уж мы начали раздавать комплименты, ты... — Она умолкла, стиснув пальцами его ладонь. — Гейдж.

Он открыл глаза. Из стен сочилась кровь. Красные ручейки стекали по стенам на пол.

— Будь кровь настоящей, Кэл бы здорово разозлился. Ее чертовски трудно отмыть.

---

[1] Зеленый пластилиновый человечек. Персонаж одноименного телевизионного шоу.

— Твиссу не нравится, что здесь происходит. — С трудом переведя дух, Сибил повернулась и удержала собиравшегося встать Гейджа. Глаза ее сверкали, лицо побледнело, но голос не дрожал. — Терпеть не могу, когда за мной подглядывают. Но этому Любопытному Тому, возможно, стоит пойти навстречу. Скажи, это правда, о чем мне рассказывали подруги?

— Что именно?

— Твои способности к самозаживлению включают необыкновенно быстрое восстановление сил.

— Хочешь, чтобы я продемонстрировал? — ухмыльнулся Гейдж. — Более уместный вопрос: а ты?

Она забросила на него ногу, уселась верхом, откинула голову; дыхание у нее прерывалось.

— Приятно узнать, что подруги тебя не обманывают. О боже. Подожди. — Она взяла его за руки, крепко стиснула.

— Не спеши.

— Держись, — сказала она. — Это будет бешеная скачка.

Потом, когда на стенах и полу не осталось и следа от ярости демона, он опять овладел ею. Под душем. Сибил оделась; волосы ее были влажными, глаза сонными.

— Интересный сегодня день. Но теперь мне нужно работать — мы с Куин договорились встретиться в боулинг-центре.

— Могу поехать с тобой.

— Да?

— Тебе требуется информация, а в обмен я надеюсь получить ленч.

— Это можно устроить. — Она направилась к двери, но Гейдж поймал ее за руку.

— Сибил. Я с тобой не закончил.

— Милый, — она вызывающе похлопала его по щеке, — со мной невозможно закончить.

Она не остановилась, и Гейдж покачал головой. Похоже, он попался. Когда он спустился на кухню, Сибил уже достала из своей громадной сумки губную помаду и точными движениями водила тюбиком по губам.

— Как ты умудряешься обходиться без зеркала?

— Как это ни странно, уже много дней и даже лет мои губы находятся на одном и том же месте. Ноутбук с собой возьмешь?

— Да. — Гейдж и не подозревал, что красящая губы женщина может выглядеть так сексуально. Раньше не подозревал. — Если я буду мешать вам с Блонди, устроюсь где-нибудь в другом месте.

— Тогда собирайся. Поезд уже отправляется. — Она вытащила румяна, прошлась кисточкой по щекам. Потом достала крошечное зеркало и карандаш и что-то сделала с глазами. Уже на ходу брызнула на шею из серебристого флакончика размером с большой палец. Аромат осеннего леса разнеся в воздухе, и Гейдж вздрогнул, как от удара.

Он остановил Сибил, повернул к себе, коснулся губами ее губ.

— Один день можно и прогулять. — Приятно чувствовать, что ее сердце забилось сильнее.

— Соблазнительно. Правда. И все же нет. Придется звонить Куин и объяснять, что я не еду к ней, потому что решила: проваляться с тобой в постели весь день важнее, чем искать управу на демона, который хочет нас всех убить. Думаю, она поймет, но все же...

Сибил открыла дверь и вышла на веранду.

На крыше ее машины на корточках сидел мальчишка и ухмылялся, словно горгулья. Сверкнули острые зубы, и Гейдж шагнул вперед, загораживая собой Сибил.

— Возвращайся в дом.

— Ни за что.

Мальчишка театральным жестом вскинул руки, затем резко опустил вниз, словно безумный дирижер. Все окутало тьмой, подул сильный ветер.

— Очередное шоу! — крикнула Сибил. — Как стены наверху.

— На сей раз не только шоу. — Гейдж чувствовал это по свирепым укусам ветра. Отступить, укрыться в доме или остаться, бросить демону вызов? Будь он один, такого вопроса даже не возникло бы. — Моя машина быстрее.

— Хорошо.

Они побежали к машине навстречу ветру, который отбрасывал их назад. Гейдж следил за мальчишкой, вихрем носившимся по склону холма, по изгибу дороги. Во все стороны летел мусор, комки садового перегноя, ветки, мелкий гравий. Гейдж старался прикрыть Сибил своим телом. Затем мальчишка спрыгнул на землю.

— Трахай свою шлюху, пока можешь, — грубые слова, произнесенные детским голоском, звучали еще отвратительнее. — Скоро ты увидишь, как я заставлю ее кричать от наслаждения и боли. Хочешь попробовать, сука?

Вскрикнув, Сибил обхватила себя руками и согнулась пополам. Гейдж, оценив обстановку, позволил ей опуститься на колени, а сам выхватил нож. Мальчишка прошелся колесом. Гейдж схватил Сибил за руку, рывком поднял на ноги. Ужас и беспомощность в ее глазах пронзили его, словно острый клинок.

— В машину. В машину, черт возьми. — Гейдж втолкнул ее на сиденье, едва сдерживая ярость; мальчишка непристойно вращал бедрами. Ему хотелось броситься на ублюдка, искромсать ножом. Но Сибил, вся дрожа, скорчилась на сиденье.

Гейдж заставил себя сесть за руль и захлопнул дверцу, преодолевая напор ветра. Потом резким движением откинул Сибил на сиденье, застегнул ремень безопасности. Шок и боль превратили ее лицо в мраморную маску.

— Держись. Просто держись.

— Он во мне. — Она всхлипнула и дернулась всем телом. — Он во мне.

Гейдж завел двигатель, включил заднюю передачу и резко вывернул руль. Машина помчалась через мост к дороге, подрагивая от порывов ветра. С неба лилась кровь, растекалась по ветровому стеклу, шипела и пузырилась на крыше и капоте, словно кислота. Впереди появилась голова мальчишки, с глазами-щелочками, как у змеи. Он принялся слизывать кровь, и Сибил застонала.

Гейдж включил омыватель, запустил дворники на полную мощность, но ответом ему стал издевательский смех. Затем мальчишка взвизгнул, то ли от удовольствия, то ли от удивления, когда машина резко развернулась на 360 градусов. Ветровое стекло вспыхнуло.

Гейдж сбросил скорость, опасаясь разбиться, и постарался забыть обо всем, кроме лежащих на руле рук. Тьма медленно отступала, пламя гасло, разбрасывая искры.

Когда вновь засияло солнце и подул легкий весенний ветерок, Гейдж съехал на обочину и остановился. Сибил скорчилась на сиденье; плечи ее вздрагивали при каждом вдохе.

— Сибил.

— Не надо. — Она отпрянула. — Не прикасайся ко мне.

— Ладно. — Словами тут не поможешь, подумал он. Нужно отвезти ее домой. Ее изнасиловали у него на глазах, и слова тут бесполезны.

Когда они подъехали к дому, Гейдж не помог ей войти внутрь. Просто придержал дверь, потом закрыл.

— Не прикасайся ко мне, — сказала Сибил.

— Иди наверх, приляг или... Я позвоню Куин.

— Да, позвони Куин. — Сибил направилась не наверх, а на кухню. Когда Гейдж вошел, в ее дрожащих руках уже был стакан с бренди.

— Она уже едет. Я не знаю, чем тебе помочь, Сибил.

— Я тоже. — Она сделала большой глоток, с усилием выдохнула. — Я тоже не знаю, но для начала вот это.

— Я не могу оставить тебя одну, не проси. Но если хочешь, можешь пойти наверх и лечь. Я не буду входить к тебе. — Она покачала головой; казалось, дрожит каждая клеточка ее тела. Сделай же что-нибудь, черт возьми: закричи, заплачь, что-нибудь разбей, ударь меня.

Она снова покачала головой, допила бренди.

— Это не было по-настоящему — физически. Но по ощущениям — реально. И во всех других отношениях тоже. Кричать и плакать я не буду — иначе меня не остановишь. Мне нужна Куин, больше ничего. Мне нужна Куин.

Хлопнула входная дверь, и Гейдж подумал, что Куин всю дорогу преодолела бегом. В кухню она тоже вбежала.

— Сиб.

С губ Сибил сорвался жалобный звук, то ли всхлип, то ли стон, от которого у Гейджа защемило сердце. Она упала в объятия Куин, и та повела ее с собой.

— Давай, малыш, пойдем со мной. Я отведу тебя наверх.

Оглянувшись, Куин печально посмотрела на Гейджа. Он взял стакан и с силой швырнул в раковину. Ничего не изменилось, подумал он, разглядывая осколки. Всего лишь разбитое стекло — ничего оно не исправит и не изменит, ничем не поможет.

Когда в кухне появился Кэл, Гейдж стоял у раковины, глядя на солнечный день за окном.

— Что случилось? После твоего звонка Куин попросила меня позвонить Лейле, вызвать ее сюда, и тут же умчалась. Что с Сибил?

— Черт его знает. — Горло у него горело, словно он глотал огонь. — Он ее изнасиловал, этот сукин сын, а я не смог его остановить.

Кэл шагнул к нему, положил руку на плечо.

— Расскажи, что произошло.

Гейдж рассказывал бесстрастно, почти отстраненно, начав с крови на стенах. Не прервался и даже не отреагировал на появление Фокса, но взял банку пива, которую тот открыл и поставил перед ним.

— Примерно в полутора милях от твоего дома все прекратилось. Исчезло. Но только не для Сибил. Не знаю, можно ли вообще такое забыть.

— Ты ее увез, — заметил Кэл. — Вернул домой.

— Геройский поступок, заслуживающий медали.

— Я знаю, что ты чувствуешь. — Фокс выдержал яростный взгляд Гейджа. — Это случилось и с Лейлой, и я понимаю твои чувства. Лейла сейчас наверху. Это поможет. Сибил справится — они сильные. Мы все справимся, потому что другого выхода у нас нет. Потому что этот ублюдок должен заплатить за все. Мы заставим его, черт возьми.

Он протянул руку. Помедлив секунду, Гейдж пожал ее. Сверху легла ладонь Кэла.

— Он заплатит за все, — повторил Гейдж. — Уж мы постараемся. Клянусь.

— Клянемся, — продержали Кэл и Фокс. Вздохнув, Кэл встал.

— Заварю чай. Она любит.

— Плесни туда немного виски, — посоветовал Фокс.

Они вместе заварили чай и после короткого спора поставили рядом маленький стаканчик виски. Гейдж отнес поднос наверх, но перед закрытой дверью спальни в нерешительности остановился. Не успел он постучать, как дверь открылась и на пороге появилась Лейла. От неожиданности она вздрогнула.

— Кэл заварил чай, — сказал Гейдж.

— Отлично. Я шла именно за этим. А тут виски?

— Да. Вклад Фокса.

— Хорошо. — Лейла взяла поднос, посмотрела на Гейджа усталым взглядом. — С ней все будет в порядке, Гейдж. Спасибо, что принес. — Она закрыла дверь, оставив его за порогом.

Сибил лежала в ванне, в ванной комнате между двумя спальнями. Истерика прошла, отняв последние силы. Как это ни странно, усталость помогла. Конечно, не так, как подруги, но все же.

Облегчение принесла горячая вода с ароматической солью, которую добавила Лейла. Увидев Лейлу с подносом в руках, Куин встала с маленькой скамеечки рядом с ванной.

— Да, спасибо. Господи. — Приподнявшись, Сибил крепко зажмурилась и учащенно задышала. Спазмы вновь сжимали горло. — Нет, нет, хватит.

— Поплачь. — Лейла влила виски в чай. — Мне время от времени требуется поплакать. Нам можно.

Кивнув, Сибил взяла чай.

— Это не боль, хотя... Боже милосердный — мне никогда не было так страшно. Я чувствовала, как оно двигается, пульсирует у меня внутри, но не могла его остановить, помешать. И мальчишка. Почему от этого только хуже? Зачем он заставил меня видеть мальчишку, когда... — Она умолкла и отхлебнула приправленный виски чай.

— Это как пытка, да? Физическая и психологическая пытка, предназначенная для того, чтобы сломать нас. — Куин погладила Сибил по голове. — Но мы не сломаемся.

— Нет. — Сибил протянула руку; Куин пожала ее, а Лейла накрыла их руки ладонью, и этот жест в точности повторил сцену на кухне. — Мы не сломаемся.

Сибил оделась, потом занялась своей внешностью — это успокаивало. Нет, она не сломается и не будет выглядеть как жертва. Выйдя из спальни, Сибил услышала доносившиеся из кабинета голоса. Нет, еще рано. Еще рано. Проскользнув мимо двери, она спустилась в кухню. Может, чуть позже, после океана чая.

Поставив чайник на плиту, она увидела во дворе Гейджа — одного. Первым ее побуждением было забиться в темный угол, спрятаться. Это удивило и расстроило ее. Разозлившись, она поступила ровно наоборот — вышла на улицу.

Гейдж повернулся, пристально посмотрел на нее. В глазах его плескалась ярость и отчаяние.

— Я просто не знаю, что сказать. Подумал, ты захочешь, чтобы я уехал, я должен был сначала убедиться, что ты... Что? — поморщился он. — Понятия не имею.

Она помолчала.

— Ты недалек от истины. Наверное, в глубине души я надеялась, что ты уже уехал и мне не придется это обсуждать.

— Ты не обязана.

— Такая я себе не нравлюсь, — продолжила Сибил. — Поэтому давай покончим с этим. Демон напал на меня, сделал то, чего боится каждая женщина. Самый большой наш страх. Унизил, заставил почувствовать свою беспомощность. Именно этот ужас свел с ума Эстер Дейл.

— Я не должен был упускать его.

— И бросить меня? Неужели ты бы бросил — смог бросить — меня, абсолютно беззащитную, обезумевшую от страха? Я не могла ему сопротивляться, но это не моя вина. Ты увез меня, заставил его остановиться. Защитил меня, когда я не смогла защитить себя сама. Спасибо.

— Я не ищу...

— Знаю, — перебила она. — И, наверное, не испытывала бы такой благодарности, если бы ты ее искал. Гейдж, если мы оба чувствуем себя виноватыми в том, что случилось, значит, демон победил. Не доставим ему этого удовольствия.

— Ладно.

Он все равно будет себя винить, поняла Сибил. По крайней мере первое время. Мужчина будет себя винить. *Этот* мужчина. Она должна что-то сделать, чтобы утешить их обоих.

— Если ты меня обнимешь, это не усложнит наши честные, взрослые отношения?

Гейдж обнял ее, осторожно, словно что-то хрупкое и бесценное. Вздохнув, Сибил прижалась лбом к его плечу, и он не выдержал:

— Господи, Сибил. Боже милосердный.

— Если он будет в облике мужчины, когда мы его уничтожим, — сказала она спокойным, размеренным тоном, — я лично его кастрирую.

Гейдж крепче прижал ее к себе, поцеловал в макушку. Усложнит отношения, подумал он. Нет, это определение совсем не подходит к тому, что творится у него в душе. Но в данный момент ему глубоко плевать.

Не желая, чтобы вокруг нее ходили на цыпочках, Сибил решила заняться делом. Шесть человек едва помещались в маленьком кабинете на втором этаже, зато здесь она чувствовала себя в безопасности.

— Возможно, Гейдж обнаружил новую закономерность в распределении инцидентов, — начала она. — Это в продолжение нашего предыдущего разговора. Город можно разделить на опасные и безопасные зоны. Например, боулинг-центр. Именно здесь имел место первый из известных нам случаев насилия, но сам клуб всегда оставался целым и невредимым. Ни пожаров, ни вандализма. Так?

— Практически, — кивнул Кэл. — Небольшие стычки были, но большая часть неприятностей происходила снаружи.

— Этот дом, — продолжила Сибил, — инциденты после нашего переезда сюда, а во время всех Седмиц ничего серьезного — ни смертей, ни пожаров. — Старая библиотека. — Она перевела взгляд на Фокса. — Я знаю, что там ты потерял близкого человека, но до гибели Карли там не случалось ни одного серьезного происшествия. Опять-таки, само здание тоже осталось целым. В городе можно выделить еще несколько безопасных зон, в том числе семейную ферму Фокса и дом родителей Кэла. И еще здание, где находится контора Фокса. Демон способен туда проникнуть, но не физически. Только создает иллюзию, но сделать ничего не может. И как мне кажется, еще важнее следующее: на эти места не нападают охваченные безумием люди.

— Осталось понять, почему это происходит и как нам это использовать. — Фокс пристально разглядывал карту. — В старой библиотеке жила Энн Хоукинс, а на нашей ферме она родила сыновей. Если рассуждать в терминах энергии, возможно, этого достаточно, чтобы создать некое защитное поле.

— Уже кое-что. — Куин стояла подбоченившись. — Получается, мы обнаружили связь между безопасными зонами или по крайней мере местами с минимумом насилия.

— Если хотите знать, на месте, где стоит боулинг-центр, когда-то был дом сестры Энн Хоукинс и ее мужа. — Кэл нахмурился. — Я могу проверить по документам или спросить у прабабушки, но, насколько я помню, сначала это был жилой дом, потом его превратили в рынок. Здание много раз перестраивали, и в конечном счете мой дед открыл в нем клуб «Боул-а-Рама». Но земля под ним всегда принадлежала Хоукинсам.

— Похоже, мы получили ответ на первый вопрос, — заметила Лейла. — Только нужно помнить, что в прошлую Седмицу защита старой библиотеки не выдержала. Теперь такое может случиться в любом из этих мест.

— Во время последней Седмицы в библиотеке не было никого из Хоукинсов. — Фокс продолжал изучать карту и графики. — Эми уже к тому времени вышла на пенсию, да?

— Да. Приходила туда почти каждый день, но... Библиотека перестала быть ее. — Кэл шагнул к карте. — Уже началось строительство новой библиотеки, и было принято решение превратить старую в городской клуб. Здание перешло к городу. Формально уже несколько лет, но...

— Эмоционально, — кивнула Сибил, — оно принадлежало Эсти. Сколько лет ваша семья владела этим домом, Кэл?

— Не знаю, но могу выяснить.

— А я купил дом у твоего отца, — напомнил Фокс Кэлу. — Да, причина ясна. Но как это использовать?

— Убежище, — предположила Лейла.

— Тюрьма, — поправил ее Гейдж. — Вопрос в том, как удержать в боулинг-клубе, на ферме и в адвокатской конторе пару сотен зараженных безумием людей, склонных к убийству и вандализму.

— Это невозможно, не говоря уже о законности, — покачал головой Кэл.

— Эй, законность — это моя территория. — Фокс сделал глоток пива. — И я не считаю ограничение гражданских свобод во время Седмицы такой уж большой проблемой. Но сделать это будет трудно.

— Скольких людей нам удастся уговорить переехать на ферму, пока они не заразились? — Сибил посмотрела в глаза Фоксу. — Да, понимаю, это огромный риск. Но если несколько сот человек укроются там и переждут Седмицу — или пока мы не прикончим ублюдка — остальные, возможно, тоже согласятся уехать на этот период, спрятаться в безопасных или относительно безопасных зонах, которые мы выявим.

— Некоторые в любом случае уедут, — напомнил Кэл. — Но большинство не помнит и не понимает, пока не становится слишком поздно.

— В этот раз все по-другому, — возразила Куин. — Теперь Твисс не скрывается, устраивает демонстрации. Наступил решающий момент — для обеих сторон. Даже если десять процентов жителей укроются в безопасных местах, это уже достижение, правда?

— Важен каждый шаг, — согласилась Сибил.

— Но это не убьет демона.

Сибил повернулась к Гейджу.

— Нет, но его тактика заключается в том, чтобы ослабить нас. Мы ответим тем, что попытаемся ослабить его. — Она указала на доску с таблицей открытых карт Таро. — У каждого из нас есть сильные стороны. Понять, кто мы и что мы можем — вот одно из слагаемых успеха. У нас есть оружие в виде гелиотропа. Еще один плюс. Мы больше знаем, больше умеем и должны приложить больше усилий, чем вы трое прилагали в прошлом.

— Если мы собираемся переселять людей, то сначала нужно поговорить с родителями Фокса. А если вы отвергаете эту идею с самого начала, то и говорить не о чем.

— Да, мне не нравится эта идея, но меня с детства учили уважать свободу воли, индивидуальный выбор и все такое прочее. Черт возьми, пусть сами решают, нужен ли им этот лагерь беженцев. Наверное, скажут, что нужен — так они устроены. Проклятье.

— Мне тоже нужно поговорить с родителями. — Кэл вздохнул. — Во-первых, жители города прислушиваются к моему отцу, уважают его мнение. Во-вторых, мне кажется, что их дом или боулинг-центр тоже может служить убежищем. Или они приедут на ферму, чтобы помочь родителям Фокса. А мы должны во что бы то ни стало выяснить, как использовать гелиотроп. Оружие бесполезно, если не знаешь, как его применить.

— У нас есть фундамент из прошлого, — сказала Куин, — и мы знаем, что происходит теперь.

— Теперь дело за нами. — Сибил кивнула. — Мы начали, но...

— Только не сегодня. — Голос Гейджа был спокоен и тверд. — Торопиться нет нужды, — прибавил он, предупреждая возражения Сибил. — Все равно ничего не выйдет — ты почти без сил. Верни себе позитивную энергию, которую ты так рекламируешь. Сегодня она у тебя иссякла.

— Наверное, ты прав. Грубо, что неудивительно, но точно. Пожалуй, сегодня мне лучше поработать одной, заняться камнем. Так будет лучше, потому что Кэл тоже прав.

11

Сибил спала без сновидений, чему очень удивилась. Она ждала ночных кошмаров, знамений, образов, но проспала всю ночь как убитая.

Что-то закончилось, предположила она, проработав весь вечер впустую. Может, сегодня, когда она отдохнула и сосредоточилась, дело пойдет на лад. Встав с постели, Сибил подошла к зеркалу и критически оглядела свое отражение.

Ничего не изменилось. Она выглядит точно так же. Вчерашнее происшествие не стало переломным моментом в ее жизни. Не сделало хуже, не сломало. Наоборот, нападение создало дополнительный стимул, сделало ее заинтересованной, усилило волю к победе.

Возможно, демон питается эмоциями людей. Но не понимает их. А это, подумала Сибил, еще одно оружие в их арсенале.

Теперь ей нужен тренажерный зал, чтобы взбодриться. Отрава выйдет вместе с потом, подумала она. Нечто вроде обряда очищения. Если повезет, Куин составит ей компанию. Сибил надела спортивный бюстгальтер, шорты и собрала все необходимое в небольшую сумку. Выйдя в коридор, она увидела, что дверь в спальню Куин открыта и внутри никого нет. Значит, нужно взять в кухне бутылку воды и присоединиться к Кэлу и Куин в тренажерном зале в подвале старой библиотеки.

В кухне за столом сидел Гейдж с чашкой кофе и колодой карт.

— Явился с утра пораньше?

— А я и не уезжал. — Сибил привела себя в порядок, заметил он. — Переночевал на диване.

— Ага. — Сердце у нее затрепетало. — Вовсе не обязательно было это делать.

— Что именно? — Гейдж не отрывал взгляда от ее лица, и трепет усилился. — Оставаться или спать на диване?

Сибил открыла холодильник, достала бутылку воды.

— И то и другое. Но все равно спасибо. Я в тренажерный зал. Нужно размяться. Куин, наверное, уже там?

— Вроде бы. А как же твоя йога? Не хочешь изображать пластилинового человечка?

— Нет. Йога меня расслабляет. А мне нужно взбодриться.

— Черт.

— Что? — спросила она, увидев, как Гейдж встает.

— Кэл перевез половину своих вещей сюда. Я что-нибудь найду. Подожди, — распорядился он и вышел из кухни.

Если уж ждать, то лучше с кофе, решила Сибил и допила остатки в чашке Гейджа. Он вернулся в сером спортивном трико, видавшем лучшие времена, и футболке с эмблемой бейсбольной команды «Балтиморские иволги».

— Пошли, — сказал он.

— Если я правильно понимаю, ты собрался в тренажерный зал вместе со мной?

— Да, хочу размяться.

Сибил открыла холодильник, достала вторую бутылку воды, сунула в сумку. Наверное, это самое правильное, что он мог сказать или сделать, подумала она.

— Не буду спорить или утверждать, что сама могу дойти до тренажерного зала. Во-первых, потому что это было бы глупо после вчерашнего. Во-вторых, хочу на тебя посмотреть.

— Ты уже все видела.

Рассмеявшись, она почувствовала себя лучше — явно лучше, чем надеялась.

— Точно.

Она занималась целый час, с удовольствием наблюдая, как Гейдж работает со штангой. И это не просто приятная картина, поняла Сибил. Наблюдая за ним, можно кое-что о нем узнать. Он не хотел сюда идти, но раз уж пришел, то не стал тратить время зря. Сосредоточенный, основательный, терпеливый. И хотя терпение Гейджа было совсем не альтруистическим, а больше походило на терпение кошки, стерегущей мышь, результат от этого не менялся. Он ждал.

Успокоившись и взбодрившись, она шагала рядом с ним к дому.

— Куда ты уедешь, когда все закончится? — спросила Сибил и в ответ на его внимательный взгляд передернула плечами. — Это оптимизм, или позитивная энергия. Уже выбрал место?

— Есть парочка вариантов. Наверное, Европа, если в Штатах не будет ничего интересного. Приеду на свадьбу — то есть теперь на свадьбы. А ты?

— Вернусь в Нью-Йорк, по крайней мере ненадолго. Бог свидетель, я скучаю по этому городу. По людским толпам, шуму, бешеному ритму. Кроме того, мне пора заняться работой, за которую платят. Но я буду проводить довольно много времени здесь. От девушки свадьба требует больше усилий, чем от парня. Если получится, после свадьбы Куин махну на несколько дней на какой-нибудь красивый остров — пальмы, «Маргарита», знойные тропические ночи.

— Отличный план.

— Главное, гибкий, что мне особенно нравится. — Они повернули на площадь, и Сибил указала на боулинг-клуб. — Я восхищаюсь такими людьми, как Кэл и его семья, которые пускают корни, что-то создают, оставляют память о себе. Я благодарна им за то, что они есть — их упорство, их надежность позволяют мне строить гибкие планы и посещать места, где они оставили след.

— И никакого желания последовать их примеру?

— Хотелось бы думать, что я тоже оставляю след, на свой манер. Я добываю факты. Информация нужна всем — написать книгу, снять фильм, отремонтировать дом, построить торговый центр — и я могу ее предоставить. Могу даже найти ту информацию, о необходимости или желательности которой люди не подозревали. Не исключено, что все это делалось бы и без моего участия, но я точно знаю, что со мной лучше. Такой след меня вполне устраивает. А ты?

— Я просто люблю выигрывать. Могу удовлетвориться и просто хорошей игрой, но выигрывать лучше.

— Кто бы спорил.

— Но если я оставлю след, это даст другим игрокам слишком много информации обо мне, которую они смогут использовать, если мы еще раз встретимся за карточным столом. Желательно оставаться «чистым листом» — по возможности. Чем они меньше о тебе знают, тем сложнее им угадывать твои мысли.

— Да. — Голос Сибил звучал бесстрастно. — Ты абсолютно прав. Утром я тоже об этом подумала, применительно к нашему случаю. Демон нас не понимает. И не способен понять. Одни предположения. То, что он сделал со мной, то, что он сделал с Фоксом семь лет назад, убив Карли у него на глазах. Он знает, как причинить боль, владеет определенными приемами. Но не понимает их. Не понимает, что обратная сторона страха — мужество. Используя наши страхи, он каждый раз заставляет нас находить в себе мужество. Он не знает, что происходит у нас в душе.

— Можно попробовать блеф.

— Блеф? Какой блеф?

— Пока не знаю, но стоит подумать, потому что ты права. Мне нужно принять душ и переодеться, — прибавил Гейдж, когда они вошли в дом, и направился к лестнице.

Сибил задумалась. Из кухни доносились голоса. Куин и Кэл ушли из тренажерного зала минут на двадцать раньше и, наверное, уже заканчивают завтракать и разговаривают с Фоксом и Лейлой. Можно сначала пройти на кухню и выпить кофе. Или...

Душ уже был включен, и поэтому Сибил разделась в спальне. Когда она отодвинула занавеску, ее встретил прищуренный взгляд Гейджа.

— Не возражаешь?

Он пристально посмотрел ей в глаза.

— Воды должно хватить на двоих.

— Я так и подумала. — Небрежным движением она взяла флакон с гелем для душа, выдавила приличную порцию на ладонь. — Билет на два лица обычно обходится дешевле. Кроме того, — медленным движением она принялась намыливать грудь, — я могу отблагодарить тебя за ночь на диване и за мучения в тренажерном зале.

— Не вижу на тебе денег.

— Обойдемся бартером. — Она прижалась к нему всем своим влажным, скользким телом. — Разве что ты предпочитаешь долговую расписку.

Гейдж запустил пальцы ей в волосы, повернул лицом к себе.

— Расплачивайся, — выдохнул он и закрыл ей рот поцелуем.

Вот оно, подумала Сибил, испытывая невыразимую благодарность. Трепет, отклик, желание. Ничего не изменилось. Тело Гейджа, мокрое и сильное, его губы. Все исчезло, кроме наслаждения.

— Ласкай меня, — потребовала она, впиваясь в него зубами, ногтями. Никакой нежности, никакой осторожности. Ласкай меня, подумала она, возьми меня. Заставь почувствовать человеком.

Он не хотел торопить ее, подстегивать. Или себя. Но ее страсть, вызов говорили сами за себя. В облаках пара, под тугими струями воды его руки скользили по телу Сибил.

Гейдж овладел ею, прижав к мокрому кафелю, глядя прямо в глаза. И видел в них мрачное наслаждение. Он крепче сжал ее бедра и повел за собой к вершине наслаждения.

Задыхаясь, она уронила голову ему на плечо.

— Подожди минуту.

— Аналогично.

— Ладно. Хорошо. Спасибо, что так быстро откликнулся.

— Аналогично.

Она рассмеялась, но не сдвинулась с места.

— Наверное, это самое подходящее время признаться, что при первой встрече ты мне совсем не понравился.

Он наклонился к ней, заглянул в глаза, вдохнул пьянящий аромат.

— Вынужден повториться. Аналогично.

— Первое впечатление меня обычно не обманывает. Но не в этот раз. Ты мне нравишься — благодаря своим талантам в постели. И в душе.

Лениво, почти бессознательно он провел кончиком пальца по татуировке у нее на пояснице.

— Ты не такая занудная, как я подумал сначала.

— Голые, мокрые и расчувствовавшиеся. — Вздохнув, она отстранилась и посмотрела на него сквозь облако пара. — Я тебе верю. Для меня это очень важно. Я могу работать с тем, кому не доверяю — просто лишние сложности. И могу спать с тем, кому полностью не доверяю — это означает лишь, что отношения будут недолгими. Но работа гораздо продуктивнее, а секс гораздо приятнее, если я верю.

— Хочешь пожать мне руку?

Она снова рассмеялась.

— Лишнее, особенно в таких обстоятельствах. — Она снова взяла гель, выдавила Гейджу на ладонь и повернулась: — Потрешь спинку?

Час спустя, наливая себе первую полную чашку кофе, Сибил была вынуждена признать, что и без всяких стимуляторов чувствует себя бодрой. Она поднялась в кабинет наверху, где за своими ноутбуками сидели Лейла и Куин. Ее изнасилование было нанесено на карту.

Хорошо, подумал Сибил. Приятно смотреть на отметку, понимая, что осталась цела и невредима.

— Утром я займусь подготовкой у себя в комнате, — сообщила она. — Гейдж вернется позже. Мы еще раз попробуем использовать нашу связь. Надеюсь, вы будете рядом — в качестве якоря.

— Конечно, — кивнула Куин.

— Вы знаете, что Гейдж остался и ночевал на диване?

— Мы хотели вместе с ним вернуться в дом Кэла. — Лейла подняла голову от клавиатуры. — Он сказал, что остается. На самом деле никто не хотел уезжать — на случай, если ночью тебя будут мучить кошмары.

— Вы все остались, и, наверное, поэтому никаких кошмаров не было. Спасибо.

— Я тут кое-что нашла, и это должно тебя подбодрить. Наш дом. — Куин развела руками. — Или земля, на которой он стоит. Она принадлежала Патрику Хоукинсу, внуку Энн Хоукинс и сыну Флетчера. Фокс проверит документы, но уже теперь я могу утверждать, что мы скоро докажем еще одну теорию.

— Если все так, и даже если «тюрьма», как выразился Фокс, более подходящее определение, чем убежище, — продолжила Лейла, — это надежный способ защитить людей. По крайней мере некоторых.

— Чем большее количество людей удастся защитить или хотя бы дать им возможность защищаться самим, тем больше у нас останется сил для атаки. — Сибил кивнула. — Согласна. И мы должны атаковать. У Языческого камня. Мы это не обсуждали, по крайней мере подробно, поскольку мужчины сопротивляются, но решающая битва с демоном произойдет именно там.

— В полночь, — со вздохом продолжила Куин. — Когда наступит седьмое июля. Когда начнется эта Седмица. Ты права, я знаю. Думаю, мы все знаем, но все равно это выглядит как бегство с поля боя.

— Мужчинам будет труднее, — прибавила Лейла. — Потому что они уже пытались, но ничего не вышло.

— Мы не покидаем поле боя. Просто сами выбираем его. И в этот раз одержим победу — иного выхода у нас нет. — Сибил вновь посмотрела на таблицу. — Демон нас не знает. Хотя думает, что понимает, считая нас слабыми, хрупкими и уязвимыми. И у него есть для этого все основания. Он приходит и побеждает. Каждый раз. И с каждым разом становится сильнее.

— Дент усмирил его, — напомнила Лейла. — На несколько столетий.

— Дент нарушил правила, пожертвовал собой. И он был стражем. — Склонив голову, Куин посмотрела в глаза Сибил. — И все равно остановил демона только на время. Обязанность и силу следовало передать другим. Ослабленную, расколотую. Потребовались мы шестеро, чтобы собрать эту силу, и мы все еще не умеем ею пользоваться. Но...

— Вот именно. Теперь у нас есть сила и возможность научиться. Мы знаем время и место, — настаивала Сибил. — Нас шестерых достаточно. В снах, что я видела, с каждым что-то случается. Наверное, это предупреждение. Демон попытается снова разделить нас, ослабить силу, которую мы получили. Мы не можем этого допустить — и не допустим.

— Я поговорю с Кэлом насчет решающей битвы у Языческого камня. Думаю, он и так догадывается.

— И Фокс, наверное, тоже, — сказала Лейла. — Я с ним поговорю.

— Значит, мне остается Гейдж, — вздохнула Сибил.

Гейдж мерил шагами кабинет Кэла.

— Она хочет снова попробовать нашу связь. Сегодня.

— Не так уж много дней у нас осталось, дружище, перед решающим сражением.

— Ты знаешь, что это такое, даже когда делаешь это один. Врагу не пожелаешь. А ей вчера сильно досталось. Очень сильно.

— Ты за нее волнуешься?

Гейдж остановился, озадаченный и раздраженный.

— Не больше чем за любого другого. Кроме того, я беспокоюсь о себе. Если она не выдержит...

— Поздно, приятель. Ты уже поставил ее на первое место. Не трать силы, не пытайся меня обмануть. Ты влип. Хотя почему бы и нет?

— Эта штука называется «секс», — не сдавался Гейдж. — И, конечно, взаимозависимость — учитывая обстоятельства. Мы делаем одно дело и поэтому заботимся друг о друге. Вот и все.

— Ага.

Гейдж повернулся и пронзил Кэла испепеляющим взглядом, но тот продолжал ухмыляться.

— Похоже, у тебя все по-другому.

— Ты имеешь в виду секс?

— В частности. — Раздосадованный Гейдж сунул кулаки в карманы. — И еще много чего. Ты до смерти нормальный парень.

— В нашей ситуации лучше не упоминать о смерти.

Позвякивая в кармане мелочью, Гейдж пытался найти нужные слова.

— Ты парень из «Боул-а-Рамы», Кэл, — с домом в деревне, с дружной семьей и большой глупой собакой. Без обид, — прибавил он, взглянув на Лэмпа, который спал на спине, задрав вверх все четыре лапы.

— Ладно уж.

— Ты Хоукинс из Холлоу и всегда таким останешься. У тебя есть сексуальная блондинка, которая с радостью приземлит здесь свою классную задницу и будет жить с тобой и твоей глупой собакой в деревенском доме, растить детей.

— Примерно так.

— Что касается Фокса, он увяз тут не меньше тебя. Мальчик из семьи хиппи превратился в городского адвоката с большой и дружной семьей, заполучил хорошенькую брюнетку, у которой обнаружилось достаточно воли и мужества, чтобы открыть в городе свой бизнес — потому что им этого хочется. А также дом с садом и детей. Вероятно, вы четверо будете безумно счастливы.

— Надеюсь.

— То есть если останемся живы. Но мы все прекрасно знаем, что это необязательно.

— Когда и если. — Кэл кивнул. — Жизнь — игра.

— Для меня игра — жизнь. Если я останусь цел, игра продолжится. Дом в деревне, работа с девяти до пяти, «что ты будешь на ужин, дорогой» — все это не для меня.

— Ты думаешь, Сибил этого хочет?

— Я не знаю, чего она хочет. И это не мое дело — вот в чем суть. — Гейдж нервно провел рукой по волосам. Потом в раздражении опустил руку — он знал, что привычный жест выдает его. — Мы спим друг с другом, — продолжил он. — У нас общая цель: разделаться с ублюдком и остаться в живых. Вот и все.

— Отлично. — Кэл невозмутимо развел руками. — Тогда почему ты так нервничаешь?

— Я... будь я проклят, если знаю, — признался Гейдж. — Может, не хочу брать на себя ответственность, которая неизбежна при такой связи, как у нас с Сибил. Женщины, конечно, могут сколько угодно рассуждать о равенстве, но ты-то знаешь, как это бывает.

— Знаю.

— Вчерашнее происшествие... Неужели я могу выбросить из головы то, что он с ней сделал? Абстрагироваться?

— Не можешь и не должен. Но мы не имеем права отступать. Нам это тоже известно.

— Может, она мне нравится. — Гейдж вздохнул. — Ладно, она мне нравится, без всяких «может». Что неудивительно, если подумать. — Рука опять дернулась к голове, но Гейдж усилием воли удержал ее. — Все это слишком, черт возьми.

— Симпатия и дом в деревне с большой глупой собакой — это не одно и то же.

— Точно. — Гейдж позволил себе расслабиться. — Не одно и то же. Я могу ей это сказать. По возможности дипломатично.

— Не сомневаюсь. Я принесу поднос для твоей головы, которую она тебе открутит.

— Логично, — пробормотал Гейдж. — Тогда мы просто не будем этого касаться. Но когда мы установим связь, я хочу, чтобы вы с Гейджем были рядом.

— Значит, будем.

Ему по-прежнему это не нравилось, но Гейдж был реалистом и понимал, что в жизни приходится делать много необходимых вещей, которые тебе не по душе. Компенсацией стали выбор времени и места. На его территории — дом Кэла в большей степени заслуживал этого определения, чем любое место в Холлоу — и ближе к вечеру, чтобы друзья были рядом.

Если что-то пойдет не так, ему будет на кого опереться.

— Даже с учетом свихнувшегося Роско я бы предпочла свежий воздух. — Взгляд Сибил скользнул по комнате, остановился на Гейдже. — Дело в том, что нам, возможно, придется проделать это еще раз, на улице, и было бы неплохо отработать средства защиты.

— Отлично. Минутку.

Гейдж вышел и тут же вернулся с «люгером» в руке.

— Ты же не думаешь, что я к нему прикоснусь? — запротестовал Фокс.

— Тогда бери садовый нож, как в прошлый раз. — Гейдж повернулся к Кэлу.

— Ладно. Черт. — Кэл с явной опаской взял оружие.

— Он на предохранителе.

Сибил открыла сумку, достала свой револьвер и протянула Куин. Та откинула барабан, осмотрела гнезда для патронов, вернула барабан на место.

— Порядок, — сказала она, не обращая внимания на удивленный взгляд Кэла.

— Сколько нового узнаешь о любимой женщине. Может, возьмешь этот, побольше?

— Не стоит, милый. Ты и сам справишься.

— Куин отлично стреляет, — сообщила Сибил. — Все готовы?

Когда они, по пути во двор, проходили кухню, Фокс взял с подставки два ножа.

— На всякий случай, — сказал он, протягивая один Лейле.

— На всякий случай.

На небе собирались облака, отметил Гейдж, но было достаточно светло, и ветер не усиливался. Он сел рядом с Сибил на траву, а друзья расположились вокруг.

— Давай сосредоточимся на конкретном месте, — предложила она.

— Например?

— На этом. Дом Кэла — отличная отправная точка. Возможно, это ослабит побочные эффекты.

— Ладно. — Гейдж взял ее за руки, посмотрел в глаза. Здесь, подумал он. Трава, лес, земля.

Перед его мысленным взором появился сад, склон, очертания дома. По мере того как картина становилась четче, весенние цветы завяли, листья высохли и пожелтели. Землю припорошило снегом, ветки деревьев покрылись изморозью. С неба падали большие пушистые хлопья. Гейдж чувствовал, как они, холодные и влажные, касаются его кожи. Пальцы Сибил стали холодными.

Из трубы поднимался дым, и среди падающего снега красной молнией мелькнула овсянка, спустившаяся на кормушку для птиц.

Внутрь, подумал Гейдж. Кто там, внутри? Кто разжег камин, наполнил кормушку? Взяв Сибил за руку, он прошел сквозь стены на кухню. Ваза — знакомая, работа матери Фокса — с фруктами на столе. Откуда-то доносится музыка. Классическая — это сразу насторожило Гейджа. Кэл не поклонник классической музыки, и Куин, кажется, тоже.

Кто слушает эту музыку? Кто купил яблоки и апельсины, лежащие в вазе? Мысль о чужих людях в доме Кэла влекла его вперед, зажигала искры гнева в его душе. Пальцы Сибил крепче сжали его руки, удерживая на месте. Он почти слышал ее голос.

Отбрось страх. Отбрось гнев. Жди и смотри.

Подавив эмоции, Гейдж двинулся вслед за Сибил.

В камине потрескивало пламя. На каминной доске стояла прозрачная ваза с тюльпанами. На диване, накрытая разноцветным пледом, спала Куин. Гейдж смотрел, как Кэл подходит к ней, наклоняется, целует в щеку. Куин пошевелилась, и Гейдж почувствовал, как тревога отступает.

— Привет. — Она открыла глаза.

— Привет, Блонди.

— Прости. Наверное, Моцарт полезен для ребенка, но от его музыки я всегда засыпаю.

Плед соскользнул на пол, и Гейдж увидел, что Куин на последних месяцах беременности. Она сложила руки на животе, и Кэл накрыл их своей ладонью.

Звуки, образы, запахи — все смешалось, и Гейдж снова оказался на траве напротив Сибил.

— Для разнообразия неплохо иметь и позитивный вариант, — с трудом произнесла она.

— Болит голова? — встревожилась Куин. — Тошнит?

— Нет. В этот раз было легче. И картина приятная. Наверное, тоже имеет значение. Счастье. Вы с Кэлом в доме. Зима. Ты сидишь у камина.

Сибил стиснула пальцы Гейджа, искоса посмотрела на него. Восприняв и то и другое как предупреждение, он пожал плечами. Не хочет — не надо.

— Лучше, чем в прошлый раз, — решила Куин. — И как я выглядела? Уродливые шрамы после битвы с демоном?

— Замечательно выглядела. Оба замечательно выглядели. Давай еще раз попробуем. Теперь не место, а люди. — Сибил посмотрела на Лейлу с Фоксом. — Не возражаете?

— Нет. — Лейла взяла Фокса за руку. — Давайте.

— Точно так же. — Сибил посмотрела в глаза Гейджу. — Медленно и плавно.

Он представил их, как раньше дом Гейджа — форма, цвет, фактура. Такими, какими видел их только что, держащимися за руки. И увидел то, что могло быть.

Наверное, магазин. Будущий бутик Лейлы, с прилавками, витринами, стеллажами. Она сидела за небольшим изящным столом и печатала на клавиатуре ноутбука. Открылась дверь, вошел Фокс.

— Удачный день? — спросил он.

— Удачный. В сентябре дела идут хорошо, а сегодня я получила осеннюю коллекцию.

— Тогда поздравляю с юбилеем.— Он извлек из-за спины букет красных роз.

— Какие красивые! Я тебя тоже поздравляю.

— Месяц со дня официального открытия.

Рассмеявшись, Лейла взяла цветы; бриллиант на ее пальце сверкнул в лучах солнца. — Тогда идем домой и отпразднуем. Я выпью бокал вина, свою недельную порцию.

— Ты заслужила. — Фокс обнял ее. — Молодец.

— Да.

Когда они вернулись к действительности, Сибил вновь сжала руки Гейджа.

— Теперь твоя очередь, — предложила она.

— Твой магазин выглядит круто. И ты тоже, — прибавил Гейдж в ответ на ее судорожный вдох. — Так что, если это считать одним из возможных вариантов, у тебя еще осталось время им заняться. А Фокс такой же, как всегда.

Он поднял голову и посмотрел на небо.

— Скоро дождь пойдет.

— У нас есть время для еще одного сеанса, — настаивала Сибил. — Займемся главным. Языческим камнем.

Гейдж думал, что она захочет увидеть свое будущее или будущее их двоих. Но Сибил удивила его — уже не в первый раз.

— Хорошо. Но сегодня этим и ограничимся.

— Согласна. У меня появились кое-какие идеи. На следующие разы. Готов?

Все случилось слишком быстро. Мгновенно — как только Гейдж открыл свой разум перед будущим, перед Сибил. Теперь это было не плавное скольжение, а стремительный полет камня, выпущенного из пращи. Гейдж оказался в самом центре катастрофы. Реки крови и огня заливали выжженную землю поляны, с шипением набрасывались на камень.

Он увидел Сибил с бледным, как полотно, лицом. Ее рука кровоточила, его тоже. Гейдж жадно втягивал пропитанный дымом воздух, обжигавший легкие. Услышав тревожные крики, он приготовился.

К чему? Для чего? Что он знал?

Оно наступало со всех сторон. Из тьмы, из дыма, из земли, из воздуха. Гейдж потянулся за пистолетом, но рука вернулась пустой. Он шагнул к Сибил, но она рухнула на землю и застыла, словно мертвая.

Он был один со своей яростью. То, что его окружало, издало жадный, торжествующий рык. Что-то обрушилось на него, рассекло грудь. Боль поглотила его почти целиком.

Спотыкаясь, он попытался оттащить Сибил. Ее глаза открылись, остановились на нем.

— Сделай это сейчас. Ты должен. Иного выхода нет.

Гейдж прыгнул к Языческому камню, упал на него, и все тело пронзило болью. Голой рукой схватил лежащий на плите гелиотроп. Не обращая внимания на пламя, сочившееся сквозь сжатые пальцы, он швырнул амулет в абсолютную черноту.

Не осталось ничего, абсолютно ничего, кроме боли. Он лежал на Языческом камне, и огонь пожирал его.

Гейдж с трудом вернулся в реальный мир: в голове звенело, желудок выворачивало наизнанку. Вытерев сочившуюся из носа кровь, он посмотрел в застывшие глаза Сибил.

— Ничего себе медленно и плавно.

12

Сибил не потребовалось долго уговаривать, чтобы следующие несколько дней посвятить исследованиям. Они с Гейджем снова должны заглянуть в будущее, но нельзя сказать, что она с нетерпением ждет этого события.

Видела ли она смерть Гейджа? А свою собственную? Сибил снова и снова возвращалась к этой мысли. Смерть ли это была, или какой-то другой конец, когда тьма окутала ее, скрыв все вокруг? Чьи крики она слышала? Свои?

Сибил и раньше видела себя у Языческого камня и каждый раз встречала там свою смерть. Не жизнь и счастье, как у Лейлы и Куин, а кровь и смерть.

Она понимала, что должна вернуться туда. И мысленно, и в реальности. Чтобы не только найти ответы, но и принять их. И тогда она станет сильнее. Но не сегодня. Сегодня в городе праздник — с красными, белыми и синими флагами, духовыми оркестрами и маленькими девочками в ярких костюмах. На ее взгляд, сегодняшний парад по случаю Дня поминовения был небольшим срезом жизни Холлоу, напомнившим ей, почему она должна вернуться к камню.

Ступеньки конторы Фокса были превосходным местом для наблюдения.

— Люблю парады, — призналась стоявшая рядом Куин.

— Мейн-стрит, США. Трудно сопротивляться.

— Смотри, вон ребята из детской бейсбольной команды. — Куин привстала на цыпочки, чтобы лучше разглядеть пикап, который вез мальчишек в черной униформе. — Это «Блейзерс», который спонсирует «Боул-а-Рама». Отец Кэла их тоже тренирует. Они выиграли три игры подряд.

— Ты по-настоящему увязла. Я имею в виду в жизни маленького города.

— Кто знает? — Куин со смехом обняла Сибил за талию. — Я подумываю, не вступить ли мне в какой-нибудь комитет, и собираюсь устроить встречу в книжном магазине, с раздачей автографов. Мама Кэла предложила научить меня печь пирог, но я отказалась. Хорошего понемножку.

— Ты влюбилась, — заявила Сибил. — Не только в Кэла, но и в город.

— Точно. Похоже, работа над этой книгой изменила мою жизнь. Привела сюда, заставила понять, что я часть легенды, которую изучаю. Привела меня к Кэлу. Но не только. Помимо ужаса, с которым нам пришлось столкнуться, я узнала еще кое-что. Людей, общность, гордость. Мне всегда этого хотелось, в отличие от тебя.

— Не имею ничего против. На самом деле мне самой очень нравится.

Она окинула взглядом выстроившихся вдоль тротуаров людей: отцы с маленькими детьми на плечах, длинноногие девочки-подростки в ярких нарядах, семьи и компании друзей, расположившиеся на складных стульях у самого бордюра. Воздух был пропитан запахами хот-догов и карамели, а также ароматом гелиотропа — Фокс выставил горшки с цветами на ступени крыльца. Все было ярким и свежим: синее небо, желтое солнце, национальные флаги над улицами, красные и белые петунии в корзинах, подвешенных к каждому фонарному столбу на Мейн-стрит.

Маленькие девочки с украшенными блестками жезлами выполняли акробатические номера по пути к площади. Доносились звуки труб и барабанов — это приближался оркестр.

Сибил предпочитала энергичный Нью-Йорк, стильный Париж и романтичную Флоренцию, но в этот солнечный субботний день в конце мая ей казалось, что нет на свете места лучше, чем Хоукинс Холлоу.

Фокс протянул ей стакан и в ответ на удивленный взгляд объяснил:

— Солнечный чай. Пиво, если ты не против.

— Отлично. — Она сделала глоток и оглянулась на Гейджа. — Не любишь парадов?

— Уже навидался.

— А вот и гвоздь программы, — объявил Кэл. — Духовой оркестр старших классов.

Мажоретки и почетный караул подбрасывали и крутили серебристые жезлы и блестящие белые ружья. Девушки группы поддержки танцевали и размахивали мохнатыми помпонами. Любимицы публики, подумала Сибил, когда приветственные крики и аплодисменты стали громче. Промаршировали барабанщики, и оркестр заиграл «Вертись и кричи»[1].

— Как в кино, — сказал Кэл, и Сибил рассмеялась.

— Потрясающе, правда? Просто потрясающе.

От умиления у нее защипало глаза. Эти юные лица, яркие сине-белые костюмы, вращающиеся жезлы, веселая музыка. Люди на тротуарах начали танцевать и подпевать; от начищенной меди духовых инструментов разбегались солнечные зайчики.

И вдруг из труб хлынула кровь, заливая яркосинюю и белоснежную униформу музыкантов, веселые юные лица, шляпы с высокими тульями. Она лилась из гобоев, сочилась из флейт, капала с барабанных палочек.

— О боже, — выдохнула Сибил.

В воздухе над улицей возник мальчишка, спрыгнул на мостовую и пустился в пляс. Когда взгляд его жутких глаз остановился на Сибил, ей захотелось сжаться в комок, спрятаться. Она не шевелилась, борясь с дрожью. Рука Гейджа легла на ее плечо, и Сибил стало чуть легче.

Флаг над их головами вспыхнул. Оркестр продолжал играть под приветственные крики толпы.

— Погоди. — Фокс сжал руку Лейлы. — Кое-кто тоже видит или чувствует. Смотри.

---

[1] Песня, написанная американскими авторами Филом Медлеем и Бертом Расселом. Многократно перепевалась разными группами, в том числе «Битлз».

Лейла с трудом оторвала взгляд от демона. На лицах некоторых горожан увидела страх, на других — растерянность или удивление. Родители хватали маленьких детей и проталкивались сквозь толпу, торопясь унести их, но многие продолжали хлопать в ладоши в такт музыке.

— Плохой мальчик! Плохой мальчик! — закричал ребенок, сидевший на плечах отца, и зашелся в плаче. Взлетавшие в воздух жезлы были объяты пламенем. По улице текли реки крови. Часть музыкантов нарушила строй и бросилась бежать.

Куин, стоявшая рядом с Сибил, хладнокровно фотографировала происходящее.

Сибил, не отрываясь, смотрела на мальчишку. Он повернул голову — почти на сто восемьдесят градусов — и снова встретился с ней взглядом. В безумной улыбке блеснули острые зубы.

— Я оставлю тебя на закуску, сделаю своей игрушкой. Помещу в тебя свое семя. А когда оно созреет и расцветет, вырежу его из тебя, и оно будет пить твою кровь, как материнское молоко.

Затем он подпрыгнул, вскочил на облако пламени и стремительно понесся на Сибил.

Она могла убежать, могла застыть на месте. Но не успела. Гейдж дернул ее назад с такой силой, что она упала. А когда поднялась, он уже заслонил ее собой. Сибил увидела, как мальчишка превращается в кроваво-черную массу и исчезает под раскаты безумного смеха.

В ушах звенело — от этого смеха и от грома духового оркестра, продолжавшего маршировать по Мейн-стрит. Оттолкнув Гейджа, заслонявшего улицу, Сибил посмотрела на красные, белые, синие флаги и лучи солнца, отражавшиеся от начищенных инструментов.

— Кажется, на сегодня с меня хватит парадов. — Она попятилась.

В конторе Фокса Куин загрузила фотографии в его компьютер.

— Того, что мы видели, тут нет. — Она постучала пальцем по экрану.

— Потому что это иллюзия. Хотя и не совсем, — сказала Лейла.

— Размытые контуры и пятна, — отметила Куин. — И что-то вроде облачка на месте маленького ублюдка. Вот здесь и здесь.

— По поводу фотографирования паранормальных явлений есть разные точки зрения. — Получив конкретный предмет для исследования, Сибил успокоилась. Откинув волосы за спину, она наклонилась к экрану. — Некоторые считают, что цифровые фотоаппараты обладают преимуществом и могут регистрировать части спектра, невидимые человеческому глазу. Другие отвергают их из-за способности фиксировать отражение, рефракцию и частички пыли, которые делают изображение размытым. Поэтому рекомендуют брать хорошую тридцатипятимиллиметровую камеру. Но...

— Мы имеем дело не со светом, а с тьмой, — закончила Куин, уловив ее мысль. — В этом случае предпочтительнее инфракрасные линзы. Нужно было достать диктофон из сумочки, — прибавила она, медленно листая фотографии. — Но все произошло так быстро, и я думала о снимках, а не о звуке, пока...

— Мы не услышали его слов.

— Да. — Куин накрыла ладонью ее руку. — Хотелось бы знать, записывается ли звук, и если записывается, то в каком виде.

— По-моему, важнее другое. Мы были не единственными, кто его видел.

Куин повернулась к Гейджу.

— Ты прав. Да, прав. Но что это значит: демон достаточно силен и может преодолевать барьер реальности, или люди, которые что-то видели и чувствовали, просто более восприимчивы? Вовлечены?

— Думаю, и то и другое. — Не отрывая взгляда от фотографий, Фокс ласково погладил Лейлу по спине. — Лейла назвала это не совсем иллюзией. Мне тоже так кажется. Всех, кто отреагировал на появления демона, я, конечно, не видел, но семьи тех, кого заметил, жили в Холлоу на протяжении многих поколений.

— Точно, — подтвердил Кэл. — Я тоже обратил внимание.

— Если получится переселить людей в убежище, начинать нужно именно с них.

— Мой отец поговорил кое с кем, и они чувствуют себя не в своей тарелке, — кивнул Кэл. — У нас получится. — Он посмотрел на часы. — Пора ехать к моим родителям. Нас ждет грандиозный пикник в саду — забыли? Если кто-то не хочет, я за них принесу извинения.

— Мы все должны поехать. — Выпрямившись, Сибил оторвала взгляд от снимков. — Мы все поедем, будем пить пиво, есть гамбургеры и картофельный салат. Мы же договорились. Жить, заниматься своими делами, быть нормальными, особенно после таких происшествий, значит показывать ему кукиш.

— Полностью согласна с Сибил. Я должна вернуться домой, скопировать карту памяти, потом мы с Кэлом можем ехать.

— А мы запрем дом и присоединимся к вам. — Фокс посмотрел на Гейджа. — Пойдет?

— Да, мы за вами.

— Идите, — предложила Сибил. — Мы запрем дверь.

— Хорошо.

— Чего ты не хотела говорить в присутствии остальных? — спросил Гейдж, оставшись наедине с Сибил.

— Умение разбираться в людях — это полезно и профессионально. Несмотря на оптимистичные картины, мы видели и оборотную сторону медали. Я поняла: тут два аспекта. В прошлый раз вы пытались дать бой демону у Языческого камня, но ничего не вышло. Погибли люди. Однако...

— Все равно все закончится у Языческого камня, — перебил он. — Знаю. Другого варианта нет. Мы с тобой это понимаем — видели не один раз. Кэл и Фокс тоже. Им тяжелее. Это их родной город, знакомые люди.

— Твой тоже, Гейдж. По сути своей, — поспешно прибавила она, не давая ему возразить. — Здесь твои корни, неизвестно, где закончится твоя жизнь, но началась она здесь. Это твое.

— Возможно. А второй аспект?

— Я хочу попросить тебя об одолжении.

— Каком? — брови Гейджа взлетели вверх.

Она улыбнулась.

— Я знаю, что ты не из тех людей, которые говорят: «Все, что угодно». Если все обернется не так, как мы надеемся, и если ты будешь уверен, что уже ничего не исправить... и если я сама буду не в состоянии это сделать...

— Хочешь, чтобы я тебя убил.

— Догадливый. Я много раз видела, как ты это делаешь — во сне. Оборотная сторона медали. В ясном уме и твердой памяти я заявляю: лучше умереть, чем пережить то, чем угрожал мне демон. Я хочу знать, что ты меня понимаешь, и прошу этого не допустить. Любой ценой.

— Я тебя не отдам, Сибил. Другого ты от меня не услышишь, — прибавил он, предупреждая ее возражения. — Ему ты не достанешься.

Она смотрела в глаза Гейджа — зеленые и ясные — до тех пор, пока не увидела то, что хотела.

— Ладно. Пошли есть картофельный салат.

Гейджу требовалось отвлечься, и он решил, что лучше всего для этой цели подойдет покер. Ставки были невелики, но сама игра сделала свое дело. Как и короткая разлука с Хоукинс Холлоу и Сибил. От первого никуда не денешься, размышлял он тихим июньским утром, возвращаясь назад. Но он позволил себе слишком сильно увлечься женщиной.

Пора сдать назад.

Когда женщина просит лишить ее жизни, чтобы спасти от худшей участи, сдавать назад уже поздно. Слишком велика ответственность, думал он, ведя машину по знакомой дороге. И какого черта он пообещал не бросать ее? Наверное, что-то в ее взгляде, решил Гейдж. Спокойно и уверенно она попросила его убить себя. Причем абсолютно серьезно. Более того, верила, что он понимает, насколько серьезно.

Пора поговорить, решил Гейдж. Пора расставить все точки над «i». Он не хочет, чтобы кто-то от него зависел.

Он мог спросить себя, почему не остался после игры, почему не воспользовался номером в отеле, который снял на ночь. Почему проигнорировал сигналы чрезвычайно привлекательной рыжеволосой женщины, оказавшейся достойной соперницей за карточным столом. При прочих равных условиях он теперь мог бы наслаждаться завтраком после ночи, проведенной с рыжей красоткой. А вместо этого возвращался в Холлоу.

Он не будет спрашивать почему. Какой смысл задавать вопрос, если не хочешь слышать ответ.

Услышав звук сирены, Гейдж посмотрел в зеркало заднего вида, потом перевел взгляд на спидометр.

Всего на пять миль больше разрешенной скорости — ему некуда было торопиться. Остановившись на обочине, он не очень удивился, увидев, что из патрульной машины выходит Деррик Нэппер.

Чертов Нэппер, который с детства ненавидит его, Кэла и Фокса. И кажется, посвятил всю свою жизнь тому, чтобы досадить им. Особенно Фоксу. Хотя никто из них троих не может чувствовать себя в безопасности.

Кретин строит из себя важную шишку, подумал Гейдж, наблюдая, как Нэппер медленно идет от патрульной машины к его «Феррари». И как такому законченному ублюдку доверили оружие и разрешили нацепить значок?

Нэппер наклонился и оскалил в улыбке зубы.

— Некоторые считают, что крутая тачка дает им право нарушать закон.

— Наверное.

— Ты превысил скорость, приятель.

— Возможно. — Не дожидаясь просьбы, Гейдж протянул водительское удостоверение и документы на машину.

— Во сколько она тебе обошлась?

— Выписывай штраф, Нэппер.

Глаза Нэппера прищурились, превратившись в щелочки.

— Твоя машина виляла.

— Нет, — с прежним спокойствием ответил Гейдж. — Неправда.

— Опасная езда, превышение скорости. Пил?

Гейдж постучал пальцем по пластиковому стакану в держателе.

— Кофе.

— Я чувствую, от тебя пахнет спиртным. Вождение в пьяном виде у нас считается серьезным преступлением, придурок. — Нэппер улыбнулся. —

Я хочу, чтобы ты вышел из машины и прошел тест на алкоголь.

— Нет.

Рука Нэппера скользнула к кобуре.

— Я сказал, выходи из машины.

Заглотил наживку, подумал Гейдж. Фокс тоже использовал такой прием. Пусть этот кретин с полицейским значком доиграет комедию до конца. Гейдж медленно извлек ключи из замка зажигания, вышел из машины и, глядя в глаза Нэпперу, заблокировал двери.

— Я не буду дышать в трубку тестера. У меня есть право отказаться.

— Я утверждаю, что от тебя пахнет спиртным. — Нэппер ткнул пальцем в грудь Гейджа. — Ты никчемный пьяница, как твой отец.

— Можешь утверждать все, что угодно. Мнение придурков меня не интересует.

Нэпер толкнул Гейджа к машине. Гейдж сжал кулаки, но не вынимал руки из карманов.

— Ты пьян. — Чтобы подчеркнуть свои слова, Нэппер уперся ладонью в грудь Гейджа. — И сопротивлялся аресту. Напал на полицейского. Посмотрим, как ты запоешь, оказавшись за решеткой. — Он снова толкнул Гейджа и ухмыльнулся. — Дерьмо собачье. — Он повернул Гейджа. — Руки.

Гейдж спокойно положил руки на крышу машины, и Нэппер обыскал его.

— Тащишься? Для этого все и затеял? — Он задохнулся, но устоял — Нэппер ударил его по затылку.

— Сейчас ты у меня заткнешься. — Заведя руки Гейджа за спину, Нэппер застегнул наручники. — Сначала немного покатаемся, а потом за решетку.

— Будет интересно послушать твои объяснения, когда я приглашу шестерых свидетелей, проезжавших мимо, пока ты ко мне приставал. Мои руки были опущены — в отличие от твоих. Номера машин я запомнил. У меня хорошая память на цифры. — Нэппер припечатал его к машине, но Гейдж даже не поморщился. — А вот еще один.

Приближавшаяся машина затормозила. Гейдж узнал маленький автомобиль Джоанны Барри.

— Ага. — Остановив машину, она опустила стекло.

— Проезжайте, миссис Барри. Это дело полиции.

Неприязненный взгляд, который Джо бросила на Нэппера, был красноречивее слов.

— Вижу. Адвокат нужен, Гейдж?

— Похоже. Пусть Фокс ждет меня в участке.

— Я сказал, проезжайте! — рука Нэппера снова легла на застежку кобуры. — Или вы хотите, чтобы я вас арестовал за неповиновение властям?

— Ты всегда был маленьким гаденышем. Я позвоню Фоксу, Гейдж. — Джо съехала на обочину и, не отрывая взгляда от Нэппера, достала телефон.

Выругавшись, Нэппер затолкал Гейджа на заднее сиденье патрульной машины. Гейдж видел, что, сев за руль, он все время поглядывает в зеркало заднего вида. Глаза его горели яростью — Джоанна сопровождала патрульную машину до самого города, до полицейского участка.

Страх Гейдж почувствовал тогда, когда Джоанна и Нэппер вышли, а он остался запертым в патрульной машине. Нет, нет, подумал он, тут тоже полно свидетелей. Нэппер не посмеет тронуть ее, а если посмеет...

Но после короткого обмена репликами Нэппер открыл дверцу и вытащил Гейджа. Джоанна прошла в участок, поздоровалась с женщиной в диспетчерской и открыла дверь в кабинет начальника полиции Уэйна Хоубейкера.

— Я хочу подать жалобу на одного из ваших сотрудников, Уэйн. И прошу вас немедленно пройти со мной.

Потрясающая женщина, подумал Гейдж, наблюдая за ней.

Хоубейкер вышел и вопросительно посмотрел на Нэппра.

— Я задержал этого субъекта за превышение скорости и неосторожную езду. Подозреваю, что он пьян. Отказался от теста на алкоголь, сопротивлялся, замахнулся на меня.

— Вранье!

— Джоанна, — спокойно произнес Хоубейкер. — Гейдж?

— Я превысил скорость. Миль на пять. Остальное уже сказала Джоанна. Вранье.

Хоубейкер внимательно смотрел на него.

— Пил?

— Стакан пива. Вчера, в десять вечера. Прошло уже часов двенадцать, так?

— Он вилял на дороге. И у него в машине стакан.

— Я не вилял. А стакан из-под кофе, из придорожной забегаловки. А ты, парень, меня оскорблял, лапал, ударил по затылку, надел наручники и предложил прокатиться, прежде чем привезти сюда.

Щеки Нэппера вспыхнули от ярости.

— Он лжет.

— Моя машина на обочине, — спокойным тоном продолжил Гейдж. — Недалеко от Блю-Маунтинлейн, перед двухэтажным домом из красного кирпича — белые ставни, палисадник. На подъездной дорожке белый хэтчбек, «Тойота», номерной знак штата Мэриленд. Хорошенькая брюнетка в палисаднике все видела. Можете проверить. — Оглянувшись, он небрежно улыбнулся Нэпперу. — Ты не слишком наблюдателен для копа.

— Должно быть, это Дженни Маллендор. — Хоубекер вглядывался в лицо Нэппера. Неизвестно, что он там увидел, но на скулах у него выступили желваки. Сказать он ничего не успел, потому что в участок влетел Фокс.

— Молчи, — сказал он, ткнув пальцем в Гейджа. — Почему мой клиент в наручниках?

— Освободи его, Деррик.

— Я предъявляю ему вышеизложенные обвинения, и...

— Я сказал, сними наручники. Сейчас мы все присядем и уладим это дело.

— Вы не на моей стороне? — вскинулся Деррик.

— Я хочу побеседовать со своим клиентом, — сказал Фокс. — Наедине.

— Фокс. — Хоубейкер провел ладонями по коротким седеющим волосам. — Погоди минуту. Ты ударил Гейджа, Деррик?

— Нет, черт возьми. Но он сопротивлялся, и мне пришлось его утихомирить.

— Именно это я услышу от Дженни Маллендор, когда спрошу ее?

Глаза Деррика превратились в щелочки; в них полыхала ярость.

— Я не знаю, что она скажет. Но знаю, что она трахается с ним и поэтому соврет все, что угодно.

— Ты классный любовник, Гейдж, — улыбнулась Джоанна. — Помощник шерифа Нэппер считает, что я тоже с тобой трахаюсь.

Фокс повернулся к Нэпперу, и Гейдж, руки которого были скованы наручниками, мог лишь оттолкнуть его плечом.

— Что ты сказал моей матери?

— Не волнуйся. — Зная сына, Джоанна шагнула вперед и сжала его локоть. — Я подаю жалобу. Он заявил мне, чтобы я убиралась, когда я поехала за ним, а сделала это я потому, что он толкал Гейджа, хотя тот уже был в наручниках. Деррик предположил, что я сплю с Гейджем и с половиной мужчин города.

— Господи, Деррик.

— Она лжет.

— Все лгут, кроме тебя. — Гейдж покачал головой. — Тяжелый случай. Если через пять секунд с меня не снимут наручники, я поручаю своему адвокату подать гражданский иск против помощника шерифа и отделения полиции Хоукинс Холлоу.

— Освободи его. Быстро! Карла! — Хоубейкер повернулся к сидевшей в диспетчерской женщине, которая смотрела на них во все глаза. — Свяжись с Дженнифер Маллендор.

— Уже, шеф. Она на проводе. Только что позвонила, чтобы сообщить об... инциденте напротив ее дома.

Лицо Фокса осветилось улыбкой.

— Приятно, что рядовые граждане исполняют свой долг, правда? Вы предъявляете обвинения моему клиенту, шеф?

Хоубейкер провел ладонями по лицу.

— Я буду очень благодарен, если вы дадите мне пару минут. Я хочу ответить на этот звонок в своем кабинете. Помощник со мной. Может, присядете?

Фокс сел, вытянул ноги.

— Ты дня прожить не можешь, чтобы куда-нибудь не вляпаться, да?

— Вероятно.

— Ты тоже. — Фокс повернулся к матери.

— Мы с приятелем известные задиры, — усмехнулась Джоанна.

— Он переступил черту, — сказал Фокс. — Хоубейкер хороший полицейский, хороший начальник, и он это дело так не оставит, не спустит на тормозах. Если Дженни подтвердит твои слова, можешь подавать гражданский иск, и Хоубейкер это знает. Более того, он понимает, что от Нэппера всего можно ожидать.

— Если бы не появилась моя подружка, Нэппер бы этим не ограничился. Он уже завелся. — Гейдж наклонился и поцеловал Джоанну в щеку. — Спасибо, милая.

— Прекрати, а то я расскажу отцу. — Фокс повернулся к Гейджу. — Это был только Нэппер или придурку помогли?

— Трудно сказать, но ведь Нэппер и без всякого демона жестокий ублюдок. Думаю, он сам. Занервничал, когда я сказал, что запомнил номера шести машин, проехавших мимо, когда он меня толкал.

Гейдж взглянул на закрытую дверь, из-за которой слышался громкий голос Нэппера.

— Пошел ты! Я увольняюсь! — Взбешенный Нэппер выскочил из кабинета.

Гейдж заметил, что кобуры у него уже не было.

— Нашел шлюху, за которой можно спрятаться, — прорычал он и вышел, громко хлопнув дверью.

— Под шлюхой он имел в виду меня или Дженни Маллендор? — спросила Джоанна. — Честно говоря, я не понимаю, как она находит время на развлечения, когда у нее на руках двое дошколят. У меня же времени сколько угодно.

— Ладно, мама. — Фокс похлопал ее по руке и, увидев выходящего из кабинета Хоубейкера, встал.

— Я хочу извиниться перед вами, Джоанна, за неподобающее поведение одного из моих помощников. И буду благодарен, если вы не станете подавать жалобу. От лица отделения я хочу извиниться и перед тобой, Гейдж. Миссис Маллендор подтвердила твои слова. Я понимаю, что ты имеешь полное право подать гражданский иск. И хочу сообщить тебе, что я сказал Нэпперу о своем намерении провести тщательное расследование этого случая. Он предпочел уволиться.

— Меня устраивает. — Гейдж встал.

— Теперь неофициально. Хочу вас предупредить — всех вас и Кэла тоже, потому что Деррик вас не разделяет. Будьте осторожны. Берегитесь. Он... неуравновешен. Если хочешь, Гейдж, я отвезу тебя к машине.

— Я сам, — сказал Фокс Хоубейкеру. — Вы тоже будьте осторожны. Нэппер обозлился.

Гейдж собирался поехать прямо к Кэлу, принять душ, перекусить и, возможно, немного поспать. Но почему-то свернул к дому, который снимали женщины. На крыльце стояла Сибил в шортах и майке, открывавших стройные ноги и тонкие, изящные руки. Она поливала цветы в горшках перед входом.

Увидев Гейджа, она поставила на землю большую блестящую лейку и пошла ему навстречу.

— Слышала, ты был занят сегодня утром.

— В Холлоу ничего не скроешь.

— Да, почти. Все в порядке?

— Я не в тюрьме, а Нэппер больше не служит в городской полиции.

— Хорошие новости — обе. — Сибил склонила голову набок. — Сильно злишься? Не могу понять.

— Теперь не очень. В процессе? Так и подмывало сделать из него отбивную, но пришлось отказать себе в удовольствии.

— У того, кто умеет держать себя в руках, шансы на выигрыш больше.

— Вроде того.

— Значит, этот раунд за тобой. Зайдешь или просто проезжал мимо?

Сдай назад, отправляйся домой, приказал себе Гейдж.

— А есть шанс, что меня накормят?

— Возможно. Пожалуй, ты заслужил.

Она повернулась к дому, но Гейдж взял ее за руку.

— Я не собирался сюда сегодня. Сам не знаю, почему приехал.

— Может, поесть?

Гейдж притянул ее к себе и жадно поцеловал в губы — эта жадность не имела отношения к голоду.

— Нет. Я не понимаю, что с нами происходит, с тобой и со мной. И не знаю, нравится ли мне это.

— По крайней мере, тут мы заодно. Я тоже не знаю.

— Если мы доживем до середины июля, я уеду.

— Я тоже.

— Тогда ладно.

— Ладно. Никаких обязательств. Ни у тебя, ни у меня. — Она пригладила ему волосы и нежно поцеловала. — Гейдж, нам есть о чем беспокоиться. Есть вещи поважнее, чем наши чувства друг к другу.

— Я не лгу женщинам, не сбиваю их с пути. Вот и все.

— Приму к сведению. Я тоже не люблю, когда мне лгут, но привыкла сама выбирать себе путь. Может, все-таки войдешь и поешь?

— Да. Да, конечно.

13

Он положил цветы на могилу матери, и из земли протянулась тонкая рука, чтобы взять их. Гейдж стоял в лучах солнечного света на тихом кладбище с его печальными надгробиями, пытаясь сглотнуть ком в горле. Она поднялась, в белых одеждах цвета невинности, красивая и бледная, сжимая в руке цветы, словно невеста свадебный букет.

Ее похоронили в белом? Гейдж не помнил.

— Обычно ты приносил мне одуванчики, дикие лютики и фиалки, которые летом растут на холме у нашего дома.

В горле у него пересохло, сердце пронзила боль.

— Помню.

— Правда? — Она понюхала алые розы, похожие на кровь на фоне белого платья. — Трудно сказать, что помнят, а что забывают маленькие мальчики. Мы гуляли в лесу и в поле. Помнишь?

— Да.

— Те поля теперь застроены домами. Но мы можем немного пройтись. — Она повернулась, устроив букет роз на сгибе руки; белое платье раздулось колоколом. — Осталось так мало времени, — сказала она. — Я боялась, что ты больше не придешь. После того, что случилось в прошлый раз. — Она посмотрела ему в глаза. — Я не могла этому помешать. Он очень силен и становится сильнее.

— Знаю.

— Я горжусь, что ты остался, горжусь твоей смелостью. Что бы ни случилось, я хочу, чтобы ты знал: я тобой горжусь. Если... если ты проиграешь, я буду тебя ждать. Не нужно бояться.

— Он питается страхом.

Она снова посмотрела на него. Из-под лепестков розы выполз блестящий черный шершень, но она не отрывала взгляда от Гейджа.

— Не только страхом. У него была целая вечность, чтобы приспособиться. Если ты сможешь его остановить...

— Мы его остановим.

— Как? Осталось так мало времени, лишь несколько недель. У вас появилось что-то такое, чего не было раньше? Что вы собираетесь делать?

— Все, что потребуется.

— Вы все еще ищете ответы, но время уходит. — Она улыбнулась ласковой улыбкой, и на красных лепестках появился второй шершень. Потом третий. — Ты всегда был храбрым и упрямым мальчиком. Все эти годы отцу приходилось тебя наказывать.

— Приходилось?

— Разве у него был выбор? Ты не помнишь, что сделал?

— Что я сделал?

— Убил меня и свою сестру. Не помнишь? Мы гуляли в поле, как теперь, и ты побежал. Я пыталась тебя остановить, но ты не послушался и упал. Бедный малыш, ты так горько плакал. — Ее улыбка была широкой и какой-то светящейся, а из роз продолжали выползать шершни. Послышалось жужжание.

— Ты сильно ушибся, разбил коленку, и мне пришлось взять тебя на руки. Слишком тяжелая ноша. Понимаешь?

Она развела руки, и белое платье расцвело кровавыми цветами. Шершни собрались в черный гудящий рой, и кровь потекла даже из роз.

— Кровь и боль — всего несколько дней спустя. Все из-за тебя, Гейдж.

— Ложь. — Это был голос Сибил, которая вдруг оказалась рядом с ним. — Иллюзия. Она не твоя мать, Гейдж.

— Знаю.

— Она теперь не такая красивая, — произнес демон. — Хочешь взглянуть?

Белое платье превратилось в ветхие лохмотья, едва прикрывавшие разлагающуюся плоть. Демон рассмеялся. По телу поползли черви, и плоть исчезла. Остались одни кости.

— А ты? — демон обращался к Сибил. — Хочешь увидеть папочку?

Кости превратились в мужчину с невидящими глазами и доброй улыбкой.

— Моя принцесса! Иди, поцелуй папочку.

— Опять ложь.

— Я не вижу! Не вижу! Даже не могу увидеть, в какое бесполезное ничтожество я превратился. — Он громко рассмеялся. — Я выбрал смерть, а не тебя. — Шершни выползали из углов его рта. — Смерть лучше твоей безжалостной, отнимающей силы любви. Я недолго колебался, прежде чем... — Он приставил палец к виску. И половина головы превратилась в месиво из крови, мозга и костей.

— А это правда? Помнишь, сука? — Единственный слепой глаз закатился, затем всю фигуру охватило пламя. — Я тебя жду. Вас обоих. Вы сгорите. Они все сгорят.

Гейдж проснулся. Сибил сжимала его руку, заглядывая в глаза.

— Ты в порядке?

Она кивнула, но не двинулась с места. Гейдж сел. Комната была погружена в предрассветную полутьму.

— Это не они. — Сибил тяжело дышала. — Это не они, и это неправда.

— Нет, конечно. — Гейдж снова взял ее за руку — так лучше им обоим. — Как ты смогла проникнуть в мой сон?

— Не знаю. Я видела тебя, слышала, но поначалу как бы со стороны. Будто смотришь кино или пьесу, только сквозь какую-то пленку или пелену. А потом оказалась внутри. Я сделала усилие... — Сибил недовольно покачала головой. — Нет, неправильно, не совсем так. Не сознательно, а скорее интуитивно. Как будто ты в раздражении отдергиваешь мешающую тебе занавеску. Я подумала, что ты веришь его словам, и рассердилась.

— Нет. Я все понял с самого начала. Второй раз на ту же удочку я не попался, — пробормотал Гейдж.

— Значит, ты притворялся. — Сибил на секунду закрыла глаза. — У тебя здорово получилось.

— Он хотел, чтобы мы раскрыли карты, рассчитывал узнать, что у нас на руках. И сказал нам больше, чем мы ему.

— Время еще есть. Какую бы силу он ни набрал, какие бы гадости ни делал, ему придется ждать до седьмого июля, чтобы дать решающий бой.

— Ты права. А мы сблефуем. Заставим ублюдка поверить, что сильнее, чем на самом деле.

— Каким образом?

Гейдж встал, подошел к трюмо и выдвинул ящик.

— Наживка.

Сибил удивленно смотрела на гелиотроп в его руке.

— Мы договорились хранить его в надежном месте, а не... Погоди. Дай-ка взглянуть.

Гейдж небрежно подкинул камень на ладони, бросил Сибил.

— Это не наш гелиотроп.

— Нет. Я купил его в ювелирном магазине несколько дней назад. Но даже ты поняла не сразу.

— Размер примерно тот же, но форма отличается. В нем тоже может быть заключена сила. Судя по тому, что мне удалось раскопать, все гелиотропы могут быть обломками Альфа-камня.

— Он не наш. Не тот, которого боится демон. Хорошо бы узнать, насколько сильно боится и на что готов пойти, чтобы завладеть амулетом Дента.

— Неоценимая информация. Он использует против нас наши несчастья, нашу боль. Отплатим ему той же монетой. Гелиотроп помог Денту запереть

демона на целых три столетия и подготовить почву
для того, что делаем мы. Это серьезное поражение.
Но как нам обмануть демона?

— Есть кое-какие идеи.

У Сибил тоже были идеи, но связанные с тем-
ными закоулками сознания, бродить по которым ей
совсем не хотелось. Поэтому она промолчала и стала слушать Гейджа.

Через пару часов за задний двор дома Кэла выскочила разъяренная Сибил. Услышав шаги Гейджа,
она резко повернулась.

— У тебя нет никакого права самому принимать
такие решения.

— Черта с два. Это моя жизнь.

— Это наши жизни! — огрызнулась она. — Мы
одна команда. Мы должны быть одной командой.

— Должны? Мне до смерти надоел весь этот
бред о судьбе и предназначении, который ты так
любишь повторять. Я сам делаю выбор, сам отвечаю
за последствия. И не позволю какому-то древнему
стражу решать за меня.

— Ради всего святого. — Все в ней — глаза, голос, руки — выражало отчаяние. — У нас у всех
есть выбор. Разве мы сражаемся не потому, что
Твисс пытается нас лишить его? Но мы же вместе!
Нельзя, чтобы каждый оставался сам по себе.

— Я сам по себе. И всегда был.

— Знаешь что? Ты устал от разговоров о судьбе?
А у меня в печенках сидит твое вечное: «Я оди-
ночка, я ни с кем не связан». Это скучно. Мы все
связаны кровью.

— Думаешь? — Голос Гейджа был холоден и
спокоен. — Полагаешь, нас с тобой что-то связы-
вает? Кажется, мы уже во всем разобрались. Мы

спим друг с другом. Больше ничего. Если ты хочешь большего...

— Самодовольный придурок. Речь о жизни и смерти, а ты волнуешься, что я могу подцепить тебя на крючок? Поверь, за пределами спальни я бы на тебя не поставила.

В его глазах что-то блеснуло. Возможно, обида или вызов.

— Понятно, сестренка. Я знаю таких, как ты...

— Ты не можешь знать...

— Ты хочешь, чтобы все было по-твоему. Считаешь себя чертовски умной, и поэтому все должны плясать под твою дудку. Я никому не подчиняюсь. Думаешь, когда все закончится, ты сама решишь, удерживать меня на крючке или отпустить. Красота, мозги, стиль — какой мужчина устоит против этого? Вот он перед тобой.

— И что? — Тон ее стал ледяным. — Наши упражнения в постели прошлой ночью — ты это называешь «устоять»?

— Я называю это по-другому: трахать женщину, которая хочет и может.

Щеки Сибил побледнели, и она гордо вскинула голову.

— В таком случае можешь считать, что я не хочу и не могу, и трахайся в другом месте.

— Да пожалуйста! Мне все это надоело. Битва, город, ты. Все.

Пальцы Сибил сжались в кулаки.

— Мне плевать на твой эгоизм и твою глупость. Но пока дело не сделано, я не позволю рисковать всем, чего мы добились!

— Добились, твою мать. С тех пор как сюда явилась ты со своими подружками, мы утонули в таблицах, графиках, исследовании нашего эмоционального порога и прочей хрени.

— До нашего появления ты со своими тупыми братцами двадцать лет ходил вокруг да около.

Гейдж облокотился о перила.

— Ты не видела ни одной Седмицы. Не представляешь, как это бывает. Все, что ты до сих пор видела, — пустяки, детские шалости по сравнению с тем, что нас ждет. Посмотришь, как парень выпускает себе кишки, или попытайся остановить девочку, которая зажигает спичку, облив бензином себя и маленького братишку. А потом можешь объяснять мне, что я могу сделать, а чего не могу. Думаешь, если видела, как твой старик пускает пулю в голову, то уже стала крупным специалистом. Это было быстро и безболезненно, а ты сама легко отделалась.

— Сукин сын.

— Заткнись. — Его слова напоминали пощечины, быстрые и безжалостные. — Если Твисса не уничтожить до следующей Седмицы, тебе придется иметь дело кое с чем пострашнее, чем отец, снесший себе полголовы.

Сибил размахнулась и ударила. Голова Гейджа дернулась, в ушах зазвенело, и он перехватил ее руку, предупреждая следующий удар.

— Хочешь поговорить об отцах, Гейдж? В том числе о твоем?

Он не успел ответить, потому что из дома выбежала Куин.

— Перестаньте! Перестаньте! Перестаньте!

— Иди в дом, — приказала Сибил. — Это не твое дело.

— Черта с два! Что с вами? С обоими?

— Полегче, Гейдж. — В двери появился Кэл. За ним Фокс и Лейла. — Полегче. Пошли в дом, поговорим.

— Отстань.

— Ладно, ладно. Это не лучший способ «завоевывать друзей и оказывать влияние на людей»[1]. — Фокс положил руку на плечо Гейджа. Нужно перевести дух и...

Гейдж резко сбросил его руку, и Фокс попятился.

— Это и тебя касается, мистер Мир и Любовь.

— Хочешь иметь дело со мной?

— Господи! — Лейла в ужасе схватилась за голову. — Перестань! Если Гейдж идиот, тебе не обязательно быть таким же.

— Значит, это я идиот? — Фокс повернулся к Лейле. — Он набросился на Сибил, а я идиот.

— Я не называла тебя идиотом. Я сказала, что ты не должен быть идиотом. Но, похоже, ошиблась.

— Хватит на меня нападать. Не я затеял все это безумие.

— Мне плевать, кто это затеял. — Кэл поднял руки. — Но вы немедленно прекратите.

— Кто-то вручил тебе золотую звезду и назначил начальником? — спросил Гейдж. — Не указывай мне, что делать. Мы бы не вляпались в это дерьмо, если бы не твой дурацкий ритуал кровного братства и долбаный бойскаутский нож.

Дальше началось нечто невообразимое: крики и взаимные обвинения сплелись в тесный клубок гнева, ненависти и боли. Слова мелькали, будто безжалостные кулаки, и никто не обращал внимания на темнеющее небо и раскаты грома, звучавшие все громче.

— Перестаньте! Прекратите! — Пронзительный голос Сибил словно вспорол воздух, и наступила звенящая тишина. — Разве вы не видите, что ему наплевать на мысли и чувства остальных? Он думает только о себе, и, возможно, так было всегда.

---

[1] Название знаменитой книги Дейла Карнеги.

Если хочет идти своим путем — скатертью дорога. Лично я с этим покончила. — Она посмотрела в глаза Гейджу. — С меня хватит.

Она повернулась и, не оглядываясь, прошла в дом.

— Сиб. Черт. — Куин окинула мужчин долгим взглядом. — Отличная работа. Пойдем, Лейла.

Когда Куин и Лейла удалились вслед за Сибил, Кэл снова повысил голос:

— Кто ты такой, чтобы обвинять меня, черт возьми? Только не тот, кем я тебя считал, — это уж точно. Может, с тобой действительно пора заканчивать.

— Лучше тебе остыть, — выдавил из себя Фокс, когда Кэл ушел. — Подумай немного и остынь, черт возьми, если не хочешь остаться один.

Оставшись один, Гейдж дал волю своему гневу, позволил мыслям бежать по каменистой дороге вины и обиды. Они накинулись на него — все, — потому что у него хватило мужества что-то сделать, потому что он решил, что хватит рассиживаться, чесать задницу и изучать таблицы. Ну и черт с ними. Со всеми.

Он достал из кармана гелиотроп, принялся рассматривать камень. Бессмысленно. Все бессмысленно. Риск, усилия, работа, потраченные годы. Он каждый раз возвращался. Проливал свою кровь. Ради чего?

Гейдж положил гелиотроп на перила, с горечью посмотрел на цветущий сад Кэла. Ради чего? Ради кого? Что дал ему Холлоу? Мертвую мать и пьяницу отца. Жалость или подозрительность *достойных* жителей города. Ах да, совсем недавно его оскорбил и заковал в наручники кретин, которому город доверил значок полицейского.

С нее хватит? Вспомнив Сибил, он ухмыльнулся. Нет, это с него хватит. Хоукинс Холлоу может прямиком отправляться в ад — вместе с его обитателями.

Гейдж повернулся и зашагал к дому, чтобы собрать вещи.

Демон наползал из леса, словно миазмы тьмы. Из дома вновь донеслись сердитые голоса, и тьма заколыхалась от удовольствия. Она наползала на зеленую траву, на красивые бутоны цветов, начала принимать форму. Проступили руки и ноги, туловище, голова. Горящие неестественным зеленым цветом глаза приближались к красивому дому с уютной верандой и цветами в сверкающих горшках.

Уши и подбородок, ухмыляющийся рот с острыми зубами. Мальчишка исполнил танец победителя, прыгнул и склонился над камнем. Какой маленький, подумал он. И столько от него неприятностей, столько потерянного времени.

Мальчишка вскинул голову. Какие тайны скрывает этот камень? Какую силу? И почему эти тайны и эта сила спрятаны так надежно, что никто не может их увидеть? Они тоже, да, страж вручил им ключ, но без замка.

Ему хотелось прикоснуться к темно-зеленому в ярких красных прожилках камню. Взять то, что спрятано внутри. Мальчишка протянул руку, потом отдернул. Нет, лучше уничтожить. Он всегда предпочитал разрушение. Он простер руки над камнем.

— Эй! — на пороге появился Гейдж и всадил пулю прямо в центр лба демона.

Мальчишка закричал, и из раны потекло нечто густое, черное и зловонное. Он подпрыгнул и опустился на крышу, рыча, как бешеная собака. Гейдж продолжал стрелять; остальные тоже выскочили из дома.

Дождь и ветер обрушились на них мощным потоком. Выбежав во двор, Гейдж перезарядил пистолет и прицелился.

— Постарайся не попасть в дом, — предупредил Кэл.

Мальчишка снова прыгнул, ударил кулаками воздух, и гелиотроп взорвался. Во все стороны полетели пыль и десятки осколков. Истекающий кровью демон издал торжествующий крик. Потом повернулся и в стремительном, как у змеи, броске вонзил зубы в плечо Гейджа. И исчез еще до того, как Гейдж беспомощно опустился на колени.

Он слышал голоса, но как бы издалека, сквозь сгущающийся туман боли. Он видел небо, которое вновь стало голубым, но склонившиеся к нему лица были нечеткими, размытыми.

Неужели демон его убил? Если да, то пусть смерть приходит скорее, чтобы прекратить эти мучения. Боль прожигала плоть, вспенивала кровь, дробила кости, и Гейджу казалось, что он кричит. Но сил не оставалось ни на крик, ни на то, чтобы корчиться от боли, огненными когтями разрывавшей тело.

Гейдж закрыл глаза.

Хватит, подумал он. Теперь все. Пора уходить.

Он прекратил сопротивление, и боль стала отдаляться.

Что-то обожгло его щеку. Потом еще раз. Он разозлился. Не дадут спокойно умереть!

— Вернись, сукин ты сын! Ты меня слышишь? Вернись. Сражайся, проклятый трус. Ты не умрешь, не позволишь этому ублюдку победить.

Боль — будь она проклята — вернулась. Гейдж открыл глаза и словно сквозь туман увидел перед собой лицо Сибил. Ее голос убеждал, темные глаза полны слез и ярости.

Он застонал от нестерпимой боли.

— Заткнись.

— Кэл. Фокс.

— Мы с ним. Давай, Гейдж. — Голос Кэла доносился будто издалека, с расстояния нескольких миль, из-под земли. — Сосредоточься. Правое плечо. Твое правое плечо. Мы с тобой. Сосредоточься на боли.

— А на чем, черт возьми, я еще могу сосредоточиться?

— Он что-то говорит. — В поле зрения Гейджа появилось лицо Фокса. — Ты его слышишь? Он пытается нам что-то сказать.

— И говорю, придурок.

— Пульс слабый. И слабеет.

Кто это? Лейла? Ее слова казались Гейджу голубыми вспышками, дрейфующими по краю сознания.

— Кровотечение остановилось. Почти. И раны уже не такие глубокие. Тут что-то еще. Вроде яда.

А это Куин, подумал Гейдж. Вся команда в сборе. Отпустите меня ради всего святого. Отпустите.

— Нет, не можем. — Сибил наклонилась ниже, ее губы прижались к его щеке. — Пожалуйста. Не уходи. Ты должен вернуться. Мы не можем тебя потерять.

Слезы лились у нее из глаз, капали прямо на рану. Смывали кровь, проникали в рану, ослабляли жжение.

— Я знаю, тебе больно. — Плача, она гладила его щеки, волосы, раненое плечо. — Я знаю, что тебе больно, но ты должен остаться.

— Он пошевелился. Рука пошевелилась. — Фокс стиснул пальцы Гейджа. — Кэл?

— Да. Да. Правое плечо, Гейдж. Начни с него. Мы с тобой.

Он снова закрыл глаза, но теперь это была не капитуляция. Собрав остаток сил, Гейдж сосредоточился на источнике боли, следовал за ней вдоль руки, к груди. И почувствовал, как расправляются легкие, словно разжались сдавливающие их пальцы.

— Пульс наполняется! — воскликнула Лейла.

— И щеки порозовели. Он возвращается, Сиб, — сказала Куин.

Сибил склонилась над ним, заглянула в глаза; голова Гейджа лежала у нее на коленях.

— Все почти прошло, — ласково произнесла она. — Потерпи еще немного.

— Ладно. Ладно. — Теперь он ясно видел ее, чувствовал траву под собой, чувствовал руки друзей. — Я сам. Это ты называла меня проклятым трусом?

— Помогло. — Сибил судорожно выдохнула.

— Рад, что ты опять с нами, приятель, — сказал Фокс. — Рана затягивается. Мы отнесем тебя в дом.

— Я сам, — повторил Гейдж, но смог лишь приподнять голову. — Ладно, наверное, я не смогу.

— Дайте ему еще минуту, — предложила Куин. — Рана уже закрылась, но... тут шрам.

— Пойдем. — Сибил многозначительно посмотрела на Куин и Лейлу. — Заварим чай для Гейджа, приготовим ему постель.

— Не хочу чай. И в постель тоже.

— Тебе нужно и то и другое. — Сибил сняла его голову с колен, потрепала по щеке, встала. Если она правильно понимает мужчин, и особенно Гейджа, он предпочтет, чтобы женщины не видели, как друзья помогают ему войти в дом.

— Я хочу кофе, — заявил Гейдж, но женщины уже скрылись за дверью.

— Кто бы сомневался. Куин права насчет шрама, — прибавил Фокс. — После того ритуала, когда мы побратались, у нас не оставалось шрамов.

— Но никого из нас еще не кусал демон, — возразил Кэл. — Раньше он был не способен на такое, даже во время Седмицы.

— Времена меняются. Дай мне руку. Сначала попробуем сесть. — Поддерживаемый друзьями, Гейдж с трудом сел. Сразу же закружилась голова. — Черт. — Он уткнулся лбом в поднятые колени. — Мне еще никогда не было так больно, хотя в боли я разбираюсь. Я кричал?

— Нет. Побелел и рухнул как подкошенный. — Кэл вытер пот со лба.

— А мне казалось, я визжу, как девчонка. — Гейдж поднял голову и сообразил, что он голый до пояса. — Где моя рубашка?

— Пришлось ее с тебя содрать, чтобы добраться до раны, — объяснил Фокс. — Ты не шевелился. Совсем. И едва дышал. Клянусь богом, я подумал, что тебе конец.

— Так и было. Почти. — Гейдж осторожно повернул голову, прижал пальцы к шраму на плече. — Даже не болит. Сильная слабость, дрожь во всем теле, но боли нет.

— Нужно поспать. Ты сам знаешь, как это бывает, — прибавил Кэл. — Выздоровление высасывает все соки.

— Да, наверное. Поможете встать?

Опираясь на друзей, Гейдж встал. Ноги подкашивались. Несколько шагов до крыльца полностью истощили его силы, и он понял, что сон необходим. Взглянув на пустые перила, он почувствовал удовлетворение.

— Ублюдок уничтожил камень.

— Точно. По ступенькам подняться сможешь?

— Конечно. — На самом деле у него хватило сил лишь улыбнуться сквозь сжатые зубы, когда Кэл и Фокс буквально вносили его в дом.

У Гейджа не было сил спорить с тремя женщинами, и он выпил чай, который заварила Сибил. Потом он рухнул на кровать с расправленными простынями и взбитыми подушками.

— Может, приляжешь со мной?

— С удовольствием, приятель.

— Не ты. — Гейдж отмахнулся от Фокса и указал на Сибил. — Я выбираю большие черные глаза. На самом деле со мной должны лечь все красивые женщины. Места хватит.

— Что ты ему подсыпала в чай? — спросил Кэл.

— Секрет. Идите. — Сибил присела на край кровати. — Я побуду с ним, пока он не заснет.

— Иди сюда, повтори мне это на ушко.

Улыбнувшись, Сибил взмахом руки отпустила остальных, потом склонилась над Гейджем.

— Привет, красавица, — прошептал он.

— Привет, красавчик. У тебя было трудное утро. Поспи.

— Я тебя разозлил.

— Я не осталась в долгу.

— Так и было задумано.

— Отличный план.

— Рискованный и, возможно, глупый.

— Но сработал, — усмехнулся Гейдж.

— Ты меня достал.

— Не принимай это близко к сердцу, насчет отца.

— Знаю. Спи. — Сибил наклонилась и поцеловала его в щеку.

— Может, я нес еще какую-нибудь чушь... Не помню. А ты?

— Потом поговорим.

— Она — Энн Хоукинс — сказала, что ты будешь плакать обо мне. И что это важно. Ты плакала, твои слезы помогли. Они не дали мне умереть, Сибил.

— Я просто помогла тебе Гейдж, остальное ты сделал сам. — Задрожав, она прижалась щекой к его щеке. — Я думала, ты умрешь. Никогда в жизни я так не боялась и не страдала. Я думала, ты умрешь. Что мы тебя потеряем. Я потеряю. Ты умирал у меня на руках, и до этой минуты я не понимала, что...

Сибил подняла голову и умолкла, увидев, что он спит.

— Ладно. — Она сделала глубокий вдох, потом еще один. — Ладно. Похоже, это самый подходящий момент для нас обоих. Нет смысла в минуту слабости унижаться или ставить тебя в неловкое положение, признаваясь, что я сваляла дурака и влюбилась в тебя.

Она взяла его за руку и сидела, размышляя, хватит ли у нее ума, чтобы забыть его.

— Думаешь, ты должна?

Сибил медленно подняла голову и посмотрела в глаза Энн Хоукинс.

— Ага, последняя, но только по порядку.

Собственное спокойствие ее не удивило. Она видела вещи пострашнее, чем явление призрака погожим июньским утром. А Энн она уже давно ждала.

— Думаешь, должна? — повторила Энн.

— Должна что?

— Закрыть свое сердце перед чувствами. Лишить себя радости и боли.

— Я не мазохистка.

— Это жизнь. Только мертвые ничего не чувствуют.

— А как насчет тебя?

— Это не смерть. Так обещал мой возлюбленный. Мир делится не только на свет и тьму. Есть много полутонов. Я чувствую, потому что все еще не закончилось. Но конец одного означает начало другого. Ты молода, и у тебя впереди много лет — в этом теле, в этом времени. Зачем жить с закрытым сердцем?

— Тебе легко говорить. Твоя любовь взаимна. Я знаю, что значит любить человека, который никогда тебя не полюбит, — по крайней мере, так же сильно.

— Твой отец поддался отчаянию. Он потерял зрение и не смог разглядеть любовь.

Какая разница, подумала Сибил и покачала головой.

— О таких вещах приятно рассуждать в женской компании с бокалом в руке, но, возможно, ты заметила, что теперь речь идет о жизни и смерти.

— Ты сердишься.

— Конечно, сержусь. Сегодня он чуть не умер. У меня на руках, пытаясь остановить нечто ужасное, которое преследует его, преследует нас всех. И он еще может умереть, как и любой из нас. Я видела, как это будет.

— Ты не рассказала им все, что узнала, все, что увидела.

— Нет. — Сибил вновь посмотрела на Гейджа.

— Ты еще многое увидишь, прежде чем все закончится. Дитя мое...

— Я не твое дитя.

— Нет, но и не демона. Говоришь, жизнь и смерть. Именно так. С приходом Седмицы победит что-то одно, свет или тьма. Мой возлюбленный будет либо свободен, либо навеки проклят.

— А мой? — спросила Сибил.

— Он сделает свой выбор, как и вы все. У меня осталась только ты. В тебе моя надежда, вера, мужество. И только сегодня ты воспользовалась ими. Он спит, — прошептала Энн, переводя взгляд на Гейджа. — Живой. И не просто живой. Он принес из смертной тени еще один ответ. Еще одно оружие.

— Какой ответ? — Сибил встала. — Какое оружие?

— Ты образованная женщина с ясным, пытливым умом. Найди этот ответ и используй. Теперь все в твоих руках. Твоих, его и остальных. И это тебя пугает. Его кровь. — Очертания Энн стали расплываться. — Наша кровь, твоя кровь. Их кровь.

Оставшись одна, Сибил посмотрела на Гейджа.

— Его кровь, — шепотом повторила она и выбежала из комнаты.

14

Гейдж проснулся. Он не просто хотел кофе — умирал. Он осторожно сел, убедился, что комната осталась на месте, потом встал. Ни слабости, ни тошноты, ни головокружения. Все отлично. Ни странной эйфории, осознал он, вспомнив произошедшее.

Что, черт возьми, она добавляет в чай?

Нет, кофе подождет. Сначала душ. Он прошел в ванную, разделся, встал перед зеркалом, осмотрел плечо, потрогал полукруглый бугристый шрам. Странное ощущение — впервые за долгие годы на коже появился шрам, напоминание об острых, беспощадных зубах, рвавших его плоть. Гейдж ломал кости, получал удары, пули, ожоги, но на теле не осталось ни одной отметины. Твисс, принявший облик маленького ублюдка, ухитрился его укусить, и шрам от его зубов, похоже, останется на всю жизнь.

Сколько бы она ни продлилась.

Гейдж принял душ, оделся и отправился на поиски кофе. В домашнем кабинете Кэла Лейла и Куин склонились над компьютером. Обе подняли головы и внимательно на него посмотрели.

— Как ты себя чувствуешь? — спросила Лейла.

— Хочу кофе.

— Значит, в норме, — улыбнулась Куин. — Внизу, кажется, еще остался. Сибил на кухне. Если хорошенько попросишь, она приготовит тебе поесть.

— А где остальные?

— Уехали в город. Дела. — Куин перевела взгляд на часы в правом нижнем углу монитора. — Должны вернуться с минуты на минуту. Наверное, нужно позвонить Кэлу, чтобы они привезли еды. Сибил занята, и уговорить ее будет непросто.

— Хочу кофе, — повторил Гейдж и вышел.

Она не выглядит очень уж занятой, подумал Гейдж, увидев Сибил, сидящую за кухонным столом. Ноутбук, блокнот, бутылка воды, открытая дверь во двор. Увидев его, она подняла голову.

— Выглядишь лучше.

— И чувствую себя тоже. Потому что хуже быть не может. — Гейдж налил последнюю чашку кофе. Хорошо бы сварить еще, подумал он и повернулся к Сибил. — Может, сваришь свежего кофе? Все-таки я чуть не умер.

— Простые повседневные занятия, вроде варки кофе, помогают еще больше ценить жизнь.

Хорошенькое начало, подумал Гейдж и запустил руку в пачку с кукурузными палочками, лежавшую на столе.

— Что было в твоем чае?

— Вероятно, четыре часа сна, — улыбнулась Сибил. — Кстати, кое-кто приходил, пока ты спал.

— Кто?

— Энн Хоукинс.

— И что? — Он задумчиво прихлебывал кофе. — Жаль, что мы не увиделись.

— Мы мило побеседовали, пока ты дрых.

— Интересно, о чем же?

— О жизни, любви, поисках счастья. — Сибил взяла бутылку воды. — О смерти, о демонах. Все как обычно.

— Еще интереснее. Тебе повезло. — И ты не в своей тарелке, подумал Гейдж. Он чувствовал старательно скрываемое волнение.

— Пока мы с ней разговаривали, мне в голову пришла одна идея. Пытаюсь разобраться. Чуть позже объясню. Она тебя любит.

— Что?

— Энн тебя любит. Я видела, как она смотрела на тебя спящего. Судя по выражению твоего лица, подобные разговоры неприятны для такого крутого парня, как ты. Но я чувствовала — в ее глазах, ее голосе. У меня не осталось сомнений. А теперь займись чем-нибудь — в другом месте. Я работаю.

Но Гейдж шагнул к ней, притянул к себе, поцеловал в губы. Все вокруг вспыхнуло, завертелось, потом замерло. Гейдж почувствовал приступ головокружения и эйфории.

Глаза Сибил медленно открылись.

— Что это было?

— Еще одно простое повседневное занятие, помогающее ценить жизнь.

— Любопытно. Ладно, черт с ним. — Сибил прильнула к нему, обняла, склонила голову на плечо, где оставили шрам зубы демона. — Я испугалась. Сильно испугалась.

— Я тоже. Я умирал. Кстати, все оказалось не так ужасно. — Гейдж приподнял и повернул ее голову. Это лицо, подумал он, эти глаза. Они вытеснили все. Вернули его к жизни. — Слышал, ты меня ругала. И била.

— Всего лишь пощечина. Я ударила тебя раньше, во время нашего спектакля на веранде.

— Точно. Кстати, я не помню, чтобы мы договаривались распускать руки.

— Ничего не поделаешь. Я мастер импровизации. Кроме того, это тебя здорово разозлило, а нам требовалось очень много злости, чтобы заманить Большого Злого Ублюдка. Это же твой план, помнишь? Сам говорил, что все должно быть по-настоящему, иначе ничего не выйдет.

— Да. — Он взял ее руку и принялся разглядывать. — У тебя отличный хук справа.

— Не спорю, но моя рука, похоже, пострадала больше твоего лица.

Гейдж сложил ее пальцы в кулак, поднес к губам. Прекрасные глаза Сибил широко раскрылись.

— Что? Мне не позволены романтические жесты?

— Нет. Да. Да. Просто это так неожиданно.

— Я еще не то умею. Но у нас договор. — Заинтригованный ее реакцией, Гейдж погладил пальцы Сибил. — Никакого соблазнения. Или ты хочешь разорвать договор?

— Ну... возможно.

— Тогда давай... — Он умолк, услышав хлопок входной двери. — Продолжим позже?

— Почему бы и нет.

Вошел Фокс с двумя пакетами в руках.

— Смотрите, кое-кто воскрес из мертвых. Приехала еда и пиво. Пара упаковок в багажнике. Выйди, помоги Кэлу принести остальное.

— Кофе привез? — спросил Гейдж.

— Два фунта зерен.

— Помолоть и сварить, — распорядился Гейдж и отправился на помощь Кэлу.

Сибил посмотрела на Фокса, который уже доставал банку колы из холодильника.

— Наверное, не стоит надеяться, что ты возьмешь колу и удалишься на час, захватив с собой остальных.

— Не могу. У меня скоропортящиеся продукты. — Он извлек из пакета бутылку молока. — Кроме того, умираю от голода.

— Ладно. — Сибил отодвинула ноутбук. — Придется тебе помочь. Потом поедим и поговорим.

Готовить не пришлось. Сибил даже обрадовалась — слишком часто ей просто не оставляли выбора. Вероятно, Кэл и Фокс решили устроить барбекю на заднем дворе. Наблюдать за тремя красивыми мужчинами у дымящегося гриля — не самое плохое времяпрепровождение теплым июньским вечером.

Только посмотрите на них, думала Сибил, — она, Лейла и Куин расставляли на складном столике миски с картофельным и капустным салатом, соленьями и приправами. Вместе на пикнике и на войне. Только посмотрите на всех нас. Остановившись, она огляделась вокруг. Они устраивают пикник на том самом дворе, где несколько часов назад один из них чуть не умер. Теперь из динамиков льется музыка, на решетке шипит мясо, в холодильнике охлаждается пиво.

И Твисс думал, что их можно победить? Победить вот *это*? Нет. Даже за целый век Седмиц. Невозможно победить то, что не понимаешь и недооцениваешь.

— Как ты? — Куин погладила плечо Сибил.

— В порядке. — Напряжение и груз сомнений отступили. Возможно, они еще вернутся, но теперь остался лишь погожий июньский день. — Все нормально.

— Классная картина, — кивком головы Куин указала на мужчин рядом с грилем.

— Сфотографировать бы.

— Отличная идея. Я сейчас вернусь.

— Куда она? — спросила Лейла.

— Понятия не имею. И точно так же не могу понять, почему для того, чтобы пожарить барбекю, нужно трое взрослых мужчин.

— Один жарит, второй дает советы, третий издевается над остальными двумя.

— Ага, вот еще одна загадка разрешилась. — Вскинув бровь, Сибил посмотрела на Куин, выбежавшую из дома с фотоаппаратом в руке.

— Уже пожарилось? — крикнула Куин, пристроив фотоаппарат на перила крыльца и глядя в видоискатель. — Поторопитесь. Сейчас будем фотографироваться.

— Могла бы предупредить заранее, чтобы мы привели себя в порядок, — пробурчала Сибил.

— Не суетись, ты и так потрясающе выглядишь. Подвинься. Кэл! Иди сюда.

— Следи за своими пикселями, Блонди.

— Фокс, стань между Лейлой и Сиб.

— Можно мне обеих? — Фокс обнял обеих девушек за талию.

Следующие пять минут Куин суетилась вокруг них, заставляла передвигаться, меняться местами, пока не добилась удовлетворившего ее результата.

— Отлично. Теперь пару снимков с помощью пульта. — Она встала между Кэлом и Гейджем.

— Еда остынет, — пожаловался Кэл.

— Улыбайтесь. — Куин нажала кнопку пульта. — Не двигайтесь, не двигайтесь. Еще разок.

— Я умираю от голода, — простонал Фокс и рассмеялся, когда пальцы Лейлы пробежали по его ребрам. — Мамочка! Лейла меня щекочет.

— Не злите меня, — предупредила Куин. — На счет «три». Один, два, три. Оставайтесь на месте, пока я не удостоверюсь, что все вышло как надо.

Не обращая внимания на стоны и жалобы, она вернулась к веранде и склонилась над фотоаппаратом, проверяя два последних снимка.

— Великолепно. Настоящая команда.

— Теперь за еду, — объявил Кэл.

Когда все расселись за столом, взяли тарелки, открыли пиво, Сибил вдруг поняла: они называли себя командой, но на самом деле они больше, чем команда. Они — семья.

И эта семья убьет чудовище.

Пока они пировали, день сменился вечером. Вокруг цвели цветы, а на зеленой траве спала большая ленивая собака, объевшись всем, что перепадало ей со стола. Обрамлявший лужайку лес был спокоен и тих. Сибил ограничилась одной банкой пива. Когда интерлюдия подойдет к концу, голова должна быть ясной, готовой к предстоящему разговору.

— У нас есть торт, — объявил Фокс.

— Что? Торт? — Куин отодвинула пиво. — Я не могу есть торт после гамбургеров и картофельного салата. Это противоречит моему здоровому образу жизни. Это... Черт. Какой торт?

— Из кондитерской, с глазурью и маленькими цветами.

— Искуситель. — Подперев щеку кулаком, Куин жалобно посмотрела на Фокса. — А в честь чего торт?

— В честь Гейджа.

— Ты принес мне торт?

— Да. — Фокс важно кивнул и посмотрел на Гейджа. — В честь того, что ты не умер. Бетти из кондитерской так на нем и написала. Удивилась, но написала. У нее был вишневый пирог, мой любимый, но Кэл настаивал на торте.

— Можно было купить и то и другое, — заметил Гейдж.

— Того, кто принесет в дом пирог и торт, — мрачно сказала Куин, — ждет ужасная смерть. От моей руки.

— Предвидя это, — ответил Кэл, — мы ограничились тортом.

— Вы идиоты, — после некоторого размышления вынес вердикт Гейдж. — Самым подходящим подарком по такому случаю была бы проститутка и бутылка виски.

— Проститутку мы не нашли, — пожал плечами Фокс. — Времени не хватило.

— Дайте ему расписку, — предложила Лейла.

— Я принимаю все средства оплаты.

— А пока давайте все это уберем и немного отдохнем перед праздничным тортом — пожалуй, я могу позволить себе маленький кусочек, — сказала Куин.

Первой из-за стола поднялась Сибил.

— Я тут кое-что изучала и должна поделиться результатами. После того как мы тут все уберем, где вы хотите послушать и все обсудить: на улице или в доме?

Все умолкли.

— Чудесный вечер, — наконец произнес Гейдж.

— Значит, на улице. Поскольку мужчины занимались охотой, собирательством и приготовлением пищи, мытье посуды, похоже, остается дамам.

Пока женщины убирали со стола, Кэл с друзьями подошел к опушке леса, наблюдая за Лэмпом, который задрал ногу, потом понюхал, еще раз задрал ногу.

— Здорово у него получается контролировать мочевой пузырь, — заметил Фокс.

— Точно. И инстинкт у него отличный. Остерегается заходить в лес, даже со мной. Интересно, есть там сейчас Большой Злой Ублюдок? — спросил Кэл.

— После сегодняшней взбучки? — Улыбка Фокса вышла довольно мрачной. — Можешь не сомневаться, ему требуется немного побыть одному. Господи, Гейдж, мне показалось, ты его прикончил. Всадил пулю между глаз, потом превратил в решето. Я подумал: вот здорово, мы от него избавимся, прямо здесь и сейчас. Если бы я так не расслабился, он не смог бы тебя укусить.

— Но я же не умер — помнишь? Так написано на торте. Ты не виноват, — продолжил Гейдж. — И ты, — он повернулся к Кэлу. — Никто не виноват. Он прорвал нашу оборону и достал меня. Но это временно. Главное, мы узнали кое-что новое. Теперь это уже не только иллюзия или психоз. Демон способен материализоваться, по крайней мере, до такой степени, чтобы причинить реальный вред. Он эволюционирует. Я бы сказал, что сегодня счет равный. Но стратегически мы одержали победу.

— Было весело. Кричать друг на друга, — Фокс сунул руки в карманы, — это вроде психотерапии. Я боялся, что Лейла позаимствует прием из арсенала Сибил и врежет мне. Она тебя классно приложила, приятель.

— Бьет как девчонка.

— Сомневаюсь, — ухмыльнулся Фокс. — Насколько я помню, пару секунд у тебя из глаз летели искры.

— Глупости.

— А над головой кружились птички, — вставил Кэл. — Мне было стыдно за тебя и за все человечество.

— Хочешь сам увидеть птичек?

Кэл ухмыльнулся, потом лицо его стало серьезным.

— Весь вечер Сибил молчала. — Он оглянулся. — Думаю, пора выяснить, что у нее на уме.

Сибил налила себе чай, отметив, что Гейдж перешел от пива к кофе. Жаль было портить настроение, но пришлось выключить музыку. Команде людей, как выразилась Куин, пора приниматься за дело.

— Полагаю, не мешает еще раз вспомнить сегодняшние события, — начала она. — План Гейджа сработал. Мы подменили гелиотроп, при помощи насилия и негативных эмоций выманили Твисса.

— Очко в нашу пользу, — заметила Куин.

— Совершенно верно. Кроме того, как мы предполагаем, он верит, что уничтожил амулет. Верит, что лишил нас самого сильного оружия. Тем не менее устроенная нами ловушка дала неоднозначный результат. Мы причинили ему боль. Так вопить можно только от боли. Но Твисс ответил тем же. Он смог материализоваться, по крайней мере временно, и укусить Гейджа. Рану мы видели — ужасная, но явно неопасная для жизни. А Гейдж чуть не умер. Наверное, какой-то яд, не знаю. Гейдж, ты чувствовал, что с тобой случилось?

— Вроде ожога, — ответил он. — У нас уже были ожоги, у всех троих. Но такого я никогда не чувствовал. Словно мне перемалывают кости. Это ощущение распространялось по всему телу. Я мог думать, чувствовать, но не мог говорить и двигаться. Да, похоже на яд, парализующий.

Рассеянно кивнув, Сибил что-то отметила в блокноте.

— В природе — и в легендах — встречаются существа, яд которых парализует добычу. Несколько видов обитателей моря, пауки, пресмыкающиеся. В легендах это Дин, похожее на кота существо с дополнительным когтем, в котором содержится парализующий яд. Вампиры и всякое такое.

— Мы всегда знали, что демон способен отравить мозг, — заметил Кэл. — Теперь убедились, что тело тоже.

— Возможно, именно так он убивал людей и стражей, — согласилась Сибил. — По нашим сведениям, этот демон принял последнего стража за мертвого, но тот успел передать свою силу и свое бремя мальчику. Поэтому вполне возможно, что страж был отравлен. Раны были серьезнее, а яд сильнее, чем сегодня у Гейджа. Демон говорил, что проглотит нас, сожрет. Не исключено, что это не просто метафора.

Куин поморщилась.

— Ой, — больше мне нечего сказать.

— Присоединяюсь, — кивнула Лейла. — И от себя добавлю: боже правый.

— Исчезновения, — продолжила Сибил. — В документах и легендах говорится об исчезновении людей после встречи с демоном. Мы предполагали, что люди сходили с ума, убивали себя или друг друга. Вполне возможно, в некоторых случаях — или даже в большинстве — так и было. Но, скорее всего, были и те, кого демон использовал...

— В качестве закуски, — сформулировал Фокс.

— Что-то наш разговор не прибавляет мне радости и оптимизма.

— Ты уж прости. — Сибил улыбнулась Кэлу. — Я надеюсь это изменить. Энн Хоукинс все-таки решила нанести мне визит — в комнате Гейджа, пока он спал. Я вкратце изложу наш разговор — ободряющая речь, если можно так выразиться. Но не все, поскольку мне еще нужно кое-что выяснить. Она сказала, что Гейдж не просто выжил. Он кое-что принес с собой. Еще одно оружие.

— Я неважно себя чувствовал, но, насколько помню, руки у меня были пустыми.

— Не в руках, — сказала Сибил. Это кровь, наша кровь, их кровь. А теперь, Гейдж, и твоя кровь.

— И что с моей кровью?

— Ага! Поняла. Черт! — Лицо Куин расплылось в улыбке.

— Недаром мы столько лет дружим, — кивнула Сибил. — Ты выжил. — Она повернулась к Гейджу: — Твой организм поборол яд, инфекцию. Антитела, иммуноглобулин.

— Прошу прощения, — подняла руку Лейла. — Я в этом ничего не понимаю.

— Антитела вырабатываются иммунной системой в ответ на антигены — бактерии, яды, вирусы. У нас в организме сотни тысяч клеток крови, способных вырабатывать определенные антитела, задача которых состоит в связывании вторгшегося антигена, что дает сигнал организму к выработке новых антител. Так нейтрализуется действие яда.

— Кровь Гейджа убила яд, — сказал Фокс. — Тут у него преимущество, впрочем, как и у нас с Кэлом. Способность к самоисцелению.

— Да, она ему помогла. Гейдж выжил, и его кровь выработала антитела, уничтожающие яд. Его кровь содержит основу для иммунитета. Демон уже кусал тебя, — напомнила Сибил. — На кладбище.

— В тот раз не было такой сильной реакции.

— Царапина, да и то на ладони. Жжение чувствовал?

— Да, чувствовал. Довольно сильное, но...

— Тошнота, головокружение?

Гейдж принялся все отрицать, потом признался:

— Возможно. Совсем чуть-чуть. И заживало чуть дольше, чем я ожидал.

— Ты выжил после двух укусов — одного слабого и одного сильного, причем ближе к сердцу. Все это предположения, — поспешно прибавила Сибил. — Стопроцентной уверенности нет. Но антитела способны распознавать и разрушать яды. Но чтобы перейти от науки к моей интерпретации слов Энн Хоукинс, требуется «мост веры». У нас нет ни времени, ни средств, ни возможности проверить кровь Гейджа. И образца яда у нас тоже нет.

— Сомневаюсь, что найдутся добровольцы, чтобы его добыть, — заметил Фокс.

— Возможно, у тебя сформировался иммунитет. — Сибил обращалась к Гейджу. — Так некоторые люди становятся невосприимчивы к яду после укуса или к болезни после выздоровления. В твоей крови может содержаться нечто вроде противоядия.

— Ты же не предлагаешь отправить мою кровь в лабораторию и на ее основе сделать сыворотку.

— Нет. Во-первых, серология — сложная штука, а во-вторых, у нас нет ни средств, ни технологии. Но речь идет не только о науке. О паранауке. О магии.

Сибил взяла блокнот, освещенный лучами вынырнувшей из-за деревьев луны.

— Двадцать один год назад вы с Кэлом и Фоксом смешали свою кровь и открыли дверь для Твисса — мы думаем, что так было запланировано Дентом. Мы вшестером тоже смешали кровь, чтобы соединить три осколка гелиотропа, которые были вам вручены.

— Хочешь сказать, что еще один кровавый ритуал, когда моя кровь смешается с вашей, позволит передать вам мой иммунитет, если он у меня есть.

— Да. Именно так.

— Тогда приступим.

Все просто, с облегчением подумала она. Все просто.

— Я бы хотела побольше разузнать о самом ритуале — где, когда и как его провести.

— Не усложняй, дорогуша. Это случилось здесь, значит, ритуал должен пройти здесь. Причем сегодня же.

— Я согласна с Гейджем, — поспешно сказала Лейла, опередив Сибил. — И не только потому, что боюсь. Хотя и это тоже. Твисс ранен, но скоро восстановится. Мы не знаем, когда он вернется. Если ты считаешь, что это наша защита, создавать ее следует как можно скорее.

— Сиб, перед нашим походом к Языческому камню ты выяснила о кровавых ритуалах все, что только можно. Ты знаешь, как это сделать. — Куин окинула взглядом сидящих за столом. — У нас получится.

— Нужно заклинание и...

— Это я беру на себя. — Куин встала. — Люблю работать в цейтноте. Готовь все, что нужно, и дай мне пять минут. — Она пошла к дому.

— Ладно, — вздохнула Сибил. — Значит, здесь и сейчас.

Она отправилась в сад Кэла за нужными цветами и травами. Гейдж пересек лужайку и догнал ее. Они стояли рядом под бледным ликом луны.

— Составляешь букет?

— Свечи, травы, цветы, слова, жесты. — Сибил дернула плечом. — Может, помогает, а может, это просто символы. Но я верю в символы. Они знак уважения. Каждый раз, когда проливаешь кровь, когда обращаешься к высшим силам, без уважения не обойтись.

— Ты умная женщина, Сибил.

Гейдж взял ее за руку и не отпускал, пока Сибил не повернулась к нему.

— Если все получится, то потому, что у тебя хватило ума догадаться.

— А если нет?

— То не из-за недостатка мозгов.

— Соблазняешь меня, делая комплимент моему уму?

— Нет. — Улыбнувшись, он провел пальцем по ее щеке. — Соблазняю, затуманивая твой ум. Можешь мне поверить, у нас получится.

— Оптимизм? У тебя?

— Ты не единственная, кто изучал обряды и ритуалы. В своих путешествиях я потратил на это уйму времени. И кое-что понял. Что? Все дело в вере, в уважении, в истине. У нас все это есть, и успех обеспечен. У нас получится, потому что дело не только в моей крови, в науке и антителах. Твои слезы теперь во мне. Я их чувствую. Что бы я ни принес с собой оттуда, все это благодаря тебе. Собирай свои символы, и за дело.

Он ушел, а она осталась, застыла неподвижно в потоках лунного света, зажмурив глаза, с цветами в руках. Закрыть свое сердце? Забыть Гейджа? Нет, ни за что, даже если впереди у нее десяток жизней.

Это жизнь, сказала Энн Хоукинс. Радость и боль. Пора понять, что нужно почувствовать и то и другое.

Они зажгли свечи, разбросали травы и цветы по тому месту, куда упал Гейдж. Сверху, в центр образованного ими круга, Куин положила фотографию, которую недавно сделала. Все шестеро взялись за руки, а Лэмп доверчиво прижался к ноге Кэла.

— Превосходное дополнение, — заметила Сибил, и Куин улыбнулась.

— Я тоже так подумала. Я старалась выражаться как можно проще. Передай всем.

Сибил взяла первый листок, прочла.

— Отличная работа, — сказала она и передала текст заклинания Гейджу. Потом раздала листки остальным. — Всем хватило?

Гейдж взял бойскаутский нож Кэла, провел лезвием по ладони. Следом за ним Кэл. Нож переходил из рук в руки.

Соединив ладони и смешав кровь, они хором произнесли заклинание:

— Брат брату, брат сестре, возлюбленный возлюбленному. Жизнь ради жизни, теперь и навсегда. Через веру, через надежду, через истину. Кровь и слезы защитят свет от тьмы. Брат брату, брат сестре, возлюбленный возлюбленному.

Ветра не было, но пламя свечей покачнулось и взметнулось вверх. Кэл присел на корточки.

— Друг — другу, — сказал он, взял лапу Лэмпа и сделал неглубокий надрез. Черные глаза пса светились доверием и любовью. Кэл прижал руку к ранке. — Извини, приятель. — Он выпрямился. — Я не мог его пропустить.

— Лэмп член команды. — Куин наклонилась и взяла фотографию. — Разницы я не чувствую, но верю, что все получилось.

— Я тоже. — Присев на корточки, Лейла собирала цветы и травы. — Поставлю их в воду. Мне кажется... так будет правильно.

— Удачный был день. — Фокс взял руку Лейлы, коснулся губами ладони. — Я хочу кое-что сказать. Кто хочет торт?

15

Гейдж с Фоксом пришли в кабинет Кэла в боулинг-центре — здесь можно было спокойно, без помех поговорить. Времени оставалось мало. Гейдж буквально чувствовал, как один за другим убегают дни. Никто не видел Твисса с того дня, как Гейдж его подстрелил. Но присутствие демона чувствовалось.

Участились нападения животных на жителей города, вдоль дороги появились раздувшиеся трупы зверей. Внезапные отключения электричества и пожары. Казалось, с каждым днем люди становятся все раздражительнее. Увеличилось количество преступлений.

Ночные кошмары сделались постоянными.

— Сегодня моя прабабушка и двоюродная сестра переезжают к родителям, — сообщил Кэл. — Вчера их соседям разбили окно камнем. Я пытаюсь убедить всех, чтобы они укрылись на ферме. Безопасность зависит от количества, Фокс. Если дело и дальше так пойдет, совсем скоро нам придется переселять всех желающих. Раньше, чем мы думали. Я понимаю, что людей много, но...

— Они готовы. Отец, мать, брат с семьей, сестра со своим парнем. — Фокс помассировал затылок. — Вчера вечером пришлось поругаться с Сейдж по телефону, — прибавил он, имея в виду старшую сестру. — Собиралась приехать помочь. Она остается в Сиэтле — злая на меня, но остается. Я шантажировал ее беременностью Паулы.

— Это хорошо. У тебя и так почти вся семья участвует. Мои сестры тоже останутся дома. Каждый день люди уезжают из города. Кто куда.

— Я вчера заскакивал в цветочный магазин, — сказал Фокс. — В конце недели Эми закрывается и уезжает на пару недель в отпуск, в Мэн. Три моих клиента отменили встречи. Думаю, мне тоже стоит закрыть контору, пока все не закончится.

— Выясни, что еще нужно твоим на ферме. Продукты, палатки. Не знаю.

— Я собирался к ним чуть позже. Помогу, чем смогу.

— Поехать с тобой? — спросил Гейдж.

— Нет, мы сами справимся. Потом вернусь в дом Кэла, если мы решим там ночевать. Проследите, чтобы Лейла не оставалась одна, и отвезите туда.

— Без проблем. Кто-нибудь сегодня спал? — спросил Кэл. Гейдж в ответ засмеялся.

— Ага. Я тоже. — Он выложил гелиотроп на стол. — Я сегодня утром достал его из сейфа. Подумал, что, если буду сидеть и смотреть на него, появятся какие-нибудь мысли.

— Уже скоро. — Фокс вскочил и зашагал по комнате. — Я чувствую. А вы? Мы на пороге, но нельзя торопить события. Такое впечатление, что у нас все есть, все фрагменты. Кроме одного. — Он взял камень. — Кроме него. Он у нас, но мы не знаем, как его использовать.

— Может, нам нужна гаубица, а не кусок камня? Криво улыбнувшись, Фокс повернулся к Гейджу.

— Согласен. Гаубица нам бы не помешала. Но именно эта штука уничтожит демона. Женщины почти все время — то есть большую часть суток — пытаются понять, как использовать этот обломок скалы. Но...

— Туда нам заглянуть не дано, — закончил Кэл.

— Мы с Сибил попробовали объединить усилия, но видим либо что-то непонятное, либо вообще ничего не видим. Помехи, которые умеет создавать этот ублюдок. Похоже, он трудится день и ночь, чтобы блокировать нас.

— Да, а Куин день и ночь пытается избавиться от помех. Все эти паранормальные штучки — ее конек. — Кэл пожал плечами. — А пока будем делать все возможное, чтобы защитить самих себя и город и понять, как пользоваться оружием, которое у нас есть.

— Если мы не сможем его прикончить... — начал Гейдж.

— Ты неисправимый оптимист, — закатил глаза Фокс.

— Если мы не сможем его прикончить, — повторил Гейдж, — если поймем, что все плохо, есть ли у нас способ защитить женщин? Вывести их из-под удара. Я знаю, вы оба об этом думаете.

Фокс снова опустился на стул.

— Думаю.

— И я, — признался Кэл. — Даже если нам удастся их убедить, в чем я сомневаюсь, все равно непонятно, как обезопасить их, когда мы все пойдем к Языческому камню.

— Мне это не нравится. — На скулах Фокса заиграли желваки. — Но все должно произойти именно там. В лесной чаще, в темноте. Мне бы очень хотелось верить, что можно найти другое место и что женщинам не обязательно быть с нами. Но я знаю, что это невозможно, так что отступать нам некуда — вот и все.

Втроем было легче, вынужден был признать Гейдж. Он любил друзей, и смерть одного из них воспринял бы как смерть части себя. Но ведь они были вместе с первых часов жизни. Нет, с первых минут, поправил себя он, спускаясь по лестнице.

Было легче, когда женщины только появились, когда ни одна из них не была ему так дорога. Пока он не увидел, как понимают друг друга Куин и Кэл, как светится Фокс, когда в комнату входит Лейла.

Было легче, пока он не признался себе в чувствах к Сибил. Черт возьми, они действительно были — нелепые, раздражающие, абсолютно невозможные. И эти чувства будили мысли. Нелепые, раздражающие, абсолютно невозможные мысли.

Ему не нужна привязанность. Он точно знает, что ему не нужны прочные отношения. Особенно те, черт возьми, в которых есть место планам и обещаниям. Он хочет приходить и уходить когда вздумается, делать то, что пожелает. За исключением каждого седьмого года. Пока это ему удавалось.

Никаких привязанностей.

Так что чувствам и мыслям придется найти другого придурка, которого можно... заразить, решил он.

— Гейдж.

Он замер — у основания лестницы стоял отец. Только этого не хватало, подумал Гейдж.

— Я помню, что обещал не попадаться тебе на глаза, когда ты придешь к Кэлу. И не буду.

— А теперь ты что делаешь?

Билл попятился, вытер ладони о рабочий комбинезон.

— Просто хотел спросить... не собирался мешать, просто хотел спросить.

— Что?

— Джим Хоукинс говорит, люди собираются на ферму О'Деллов. Я подумал, что могу помочь с переездом. Возить людей, продукты и все такое. Нужно все время ездить туда-сюда.

Если Гейджу не изменяла память, все Седмицы отец проводил в квартире наверху, пьяный в стельку.

— Брайан и Джоанна сами справятся.

— Да. Хорошо.

— Постой, — остановил отца Гейдж. — Почему бы тебе просто не уехать?

— Это и мой город. Раньше я никогда не помогал. Не обращал внимания, не задумывался над тем, что ты делаешь. Но я знал. Невозможно напиться до такой степени, чтобы не знать.

— На ферме может понадобиться помощь.

— Тогда ладно. Гейдж. — Билл поморщился, провел ладонями по лицу. — Я должен тебе сказать. Мне снятся сны. Последние несколько ночей. Все как будто наяву, хотя я точно знаю, что сплю. Я слышу, как твоя мать возится на кухне. Она там, у плиты, готовит ужин. Свиные отбивные, картофельное пюре и мелкий горох, который я любил. Она всегда так готовила. И она...

— Продолжай.

— Говорит со мной, улыбается. Знаешь, у нее была такая улыбка, у моей Кэти. Она говорит: «Эй,

Билл, ужин почти готов». Я подхожу к ней, как всегда делал, обнимаю и целую в шею, пока у нее заняты руки, а она смеется и вырывается. Во сне я чувствую ее запах, чувствую вкус...

Билл достал платок, вытер глаза.

— Она, как обычно, говорит, чтобы я прекратил немедленно, или ужин сгорит. А потом предлагает: «Может, выпьешь, Билл? Пропустишь стаканчик перед ужином?» На столе бутылка, и Кэти наливает виски в стакан, протягивает мне. Она, твоя мама, такого никогда не делала. И никогда не смотрела на меня такими глазами. Мрачными и злыми. Мне нужно присесть.

Билл опустился на ступеньки, вытер взмокший лоб.

— Я проснулся весь мокрый от пота, чувствуя запах виски, который она мне протягивала. Не Кэти, только виски. Вчера ночью я проснулся и пошел на кухню, чтобы выпить чего-нибудь холодного, потому что в горле у меня пересохло. На столе была бутылка. Прямо передо мной. Клянусь богом, она там стояла. Я не покупал бутылку. — Руки его дрожали, на верхней губе выступил пот. Я протянул руку, чтобы вылить ее в раковину. Бог свидетель, я собирался ее вылить, но бутылки не было. Я подумал, что схожу с ума. И я точно сойду с ума, если снова возьму бутылку не для того, чтобы вылить в раковину.

— Ты не сходишь с ума. — Еще одна разновидность пытки, подумал Гейдж. Ублюдок не упускает случая поразвлечься. — У тебя раньше были похожие сны?

— Может, пару раз, много лет назад. Трудно сказать, потому что я покупал бутылку и заливал их спиртным. — Билл вздохнул. — Пожалуй, несколько раз, в это же время года. Перед тем, что вы с парнями называете Седмицей.

— Он забавляется с нами. Забавляется с тобой. Поезжай на ферму и помоги там.

— Ладно. — Билл встал. — Не знаю, что это, только оно не должно так использовать твою маму.

— Не должно.

Билл повернулся, собираясь уйти, и Гейдж вполголоса выругался.

— Подожди. Я не могу забыть и не уверен, смогу ли когда-нибудь простить. Но знаю, что ты ее любил. Это правда, и мне жаль, что ты ее потерял.

В глазах Билла появилось какое-то новое выражение. Благодарность, вынужден был признать Гейдж.

— Ты тоже ее потерял. Все эти годы я гнал от себя подобные мысли. Ты ее потерял, а вместе с ней и меня. Это будет со мной до конца жизни. Но сегодня я пить не стану.

Гейдж направился прямо к дому, который арендовали женщины. Вошел, поднялся по лестнице и увидел завернутую в полотенце Куин, которая выходила из ванной.

— Ой. Ладно. Привет, Гейдж.

— Где Сибил?

Куин подтянула полотенце повыше.

— Наверное, в душе или одевается. Мы были в тренажерном зале. Я собиралась... впрочем, неважно.

Он пристально вглядывался в ее лицо: щеки раскраснелись, глаза сияли.

— Что-то случилось?

— Случилось? Нет, все хорошо. Отлично. Просто великолепно. Мне... лучше одеться.

— И собери вещи.

— Что?

— Собери все необходимое, — объяснил он нахмурившейся Куин. — Трех женщин за один раз перевезти не получится. Потом приедут Кэл с Фоксом и заберут остальное. Нет смысла вам здесь оставаться. Кстати, хоть кто-нибудь догадается запирать дверь? В городе становится опасно. Мы можем разместиться у Кэла, пока все не закончится.

— Ты принимаешь решение за всех? — послышался сзади голос Сибил.

Гейдж повернулся. Она стояла, прислонившись к косяку. Одетая.

— Да.

— Довольно самонадеянно, мягко говоря. Но, как это ни странно, я с тобой согласна. — Она посмотрела на Куин. — Иметь три базы — здесь, у Кэла и у Фокса — становится неудобно. Лучше собраться в одном месте. Даже если считать этот дом безопасным, мы слишком разобщены.

— А кто спорит? — Куин снова поправила полотенце. — Лейла сейчас в бутике с отцом Фокса, но мы можем взять ее вещи.

Сибил по-прежнему смотрела на Куин.

— Сделай одолжение, Гейдж, зайди к ней. Чтобы собрать все необходимое для работы, все равно потребуется время. Потом можешь взять пикап Фокса, и мы загрузим в него первую партию.

Гейдж понимал, что от него избавляются. Сибил хотела, чтобы он ушел.

— Собирайтесь. Когда приедем к Кэлу, мы с тобой попробуем еще раз использовать наши способности.

— Хорошо.

— Вернусь через двадцать минут, так что поторапливайтесь.

Сибил не ответила. Они с Куин стояли каждая у своей спальни и молча смотрели друг на друга, пока не хлопнула входная дверь.

— В чем дело, Куин?

— Я беременна. Боже правый, Сиб, я беременна. — Глаза Куин наполнились слезами, ноги исполнили нечто вроде танца радости. — Потрясающе. Я залетела, я беременна, у меня будет ребенок, я жду ребенка. Боже правый.

Сибил шагнула к ней, протянула руки. Они замерли в объятии.

— У меня и в мыслях не было. Я имею в виду, мы не старались завести ребенка. Все эти события, предстоящая свадьба. Мы оба думали — потом.

— И какой срок?

— Маленький. — Отстранившись, Куин вытерла лицо полотенцем и, обнаженная, принялась вытаскивать одежду. — Даже задержки еще не было, но в последние несколько дней я чувствую себя... не так. Какое-то особое чувство. Я пыталась от него отмахнуться, но не могла. Поэтому купила — ладно, признаюсь — пять тестов на беременность. Очень волновалась. В аптеке соседнего города. — Она рассмеялась. — Ты же понимаешь — город у нас маленький.

— Понимаю.

— Я использовала три теста — волнение превратилось в навязчивую идею. Только что. И все три оказались положительными. Наверное, срок не больше двух недель, но... — Куин посмотрела на свой живот. — Там что-то есть.

— Ты не сказала Кэлу?

— Хотела сначала убедиться. Он будет счастлив, но тоже начнет волноваться. — Она надела брюки-капри. — Нам столько всего предстоит, а я... в положении.

— И что ты чувствуешь?

— Страх, желание защитить. Я точно знаю, что, если мы не прикончим демона, ничего хорошего нас не ждет. Ни нас, ни ребенка. Если мы не победим. Я часть этой победы, и я должна верить, что это... — Куин прижала ладонь к животу. — Это знак надежды.

— Я тебя люблю, Куин.

— Господи, Сиб. — Они снова обнялись. — Я так рада, что ты со мной. Конечно, Кэл должен был узнать первым, но...

— Он поймет. У него же есть братья. — Сибил ласково пригладила влажные волосы Куин. — Мы победим, Куин. А вы с Кэлом будете потрясающими родителями.

— Обязательно. — Куин вздохнула. — Уф, похоже, Большому Злому Ублюдку придется иметь дело с гормонами. Ему не поздоровится.

— Вполне возможно, — рассмеялась Сибил.

Когда Гейдж вернулся, они загрузили вещи в пикап Кэла.

— Мне понадобится моя машина. Поэтому часть я возьму с собой и заеду за Лейлой. Но сначала мне нужно увидеть Кэла. — Она посмотрела на Сибил. — Я могу немного задержаться.

— Не торопись. Мы перенесем вещи в дом, все приготовим. Ну... Пока.

Куин крепко обняла Сибил, потом Гейджа, чем немало удивила его.

— Пока.

Гейдж сел в пикап, завел мотор. Потом принялся барабанить пальцами по рулевому колесу.

— Что это с Куин?

— Ничего.

— Похоже, немного нервничает.

— Мы все нервничаем. Именно поэтому я согласилась с тобой, что теперь нам нужно жить вместе.

— Не похоже. — Он повернулся и посмотрел в глаза Сибил. — Куин беременна?

— Какой догадливый. Да, беременна, и я признаюсь только потому, что она прямо сейчас собирается сказать Кэлу.

— Черт. — Гейдж провел ладонями по лицу.

— Ты, как всегда, видишь стакан наполовину пустым. А он наполовину полный. Лично мне кажется, что из него льется через край. Это очень хорошая новость, Гейдж. Сильная, позитивная.

— Возможно. Для нормальных людей в нормальных обстоятельствах. Но попробуй поставить себя на место Кэла. Ты захочешь, чтобы женщина, вынашивающего твоего ребенка, рисковала своей жизнью и жизнью малыша? Или чтобы она была за сотни миль от всего этого?

— Даже за тысячи миль. Думаешь, я не способна понять его чувства? Я ее очень люблю. Но точно знаю, что она не сможет уехать. Поэтому смотрю на это так же, как сама Куин — как на знак надежды. Мы же знали о такой возможности, Гейдж. Видели. Мы видели их с Кэлом, живых, и Куин была беременна. Я верю, что так и будет. Должна верить.

— Но мы видели и ее смерть.

— Пожалуйста, не надо. — Сибил закрыла глаза, борясь с внезапной слабостью. — Я понимаю, что нужно приготовиться к худшему, но не надо. Не сегодня.

Гейдж выехал на дорогу и несколько минут вел машину молча.

— Через пару дней Фокс все равно собирается закрывать контору, — наконец сказал он. — Если Лейла будет продолжать ремонт...

— Обязательно. Это еще один позитив.

— Он может провожать ее и помогать отцу. Они, а также Кэл с отцом будут нашими глазами и ушами в городе. Куин — и тебе тоже — нет смысла возвращаться в Холлоу, пока все не закончится.

— Возможно. — Разумный компромисс, подумала Сибил. Удивительно.

— Мой старик видит сны, — сообщил Гейдж и передал рассказ Билла.

— Демон питается нашими страхами, болью, слабостями. — Сибил коснулась его руки. — Хорошо, что он тебе рассказал. Еще один позитив, Гейдж, как бы ты ни относился к отцу. Теперь ты чувствуешь присутствие демона в городе? Это как обнаженные нервы.

— Будет еще хуже. Люди, собиравшиеся в Холлоу по служебным или личным делам, вдруг передумают. А те, кто хотел проехать через него, решат сделать крюк. Кое-кто из местных жителей уедет на пару недель. Часть оставшихся затаится, словно при приближении урагана.

Гейдж внимательно смотрел на дорогу, готовый среагировать на любую неожиданность. Черную собаку, мальчишку.

— Те, кто захочет выбраться из города после седьмого июля, не смогут этого сделать. Испуганные и растерянные, будут кружить на месте. Попытаются звать на помощь, но звонки по большей части не пройдут.

Он свернул на подъездную дорожку к дому Кэла.

— В воздухе пахнет дымом еще до начала пожаров. А когда они начинаются, опасность грозит всем оставшимся.

— Только не в этот раз. Кто-то укроется на ферме Фокса. А когда мы прикончим ублюдка, воздух очистится. И пожары погаснут.

Гейдж открыл дверцу, оглянулся на Сибил.

— Отнесем вещи в дом. Затем... — Он схватил ее за руку и резко дернул, прежде чем она успела открыть дверь. — Не выходи из машины.

— Что? Что случилось? О боже.

Проследив за его взглядом, Сибил увидела на веранде Кэла извивающийся и шипящий клубок.

— Медноголовые змеи, — сказал Гейдж. — Штук десять.

— Ядовитые. Так много? Да, лучше не выходить из машины. — Она достала из сумочки маленький пистолет, потом покачала головой. — Сомневаюсь, что отсюда в них попадешь, особенно из такого оружия.

Гейдж извлек из-под сиденья «люгер».

— Это сойдет, но тоже не отсюда. Черт, Кэл меня поджарит, если я проделаю дырки в его доме. У меня есть идея получше. Оставайся в машине. Меня укусы только разозлят, а тебя выведут из строя — в лучшем случае.

— Логично. И что за идея?

— Сначала меняемся. — Он протянул ей «люгер», а сам взял ее револьвер. — Будут сюрпризы, стреляй.

Пока она привыкала к весу пистолета в руке, Гейдж вышел из пикапа. Ей ничего не оставалось, как довериться ему, и Сибил стала вспоминать все, что знает об этих змеях.

Да, ядовитые, но укус редко бывает смертельным. Хотя после нескольких десятков укусов шансов остаться в живых почти никаких. Предпочитают каменистые склоны и не особенно агрессивны. Разумеется, если демон не заразил их безумием.

Сибил не сомневалась: эти нападут.

Словно уловив ее мысли, несколько змей подняли свои треугольные головы. К дому с лопатой в руке приближался Гейдж.

Лопата? У него есть пистолет, а он решил уничтожить гнездо разъяренных змей с помощью лопаты. Сибил опустила стекло и хотела высказать все, что она думает о его плане, но Гейдж уже поднимался по ступенькам навстречу извивающемуся клубку.

Это было отвратительно. Сибил считала, что у нее крепкие нервы, но при виде этой бойни к горлу подступила тошнота. Она не могла сосчитать, сколько раз его укусили змеи, но знала, что боль сильная — несмотря на способность Гейджа к само-исцелению.

Когда все закончилось, она с усилием сглотнула и вышла из машины. Лицо Гейджа блестело от пота.

— Вот и все. Осталось тут все убрать и закопать их.

— Я помогу.

— Не стоит. Вид у тебя неважный.

Сибил провела рукой по лбу.

— Стыдно признаваться, но меня немного мутит. Это было... Ты как?

— Достали меня несколько раз, но ничего страшного.

— Слава богу, мы приехали раньше Лейлы. Я помогу. Только возьму еще лопату.

— Сибил. Очень хочется кофе.

Она пожала плечами, потом приняла предложенный выход.

— Хорошо.

Наверное, не стоило стыдиться, что она не смотрела на кровавое месиво на веранде, когда шла к дому. Это вовсе не обязательно. В кухне Сибил выпила холодной воды и умылась, пытаясь успокоиться. Сварив кофе, она вынесла чашку во двор; Гейдж копал яму на опушке леса.

— Это место превращается в кладбище безумных животных, — заметила она. — Взбесившийся Роско, теперь батальон змей. Передохни. Я умею копать. Правда.

Он протянул ей лопату, взял кофе.

— Больше похоже на шутку.

— Что?

— Все это. Не очень серьезно. Как тычок локтем под ребра.

— Я до сих пор смеюсь. Хотя понимаю, что ты имеешь в виду. Да, ты прав. Просто небольшая психическая атака.

— Во время Седмицы появляются змеи. Их находят в подвалах, шкафах и даже в машинах, если, припарковавшись, забывают поднять стекло. И крысы.

— Очень мило. Да, я читала. — От жары и физического напряжения лоб покрылся капельками пота. — Глубже нужно?

— Нет. Дальше я сам. Возвращайся в дом.

Сибил покосилась на два ведра из-под компоста и подумала, что Гейджу пришлось в них положить.

— Скоро мне придется увидеть и не такое. Не стоит щадить изнеженную женщину.

— Как хочешь.

Гейдж вывалил содержимое ведер в яму, и Сибил почувствовала, как к горлу подкатывает тошнота. Неужели это еще не самое худшее?

— Я их вымою. — Она взяла пустые ведра. — И веранду тоже. А ты тут заканчивай.

— Сибил, — окликнул ее Гейдж. — Я не считаю тебя изнеженной женщиной.

Сильной, подумал он, бросая первую лопату земли. Надежной. Такой женщине может довериться мужчина — в радости и горе.

Закончив, он обогнул дом и в изумлении остановился. Стоя на четвереньках, Сибил скребла щеткой веранду.

— Ты открываешься для меня с неожиданной стороны.

Она подняла голову и откинула волосы со лба.

— Какой?

— Как женщина со щеткой в руке.

— Я предпочитаю платить за уборку, но мне и раньше приходилось мыть полы. Хотя, должна признаться, змеиные кишки убираю впервые. Приятной домашней работой это не назовешь.

Гейдж поднялся по ступенькам, остановился на границе мыльной воды и облокотился на перила.

— А что такое приятная домашняя работа?

— Готовить вкусную еду, когда есть настроение, расставлять цветы, красиво сервировать стол. Список у меня короткий. — Сибил села на корточки; спина ее взмокла от пота. — Ах да, еще делать заказы.

— Столиков в ресторане?

— Чего угодно. — Она встала и хотела взять ведро, но Гейдж ее опередил. — Это нужно вылить, потом все смыть из шланга.

— Я сделаю.

Сибил улыбнулась.

— Не слишком неприятное мужское дело?

— Можно и так.

— Тогда займись. Я приведу тут все в порядок, и начнем разгружать вещи.

Они действовали быстро и слаженно. Еще одно необычное ощущение, подумал Гейдж. Ему еще не приходилось работать на пару с женщиной. И он никак не предполагал, что мытье пола после похорон изуродованных змеиных трупов может вызвать у него такие странные мысли и чувства.

— Чем ты хочешь заняться, когда все закончится? — спросил он, споласкивая раковину.

— Чем я хочу заняться, когда все закончится? — задумчиво повторила она, наливая кофе. — Двенадцать часов сна на шикарной кровати с белоснежными простынями, потом ваза с мимозами и завтрак в постель.

— Очень мило, но я не об этом.

— А, в более широком, философском смысле. — Она положила в бокал лед, залила его грейпфрутовым соком и имбирным элем, сделала большой глоток. — Сначала отдохнуть. От работы, от стресса, от этого города. Не подумай, я ничего против него не имею. Просто заслуженный отдых. Потом хочу вернуться и помочь Куин и Лейле со свадьбами, а Куин еще и с ребенком. Хочу снова увидеть Хоукинс Холлоу. Порадоваться, что ему ничего не угрожает и что в этом есть и моя заслуга. Потом ненадолго вернуться в Нью-Йорк, и вновь за работу — куда бы она меня ни привела. Еще хочу увидеться с тобой. Тебя это удивляет?

Его все в ней удивляет, понял Гейдж.

— Я подумал, что я мог бы разделить с тобой двенадцатичасовой сон и завтрак в постели. Где-нибудь далеко.

— Это предложение?

— Вроде того.

— Принимается.

— Так просто?

— Никто не знает, сколько нам суждено прожить. Поэтому все просто.

Он коснулся ее щеки.

— Куда ты хочешь поехать?

— Удиви меня. — Она накрыла его ладонь своей.

— А что, если... — Он умолк, услышав, как открылась парадная дверь. — Ладно. Пусть будет сюрприз.

16

Лейла вошла в столовую, переживавшую процесс превращения в рабочую зону. Стол был завален ноутбуками, папками, таблицами, графиками. В углу стояла маркерная доска, а Кэл сидел на корточках, подсоединяя принтер.

— Фокс сказал, что поужинает на ферме и мы можем начинать без него — то есть Гейдж с Сибил могут начинать. Он будет через пару часов. Я ничего ему не говорила. — Она с улыбкой посмотрела на Куин. — Пару раз у меня чесался язык, но я подумала, что вы с Кэлом сами захотите сообщить ему о ребенке.

— А я не против, чтобы мне самому еще раз сообщили. Лучше несколько раз.

— Давай я буду называть тебя папочкой? — предложила Куин.

Он рассмеялся смехом мужчины, не знающего, пугаться ему или радоваться.

— Уф, — выдохнул Кэл и придвинулся к Куин, сортировавшей папки. — Уф. — Он взял ее за руку, и они посмотрели друг на друга. Лейла выскользнула из комнаты.

— Они наслаждаются, — сообщила она Гейджу и Сибил, которые расположились на кухне.

— Имеют полное право. — Сибил закрыла дверцу буфета, подбоченилась и окинула взглядом комнату. — Кажется, порядок. Все ценное из нашего дома я расставила, и в бакалейных товарах недостатка не будет.

— Завтра я заберу из квартиры Фокса все, что может нам понадобиться, — сказала Лейла. — Что еще я могу сделать?

— Разыграем комнату для гостей. — Гейдж достал из кармана монетку. — Проигравшему достанется матрас в кабинете.

— Понятно. — Наморщив лоб, Лейла посмотрела на монету. — Хотела проявить благородство и уступить комнату для гостей, но я уже спала на том матрасе. Орел. Нет... решка.

— Решайся, дорогуша.

Лейла прижала кулаки к вискам, зажмурилась, повертела бедрами. Гейдж знал: люди используют самые разные способы для привлечения удачи.

— Решка.

Гейдж подбросил монету, поймал и припечатал к тыльной стороне ладони.

— Нужно было довериться инстинкту.

Лейла со вздохом посмотрела на монету. Выпал орел.

— Ладно. Фокс задерживается, так что...

— Мы начнем, как только наведем порядок в столовой. — Сибил выглянула в окно. — Думаю, лучше остаться в доме. Дождь начинается.

— Плюс змеи. Ну, хватит им миловаться. — Лейла направилась в столовую, чтобы помочь расставить все по местам.

— Ты слишком много на себя берешь, — сказал Фокс. Они с отцом стояли на заднем крыльце дома, глядя на мелкий, частый дождь.

— Я был в Вудстоке, сынок. Справимся.

На дальнем поле уже стояли палатки. Вместе с отцом, братом Риджем и Билом Тернером они соорудили импровизированную кухню — деревянный помост с тентом.

Это еще ничего, но ряд ярко-синих биотуалетов у дальней кромки поля? Необычная картина.

Фокс знал: родители справятся без труда. Им не привыкать.

— Билл собирается построить душевые кабины, — продолжал Брайан, поправляя козырек бейсболки. На нем были старые рабочие ботинки и выцветшие джинсы — мастер на все руки.

— Да.

— Получится довольно примитивно, но на неделю или две сойдет. Кроме того, мама и Спэрроу выделят время, когда можно пользоваться удобствами в доме.

— Только не позволяй чужим распоряжаться в доме. — Фокс посмотрел в глаза отцу. — Эй, папа, я вас знаю. Не все люди честные, не всем можно доверять.

— Хочешь сказать, что в нашем мире нечестные не только политики? — Брови Брайана взлетели вверх. — Скажи еще, что не веришь в пасхального кролика.

— Для разнообразия запирайтесь хотя бы на ночь. На всякий случай.

Брайан издал какой-то неопределенный звук.

— Джим думает, что люди начнут прибывать уже через пару дней.

Фокс сдался. Родители все равно поступят так, как считают нужным.

— Ты хоть представляешь, сколько их будет?

— Пару сотен. Даже больше, если у него получится. Люди верят Джиму.

— Я помогу.

— Это не твоя забота. Мы справимся. Делай, что нужно и береги себя. Черт возьми, у меня всего один старший сын.

— Точно. — Фокс повернулся к отцу, обнял. — До скорого.

Под летним дождем он побежал к своему пикапу. Горячий душ, сухая одежда, пиво — вот что ему нужно. В таком порядке. А еще лучше затащить в душ Лейлу. Он завел мотор, объехал машину брата и вырулил на дорогу.

Фокс надеялся, что Гейджу и Сибил улыбнется удача, когда они попытаются заглянуть в будущее. Похоже, уже пытаются. Обстановка... накалялась. Он чувствовал. Город окутал мрак, не имевший никакого отношения к летнему дождю или влажным, темным ночам. Еще пара ответов, подумал он. Еще пара фрагментов головоломки. Это все, что им нужно.

Поворачивая, Фокс увидел в зеркале заднего вида свет фар следовавшей за ним машины. Дворники с шуршанием скользили по ветровому стеклу, из динамиков гремел «Стоун Саур». Он барабанил пальцами по рулевому колесу в такт музыке и мечтал о горячем душе. Примерно через милю мотор вдруг затарахтел, стал работать с перебоями.

— Черт! Я же недавно тебя регулировал! — Пикап дернулся и замедлил ход. Встревоженный, Фокс свернул на обочину, и в этот момент двигатель окончательно заглох. Машина встала.

— Отлично, особенно в дождь. — Фокс собрался выйти, но вдруг замер. Не отрывая взгляда своих карих глаз от зеркала заднего вида, он достал телефон. И выругался, увидев надпись на дисплее: «Нет сигнала». — Эй, вы меня слышите?

Пальцы Фокса стиснули ручку двери. Дорога позади него тонула во тьме и тумане.

В гостиной Гейдж и Сибил сели на пол лицом друг к другу. Взялись за руки.

— Наверное, нам нужно сосредоточиться на вас троих, — сказала Сибил. — И на гелиотропе. Камень вручили вам. Начнем с этого. Трое друзей, гелиотроп.

— Стоит попробовать. Готова?

Сибил кивнула и постаралась выровнять дыхание. Первым представила Гейджа, не только лицо, глаза, руки, но и все, что успела разглядеть в его душе. Потом Кэл — она мысленно поставила его рядом, плечом к плечу с Гейджем. Не только внешность, но и душа. Следующим был Фокс.

Братья, подумала она. Братья по крови. Мужчины, горой стоящие друг за друга, доверяющие друг другу, любящие друг друга.

Шум дождя усилился. Превратился в раздирающий уши рев. Темная дорога, струи воды. Свет отражается от мокрого асфальта, как от черного стекла. На этом стекле под дождем стоят двое мужчин.

На мгновение перед ее внутренним взором всплывает лицо Фокса и направленный на него пистолет.

Потом она стала куда-то падать, задыхаясь и отчаянно пытаясь нащупать опору; голос Гейджа доносился словно сквозь вату:

— Это Фокс. Он в беде. Быстрей.

Борясь с головокружением, Сибил поднялась на колени. Лейла бросилась к Гейджу, схватила его за руку.

— Где? Что происходит? Я с вами.

— Нет, ты остаешься. Пошли!

— Он прав. Пусть идут. И быстрее. Неизвестно, сколько у нас есть времени.

— Я могу его найти. Я могу его найти. — Вцепившись в руку Сибил, Лейла изо всех сил пыталась установить мысленную связь с Фоксом. Ее зеленые глаза потемнели. — Он рядом, всего пару миль... Пытается к нам пробиться. Первый поворот. Первый поворот на Уайт-Рок-роуд, едет сюда с фермы. Скорее. Торопитесь. Это Нэппер. У него пистолет.

Втянув голову в плечи, Фокс вышел на дождь и открыл капот пикапа. Руки у него на месте. Сколотить стол, забить гвоздь в стену — без проблем. Машина? Не особенно. Только самое элементарное: сменить масло, зарядить аккумулятор. Максимум — заменить ремень вентилятора.

Он стоял под дождем и смотрел на приближающиеся фары. Элементарных знаний и провидческого дара хватило, чтобы понять причину поломки. А вот выбраться из передряги целым и невредимым будет не так просто.

Конечно, можно убежать. Но это ему не по нутру. Фокс шагнул в сторону и, наклонившись, посмотрел на приближавшегося Деррика Нэппера.

— Проблема?

— Похоже. — Фокс не увидел, а скорее почувствовал пистолет в опущенной руке Нэппера. — Много сахару пошло?

— Ты не так глуп, каким кажешься. — Нэппер наставил на него пистолет. — Пойдем немного прогуляемся по лесу, О'Делл. Поговорим о том, как ты меня уволил.

Фокс смотрел не на пистолет, а в глаза Нэппера.

— Я тебя уволил? Мне казалось, ты сам.

— Рядом нет твоей шлюхи матери или гомиков дружков, чтобы тебя защитить. Теперь ты узнаешь, что бывает с тем, кто становится мне поперек дороги. Всю жизнь ты ко мне пристаешь.

— Значит, ты это так видишь? — Тон Фокса был почти небрежным. Он слегка расставил ноги для устойчивости. — Я приставал к тебе каждый раз, когда ты набрасывался на меня на детской площадке? Когда ты подстерег меня на стоянке перед банком? Забавно. Но мне кажется, ты не будешь утверждать, что я приставал к тебе всякий раз, когда ты пытался меня вздуть, но у тебя ничего не выходило.

— Когда я с тобой закончу, ты пожалеешь, что этим дело не ограничилось.

— Брось пистолет и уходи, Нэппер. Я мог бы сказать, что не желаю тебе зла, но какой смысл лгать? Брось пистолет и уходи, пока цел.

— Пока я цел? — Нэппер ткнул пистолет в грудь Фокса, заставив отступить на шаг. — Ты и правда дурак. Ты мне еще угрожаешь? — Он сорвался на крик. — У кого пистолет, козел?

Глядя Нэпперу в глаза, Фокс взмахнул бейсбольной битой, которую все это время прятал за спиной. Он услышал треск сломанной кости и сильный толчок — пуля впилась ему в руку. Пистолет полетел в темноту.

— Ни у кого. Придурок. — На всякий случай Фокс ударил еще раз, на этот раз в живот Нэппера. Потом, держа биту на изготовку, склонился над распростертым у его ног человеком. — Я сломал тебе руку. Готов поспорить, это больно.

Он скосил глаза на свет еще одних фар, проступивший сквозь завесу дождя.

— Я же просил тебя уйти, — присев, он схватил Нэппера за волосы, поднял его голову и посмотрел в белое, как мел, лицо. — Может, стоило послушаться? Хоть раз, черт возьми?

Фокс отпустил Нэппера и стал ждать друзей.

Они выскочили из машины Гейджа. Словно пули, подумал Фокс, — оправданное сравнение, если учесть только что происшедшее.

— Спасибо, что приехали. Кто-нибудь пусть позвонит Хоубейкеру. Здесь мой телефон не ловит.

Оценив ситуацию, Кэл с облегчением выдохнул.

— Я займусь, — сказал он, достал телефон и отошел на несколько шагов дальше по дороге.

— У тебя кровь, — заметил Гейдж.

— Да. Пистолет выстрелил, когда я сломал ему руку. Кость не задета. Но чертовски больно. — Фокс посмотрел на Нэппера, который, тяжело дыша, сидел на мокром асфальте. Не трогай, — остановил он Гейджа, который нагнулся за пистолетом. — Оставишь свои отпечатки пальцев и испортишь улику.

Фокс достал из кармана платок, протянул Гейджу.

— Заверни. Только осторожнее.

— Иди к Кэлу.

Холодный, бесстрастный тон Гейджа заставил Фокса повернуть голову. Их взгляды встретились.

— Нет. Нет смысла, Гейдж.

— Он стрелял в тебя. И ты прекрасно знаешь, что собирался убить.

— Собирался. Хотел. Знаешь, я вожу с собой биту в машине с тех пор, как вы с Сибил видели меня лежащим на дороге. Мне везет. — Он дотронулся до раненой руки и поморщился, увидев, что на пальцах осталась кровь. — В основном. Мы будем действовать как положено, по закону.

— Он плевал на закон.

— Но мы же не такие.

Вернулся Кэл.

— Шериф уже выехал. Я позвонил домой. Лейла знает, что ты в порядке.

— Спасибо. — Фокс бережно поддерживал раненую руку. — Кто-нибудь из вас видел матч «Оуз» в Нью-Йорке?

Они стояли под дождем, ожидая копов, и обсуждали бейсбол.

Лейла выбежала из дома и стрелой метнулась к Фоксу. Он вылез из машины, в которую они втиснулись вместе с Кэлом и Гейджем. Гейдж подошел к стоявшим на крыльце Сибил и Куин.

— С ним все нормально.

— Что случилось? Что... Вы все мокрые. — Куин вздохнула. — Идите в дом и переоденьтесь. Мы подождем.

— Только один вопрос, — вмешалась Сибил. — Где он? Где этот сукин сын?

— В камере предварительного заключения. — Обняв Лейлу, Фокс поднялся по ступенькам на веранду. — Ему обрабатывают сломанную руку и предъявляют целый букет обвинений. Господи, как хочется пива.

Через некоторое время, переодевшись в сухое, с пивом в руке, Фокс рассказывал, что произошло на дороге.

— Поначалу я просто разозлился, вышел из машины, открыл капот. А потом вспомнил, что видели Сибил с Гейджем, и достал из-под сиденья мою верную бейсбольную биту.

— Слава богу, — выдохнула Лейла, повернулась и поцеловала его зажившую руку.

— Бензина у меня был почти полный бак, а пару недель назад я оставлял машину на сервисе. Поэтому я сосредоточился на двигателе.

— Ты не разбираешься в двигателях.

Фокс показал ему средний палец.

— Сахар в бензобаке. Двигатель протянет пару миль, потом начнет чихать и заглохнет. Теперь моей машине пора на свалку.

— Сказки для простаков. — Гейдж взмахнул банкой пива. — Сахар забивает топливный фильтр и инжекторы, и двигатель глохнет. Пусть механик несколько раз сменит фильтры, снимет и промоет бензобак. Это обойдется тебе в пару сотен.

— Правда? Так просто? Я думал...

— Будешь спорить с Макгайвером?[1] — спросил Гейдж.

— Извини, забылся. В общем, намеренное вредительство, и у меня не возникло вопросов, чьих это рук дело. Так что я достал биту, и тут появился Нэппер.

— С пистолетом, — прибавила Лейла.

Фокс сжал ее руку.

— Пули от меня отскакивают. Почти. Такие вот дела. Нэппер теперь за решеткой и больше нас не побеспокоит. Благодаря Сибил и Гейджу я был начеку и сижу теперь тут, а не валяюсь на обочине. И это хорошо.

— Позитив, — сказала Сибил. — Благоприятный исход и еще один плюс в нашей колонке. Это важно. Помимо самого факта, что Фокс сидит здесь с нами, важно и то, что он смог превратить потен-

---

[1] Герой приключенческого боевика, умный и находчивый.

циально неблагоприятный исход в благоприятный. У судьбы много дорог.

— Я был бы счастлив оказаться на другой дороге. В других новостях...

Затем Фокс рассказал о том, что происходит на ферме. Заметив зевок Куин, он улыбнулся.

— Тебе скучно?

— Нет. Прости. Наверное, это из-за ребенка.

— Какого ребенка?

— Черт, мы ему не сказали. Все эти отскакивающие пули и биотуалеты совсем задурили нам голову. Я беременна.

— Что? Серьезно? Я тут выбиваюсь из сил, принимаю на себя пули и копаю выгребные ямы, и теперь мне сообщают, что у нас будет ребенок? — Он вскочил, поцеловал Куин, хлопнул по плечу Кэла. — Отведи женщину в постель. Очевидно, ты знаешь, как это делается.

— Знает, но я и сама могу. Наверное, мне и правда пора. — Она встала, обхватила ладонями щеки Фокса. — Я рада, что все обошлось.

— Буду наверху. — Кэл встал. — Пожалуй, нам всем не мешает поспать. Мы не очень далеко продвинулись — нас бесцеремонно прервали. Может, завтра?

— Завтра, — согласился Гейдж.

— Я тоже пойду наверх. — Сибил поцеловала Фокса. — Отличная работа, красавчик.

Смех Куин, доносившийся из спальни Кэла, вызвал у нее улыбку. Позитивная энергия. Вот у кого этой энергии в избытке, а теперь Куин будет буквально излучать ее. Им так нужен этот свет.

Пришлось признать, что она немного устала. Все устали, подумала Сибил. Все эти видения, ночные кошмары. Йога или теплая ванна помогут расслабиться.

Когда за ее спиной возник Гейдж, она хотела оглянуться, но его руки легли ей на бедра, властно повернули. Гейдж прижал ее спиной к двери.

— Ну, привет.

Пальцы Гейджа переместились с ее бедер к запястьям. Руки Сибил взлетели вверх. Расслабиться не получится — скорее наоборот. Собравшись с духом, она приготовилась дать отпор настойчивости, которую увидела в его глазах, но смогла лишь вздохнуть, когда его губы прижались к ее губам. И затрепетала, почувствовав не настойчивость, а нежность.

Неспешный, нежный поцелуй успокаивал и одновременно возбуждал. Руки Гейджа не выпускали ее запястья, отчего сердце забилось еще быстрее; его губы продолжали ласкать ее. Сибил словно растворялась в наслаждении. Он обхватил ее запястья одной рукой, а другой стал ласкать ее тело.

От легких, нежных прикосновений где-то глубоко внутри разгорался огонь желания, колени подогнулись. Не отрываясь от ее губ, Гейдж расстегнул пуговицу, и его ладонь скользнула под блузку.

Ей казалось, что она тает под его руками словно масло.

Затем пальцы Гейджа зацепили ворот ее блузки и резко рванули вниз.

Шок в глазах Сибил, удивленный вздох.

— Соблазнение не должно быть предсказуемым. Ты думаешь, что знаешь. — Он поцеловал ее долгим пьянящим поцелуем. — А на самом деле нет. Не знаешь.

Его пальцы крепче стиснули запястье Сибил, как бы предупреждая, поцелуй струился, словно шелк. Гейдж чувствовал, как она поддается — медленно, дюйм за дюймом. Он опустил руку вниз, между ее бедер, быстрыми, почти грубыми ласками довел до экстаза, заглушая ртом стоны и крики.

— Я хочу тебя так, как ты даже представить не можешь.

Задыхаясь, она посмотрела ему в глаза.

— Могу.

Он улыбнулся.

— Давай проверим.

Гейдж развернул ее, так что она была вынуждена упереться руками в дверь, затем пальцы ее сжались в кулаки — то, что он проделывал с ее телом и чувствами, толкало ее от отчаяния к капитуляции, потом возвращало назад. Внезапно ласки его замедлились, стали нежнее, и он подхватил ее на руки. На кровати ей захотелось сжаться в комок, замереть, но Гейдж придавил ее всем своим весом.

— Я еще не закончил.

— О боже.

Он провел кончиком языка по соску, и ее тело затрепетало.

— У нас есть каталка?

— Я отнесу тебя на руках. — Его губы сомкнулись вокруг соска.

Она раскрывалась перед ним, отдавала себя, растворялась в нем. Сибил приподнялась, задрожав, потом снова рухнула на кровать. Гейдж чувствовал, как желание стремится навстречу желанию. В ней были красота и сила, о которых он даже не мечтал, и она была с ним.

Его плоть снова проникла в нее, и он чувствовал удары ее сердца. Потом услышал свое имя, и все исчезло. Остались только они.

Она плыла по волнам наслаждения. Ни напряжения, ни усталости, ни страха перед завтрашним днем. Блаженство, подумала Сибил. Она открыла глаза и встретилась с взглядом Гейджа.

У нее хватило сил на улыбку.

— Если ты думаешь о продолжении, значит, в последнем раунде у тебя повредился рассудок.

— Это был нокаут. — Разве он мог объяснить, что происходило у него внутри, когда они одновременно достигли оргазма? Таких слов просто не существовало. Поэтому он просто наклонился и коснулся губами ее губ. — Я думал, ты спишь.

— Это лучше, чем сон. Блаженное забытье.

Гейдж взял ее за руку, и она все поняла по его глазам.

— Да, но...

— Самое подходящее время. Ничто так не расслабляет, как секс. Не высвобождает столько позитивной энергии, если делать все правильно. А я делал все правильно, да, милая? Мы должны попытаться.

Сибил вздохнула. Он прав. Объединив усилия теперь, когда связь между ними особенно прочна, они смогут преодолеть препятствия, вставшие у них на пути во время предыдущих попыток.

— Хорошо. — Она повернулась к нему, сердце напротив сердца. — Точно так же, как в прошлый раз. Сосредоточимся на тебе, Кэле и Фоксе. Затем камень.

Ее глаза. Гейдж видел в них себя. Чувствовал. Потом погрузился в них, вынырнув на поляне у Языческого камня. Один.

Он чувствовал ее запах — таинственный, манящий.

Золотистые лучи солнца, густая зеленая листва на деревьях. К нему подошел Кэл: серые глаза спокойны и серьезны. В руках топор. Рядом с ним Фокс с искаженным от ярости лицом. Он держит сверкающую косу.

Они замерли, глядя на лежащий на камне амулет.

И начался ад.

Тьма, ветер, кровавый дождь набросились на них, словно дикие звери. Пламя ревело, обволакивая камни, словно сверкающая кожа. Гейдж понял, что война, которую они вели двадцать один год, была всего лишь мелкими стычками, разведкой боем.

Вот она, настоящая битва.

Женщины сражались рядом с ними, покрытые кровью и потом. Кулаки, клинки и пули вспарывали звеневший от криков воздух. Ледяные струи смешивались с дымом. Что-то острое, похожее на когти, полоснуло его по груди, разрывая плоть. Кровь брызнула во все стороны; капли падали на землю и с шипением испарялись.

Полночь. Гейдж слышал свои мысли. Скоро полночь. Он протянул окровавленную руку Сибил. В ее глазах блестели слезы, но она крепко сжала его ладонь и потянулась к Кэлу.

Один за другим они брались за руки, соединяя не только тела, но и кровь и разум. Пока все шестеро не образовали кольцо. Земля разверзлась, пламя взметнулось выше. Черная масса сгустилась. Гейдж еще раз взглянул в глаза Сибил и разорвал круг.

Бросившись в бушующее пламя, он голыми руками схватил горящий камень, зажал в кулаке и прыгнул в темноту.

В брюхо зверя.

— Стой, стой. — Сибил стояла на коленях рядом с ним, отчаянно колотя кулаками по его груди. — Вернись, вернись. Господи, Гейдж, вернись!

Вернуться? Разве оттуда возвращаются? Из этого холода, боли, ужаса? Гейдж открыл глаза, и все эти ощущения осиным роем впились в его мозг.

— У тебя кровь идет из носа, — с трудом произнес он.

Сибил всхлипнула, соскользнула с кровати и, пошатываясь, пошла в ванную. Она вернулась с двумя полотенцами; одно протянула Гейджу, другое прижала к бледному как мел лицу.

— Где... Где эта точка? — Он пытался найти акупрессурные точки на ее руке и шее.

— Неважно.

— Важно, если твоя голова раскалывается так же, как моя. И тошнит. — Он лег на спину, закрыл глаза. — Терпеть не могу, когда тошнит. Давай просто полежим минуту.

Дрожа всем телом, Сибил легла рядом, прижалась к нему.

— Мне показалось... Мне показалось, ты не дышишь. Что ты видел?

— Это будет гораздо хуже того, с чем мы до сих пор сталкивались, что могли вообразить. Ты сама видела. Я чувствовал, что ты была рядом.

— Я видела, как ты умираешь. А ты?

Горечь в ее голосе удивила его, и он рискнул сесть.

— Нет. Я взял камень. Все это уже было. Кровь, огонь, камень. Я схватил его и пошел прямо на ублюдка. Потом... — Он был не в состоянии описать то, что видел и чувствовал. И не хотел. — Все. Ты лупила меня и просила вернуться.

— Я видела, как ты умираешь, — повторила Сибил. — Ты прыгнул в него и пропал. Все словно обезумело. Стало еще хуже, если такое возможно. Демон менял обличья, извивался, кричал, горел. Не знаю, сколько это продолжалось. Потом ослепительный свет. Я ничего не видела. Свет, жар, грохот. Потом тишина. Демон исчез, а ты лежал на земле, весь в крови. Мертвый.

— Что значит, «исчез»?

— Ты слышал, что я сказала. Мертвый. Не умирающий, не без сознания, даже не в лимбе[1], черт возьми. Когда мы к тебе подошли, ты был мертв.

— Мы? Все?

— Да, да, да. — Она закрыла лицо руками.

— Перестань. — Он заставил ее лечь. — Мы его убили?

Сибил посмотрела на него полными слез глазами.

---

[1] У католиков: область между раем и адом, где пребывают души праведников, некрещёных младенцев.

— Мы убили тебя.

— Глупости. Мы его уничтожили, Сибил? Гелиотроп его убивает?

— Я не уверена... — Гейдж схватил ее за плечи, и она закрыла глаза, собираясь с силами. — Да. От него ничего не осталось. Ты отправил его в ад.

Лицо Гейджа вспыхнуло, словно освещенное адским пламенем.

— Теперь мы знаем, как с ним справиться.

— Ты шутишь. Он *убил* тебя.

— Мы видели мертвого Фокса на обочине дороги. А теперь он дрыхнет на неудобном матрасе или занимается любовью с Лейлой. Не забывай — мы видим одну из возможностей. Ты же сама все время так говоришь.

— Никто из нас не позволит тебе это сделать.

— Никто из вас не принимает решение за меня.

— Но почему ты?

— Это игра. — Он пожал плечами. — Я привык. Расслабься, милая. — Он рассеянно погладил ее по руке. — Пока мы справлялись. Нужно успокоиться, рассмотреть все с разных сторон, проанализировать варианты. Давай спать.

— Гейдж.

— Утро вечера мудренее. Завтра этим займемся.

Лежа в темноте рядом с Сибил, зная, что она не спит, Гейдж принял решение.

17

Утром он все им рассказал — честно, без утайки. Потом, пока остальные спорили и что-то предлагали, молча пил кофе. Если бы кому-то из них предстояло прыгнуть в пасть демона без парашюта, думал Гейдж, он вел бы себя точно так же. Но выбор пал на него, а не на них, и на то была веская причина.

— Будем тянуть жребий. — Фокс стоял, наморщив лоб, сунув руки в карманы. — Мы трое. Одна короткая спичка.

— Прошу прощения. — Куин ткнула в него пальцем. — Нас шестеро. Мы все тянем жребий.

— Шесть с хвостиком, — покачал головой Кэл. — Ты беременна и не имеешь права рисковать.

— Если отец ребенка может, мать тоже.

— Отец не беременный, — возразил Кэл.

— Прежде чем мы начнем рассуждать о дурацких спичках, нужно *подумать*. — Растерянная, Сибил резко отвернулась от кухонного окна. — Зачем говорить о том, что один из нас должен умереть? И кто же это? Никто не желает жертвовать одним ради общего дела.

— Я согласна с Сибил. Мы найдем другой выход. — Лейла погладила руку Фокса, пытаясь успокоить его. — Гелиотроп — это оружие. И скорее всего, *то самое* оружие. Он должен оказаться внутри Твисса. Как это сделать?

— Метательное орудие, — задумчиво произнес Кэл. — Можно соорудить нечто подобное.

— Что? Праща? Катапульта? — спросил Гейдж. — А может, пушка? Глупости. Речь не о том, чтобы запустить его в Твисса; камень нужно *держать в руке*. Загнать в глотку ублюдка. Речь идет о крови — нашей крови.

— Тогда мы снова возвращаемся к жребию. — Кэл резким движением отставил чашку и наклонился к Гейджу. — Нас всегда было трое, с самого первого дня. Ты не можешь решать один.

— Я и не решаю. Просто так вышло.

— Почему ты? Назови причину.

— Моя очередь. Все просто. Зимой ты проткнул его ножиком, показал, что демон испытывает боль.

Пару месяцев спустя Фокс продемонстрировал, что можно задать ему трепку и остаться в живых. Без этого мы бы не сидели сейчас тут. Без этого и без трех женщин, которые приехали в город, остались здесь, рисковали собой. Теперь моя очередь.

— И что дальше? — огрызнулась Сибил. — Потребуешь тайм-аут?

Лицо Гейджа не дрогнуло.

— Мы с тобой прекрасно помним, что видели и что чувствовали. Если оглянуться назад и проанализировать все, шаг за шагом, то станет понятно, что это неизбежно. Мне не позволили умереть, и на то есть причина.

— Значит, будущего у тебя нет?

— Насчет себя не знаю, но у вас точно есть. — Гейдж посмотрел на Куин и Кэла. — У города есть будущее. И у того места, куда собирался отправиться Твисс, разделавшись с Холлоу. Я играю теми картами, которые мне сданы. И не бросаю игру.

Кэл помассировал затылок.

— Не хочу сказать, что я с тобой согласен, но у меня — у нас — есть время подумать, как тебе сделать свое дело и остаться в живых.

— Голосую обеими руками.

— Мы тебя вытащим, — предложил Фокс. — Должен же существовать какой-то способ. Обвяжем тебя веревкой, наденем ремни. — Он посмотрел на Кэла. — И вытащим.

— Нужно подумать.

— Мы должны заставить Твисса принять чей-то облик, — сказала Лейла. — Мальчика, собаки, мужчины.

— И удерживать его в этом состоянии, пока я не вобью камень ему в задницу?

— Ты говорил, в глотку.

Гейдж с улыбкой посмотрел на Лейлу.

— Метафорически. Мне нужно проконсультироваться со знакомым демонологом, профессором Линцем. Не сомневайся, я как следует подготовлюсь. Я предпочел бы сделать дело и остаться в живых. — Он перевел взгляд на Сибил. — У меня есть кое-какие планы на будущее.

— Значит, будем дальше работать, думать, — заключил Фокс. — Мне нужно в контору. Но я собираюсь отменить или перенести все встречи и судебные заседания.

— Я тебя отвезу.

— Зачем? Ах, да. Нэппер, пикап. Значит, мне сегодня опять нужно наведаться к Хоубейкеру и поговорить с механиком насчет машины.

— Я хочу поучаствовать в первой части, — сказал Гейдж. — И отвезу тебя к механику, если нужно.

Кэл встал.

— Мы что-нибудь придумаем, — сказал он, обращаясь ко всем. — Найдем выход.

Мужчины ушли, а женщины остались на кухне.

— Глупость несусветная. — Куин хлопнула ладонью по крышке стола. — Тянуть жребий? Ради всего святого! Как будто один из нас собирается накрыть телом гранату, а остальные будут сидеть сложа руки.

— Мы не сидели сложа руки. — Голос Сибил был еле слышен. — Можешь мне поверить, Куин. Это было ужасно. Ужасно. Грохот, дым, *вонь*. И холод. Все вместе. Он громаден. Не гадкий мальчишка и не большая злобная собака.

— Но мы с ним сражались, причинили ему боль. — Лейла сжала локоть Сибил. — Сильную боль. И ослабили. И у него не хватит сил убить Гейджа.

— Не знаю. — Сибил вспомнила все, что видела, читала. — Но хотела бы верить.

— Варианты, Сиб. Помни об этом. То, что ты видишь, можно изменить. И уже менялось — именно потому, что ты это видела.

— Не все. Пойдем наверх. Нам нужны твои тесты на беременность.

— Но я уже использовала три штуки. — Куин растерянно прижала ладонь к животу. — А сегодня утром меня даже тошнило, и...

— Не для тебя. Для Лейлы.

— Для меня? Что? Почему? Я не беременна. Задержки не было. Еще...

— Я знаю, когда, — перебила ее Сибил. — Если три женщины несколько месяцев живут вместе, их циклы синхронизируются.

— Я принимаю противозачаточные.

— Я тоже принимала, — задумчиво произнесла Куин. — Но это не объясняет, почему ты считаешь, что Лейла беременна.

— Вот и пописай на полоску. — Сибил встала и жестом позвала всех за собой. — Это просто.

— Ладно, ладно, лишь бы ты успокоилась. Но я не беременна. Я бы знала. Чувствовала. Ведь так?

— Со стороны виднее. — Сибил поднялась на второй этаж, вошла в спальню Куин и села на кровать. Куин выдвинула ящик комода.

— Выбирай. — Она протянула Лейле две коробочки.

— Это не имеет значения, потому что не имеет значения. — Лейла взяла одну наугад.

— Иди в туалет, — приказала Сибил. — Мы подождем.

Когда Лейла скрылась за дверью туалета, Куин повернулась к Сибил.

— Может, объяснишь, зачем Лейле писать на полоски?

— Просто подождем.

Через несколько секунд вернулась Лейла с тест-полоской в руке.

— Ну вот. Отрицательный.

— Должно пройти тридцать секунд, — напомнила Куин.

— Тридцать секунд или тридцать минут. Я не беременна. Это невозможно. У меня свадьба только в феврале. Даже кольца еще нет. После февраля, если мы купим дом, который присмотрели, и когда мой бизнес окрепнет — *тогда* я могу забеременеть. Самое подходящее время для зачатия — следующий февраль, годовщина нашей свадьбы. К тому времени все будет на своих местах.

— У тебя и правда все распланировано до мелочей, — заметила Сибил.

— Конечно. И я знаю свой организм, знаю, когда... — Опустив взгляд на полоску, она умолкла. — Ой.

— Дай-ка посмотреть. — Куин выхватила тест у нее из руки. — Большой, четкий и однозначный плюс. Вот тебе и «невозможно».

— Ой. Ничего себе.

— А я чертыхалась. — Куин протянула полоску Сибил. — Погоди минуту. Посмотрим, что ты будешь чувствовать, когда пройдет шок.

— Боюсь, минуты будет мало. Я... думала об этом. Мы хотим детей. Мы это обсуждали. Просто я считала... Дайте еще раз взглянуть. — Лейла забрала у Сибил полоску. — Черт.

— Так хорошо это или плохо? — спросила Куин.

— Еще минуту. Мне нужно присесть. — Лейла опустилась на кровать, вздохнула. Потом рассмеялась.

— Хорошо. Очень, очень хорошо. Года на полтора раньше намеченного, но я все улажу. Фокс будет вне себя от счастья! Я беременна. А как ты догадалась? — Лейла повернулась к Сибил. — Откуда ты узнала?

— Видела. — Растроганная Сибил погладила Лейлу по волосам. — Тебя и Куин. Я ждала этого. Мы с Гейджем видели тебя, Куин. Зимой — следующей зимой. Ты спала на диване, когда вошел Кэл. Потом повернулась, и стало понятно, что ты на последнем месяце.

— Как я выглядела?

— Грандиозно. Красивая и ужасно счастливая. Вы оба были счастливы. Лейлу я тоже видела. В бутике — кстати, потрясающем. Фокс принес тебе цветы. Исполнился месяц со дня открытия. Это было в сентябре.

— Мы думали открыться в середине августа, если... Я собираюсь открыться в середине августа, — поправила она себя.

— Заметно еще не было, но одна твоя фраза... Не думаю, что Гейдж понял. Мужчины такое не замечают. Вы были так счастливы. — Вспомнив другое видение, вчерашнее, Сибил нахмурилась. — Так должно быть. И теперь я верю, что так и будет.

— Милая. — Куин села рядом с Сибил, обняла за плечи. — Ты думаешь, что Гейдж должен умереть, чтобы все это сбылось.

— Я видела. Видела его смерть. И он тоже. Где граница между судьбой и свободным выбором? Я уже не знаю. — Она взяла Лейлу за руку, склонила голову на плече Куин. — Везде, во всех источниках говорится о необходимости жертвы, о необходимости баланса — для уничтожения тьмы должен умереть и свет. Свет должен доставить во тьму камень, средоточие силы. Я вам не рассказывала.

Сибил закрыла руками лицо, потом уронила их на колени.

— Никому не рассказывала, потому что не хотела в это верить. Не хотела признавать. Не понимаю, почему я должна полюбить его и тут же потерять. Не хочу.

Куин крепче обняла ее.

— Мы найдем другой путь.

— Я пыталась.

— Теперь мы объединим усилия, — сказала ей Лейла. — Все вместе и найдем.

— Мы не сдаемся, — настаивала Куин. — Только не это.

— Ты права. Права. — Не стоит отвергать надежду, напомнила себе Сибил. — Не время грустить и предаваться мрачным мыслям. Давайте уйдем из этого дома. Хотя бы на несколько часов.

— Я должна сказать Фоксу. Можно поехать в город, и я сама ему скажу. Он обрадуется.

— Отлично.

Пеппи — новый администратор Фокса — сообщила, что Фокс занят с клиентом, и Лейла решила заняться делом.

— Давайте поднимемся наверх, я заберу кое-что из одежды и скоропортящиеся продукты из холодильника. Если к тому времени он не закончит, подожду.

— Как только он освободится, я передам, что вы пришли, — пропела Пеппи, и три женщины стали подниматься по лестнице.

— Начну с кухни, — сказала Сибил.

— Я тебе помогу, только сначала заскочу в туалет. — Куин переминалась с ноги на ногу. — Наверное, это психологическое, из-за беременности. Но у моего мочевого пузыря другое мнение. Ух ты! — воскликнула она, когда Лейла открыла дверь в квартиру Фокса. — Это место...

— Обитаемо. — Рассмеявшись, Лейла захлопнула за ними дверь. — Просто поразительно, чего может добиться регулярно приходящая уборщица.

Они разделились. Сибил отправилась на кухню, Куин — в ванную. Войдя в спальню, Лейла замерла на пороге — острие ножа уперлось ей в горло.

— Тихо. Иначе я тебя проткну, а это не входит в мои планы.

— Я не буду кричать. — Лейла не могла оторвать взгляда от кровати. Веревка, кольцо скотча на канистре с бензином. Сон Сибил, вспомнила она. Сибил и Гейдж видели, как она лежит на полу, связанная, с кляпом во рту, к ней со всех сторон подступает огонь.

— Ты этого не сделаешь. Правда. Это не ты.

Он закрыл дверь:

— Сжечь. Все нужно сжечь. Огонь очищает.

Лейла посмотрела ему в лицо. Знакомое лицо. Это Каз, разносчик пиццы из «Джинос». Ему только семнадцать. Но безумный огонь в его глазах показался Лейле очень древним. Ухмыляясь, он толкнул ее к кровати.

— Раздевайся.

В кухне Сибил достала из холодильника молоко, яйца, фрукты, выложила все на стол. Потом повернулась к кладовке, чтобы взять сумку или пакет, и заметила разбитую панель задней двери. Мгновенно выхватив из сумки револьвер, Сибил протянула руку к подставке с ножами.

Одного не хватает, подумала она, пытаясь заглушить панику. Кто-то уже взял нож. Схватив другой, она бросилась в гостиную. Из ванной вышла Куин, и Сибил прижала палец к губам и вложила нож в ее руку. Потом указала на дверь спальни.

— Беги за помощью, — прошептала она.

— Я тебя не брошу. Ни тебя, ни ее. — Куин достала телефон.

В спальне Лейла смотрела на подростка, который приносил пиццу и любил беседовать с Фоксом о спорте. Прямо в глаза, повторяла она себе, но ее сердце было готово выскочить из груди. Говори. Говори с ним.

— Каз, с тобой что-то случилось. Это не твоя вина.

— Кровь и огонь, — произнес он все с той же ухмылкой.

Лейла попятилась — Каз ткнул кончиком ножа ей в плечо. Наконец ее руки, рывшиеся в сумке, которую Лейла держала за спиной, нащупали то, что искали. Теперь она закричала. Он тоже — струя из перцового баллончика брызнула ему в глаза.

Услышав крики, Куин и Сибил ворвались в спальню. Они увидели, что Лейла пытается поднять с пола нож, а парень, которого они хорошо знали, стоит, закрыв лицо руками. Движимая инстинктом или просто яростью, Сибил ударила Каза коленом в пах, а когда он согнулся пополам, оторвав руки от лица, затолкнула его в кладовку.

— Быстрее, быстрее, помогите подтащить комод, — приказала она, захлопнув дверь кладовки.

Он кричал, плакал, барабанил в дверь.

Через пятнадцать минут начальник полиции Хоубейкер извлек из кладовки плачущего парня.

— Что случилось? — спрашивал Каз. — Мои глаза! Я ничего не вижу. Где я? Что происходит?

— Он не помнит, — сказала Сибил, сжав ладонь Куин. Теперь это был просто растерянный подросток. — Демон его отпустил.

Надев на Каза наручники, Хоубейкер кивком указал на валявшийся на полу баллончик.

— Вы его этим?

— Перцовый газ. — Лейла сидела на краю кровати, прижимаясь к Фоксу. То ли удерживала его, чтобы он не бросился на бедного мальчишку, то ли сама искала опору. — Я жила в Нью-Йорке.

— Я заберу парня в участок, займусь его глазами. Вам тоже нужно прийти, дать показания.

— Позже, — Фокс остановил взгляд на Казе. — Я хочу, чтобы он сидел под замком, пока мы не приедем и не разберемся.

Хобекер окинул взглядом веревку, ножи, канистру с бензином.

— Хорошо.

— У меня жжет глаза. Я ничего не понимаю, — ныл Каз, когда его выводил Хоубейкер. — Фокс, эй, Фокс, что случилось?

— Это был не он. — Лейла уткнулась лбом в плечо Фокса. — Правда, не он.

— Принесу воды. — Сибил направилась в кухню, но в этот момент в квартиру влетели Кэл с Гейджем. — Все нормально. Все целы.

— Ни к чему не прикасайтесь, — предупредил Фокс. — Лейла, пойдем отсюда.

— Это был не он, — повторила она и обняла Фокса. — Ты же знаешь, что он не виноват.

— Знаю. Но это не значит, что у меня не чешутся руки сделать из него котлету.

— Может, кто-нибудь нас просветит? — спросил Кэл.

— Он собирался убить Лейлу, — сухо ответил Гейдж. — Мы с Сибил видели. Раздеть ее, связать, потом поджечь квартиру.

— Но мы его остановили. Как Фокс остановил Нэппера. Видение не сбылось. Уже дважды. — Лейла с облегчением вздохнула. — Мы изменили будущее.

— Трижды. — Сибил указала на дверь квартиры Фокса. — Так? — Она повернулась к Гейджу. — Эту дверь пыталась открыть Куин, когда в нее воткнули нож. Тот самый, что был у Каза. Из подставки на кухне. Ничего этого не случилось, потому что мы знали заранее. Мы изменили будущее.

— Еще очко в нашу пользу. — Кэл притянул Куин к себе.

— Нам нужно в полицейский участок, закончить со всем этим. Выдвинуть обвинения.

— Фокс.

— Или он уезжает из города, — продолжил он, не обращая внимания на Лейлу. — На ферму или вообще до окончания Седмицы. Мы поговорим с ним и его родителями. Оставаться в Холлоу ему нельзя. Мы не можем рисковать.

Лейла опять облегченно вздохнула.

— Идите вперед, ладно? Мне нужно поговорить с Фоксом.

Потом Сибил заставила Гейджа вернуться в квартиру Фокса за продуктами — ей почему-то казалось, что так надо.

— Переживаешь из-за кварты молока и нескольких яиц?

— Дело не только в этом, хотя я не люблю, когда добро пропадает. Мы избавляем Лейлу от необходимости сюда возвращаться, пока она немного не успокоится. Почему ты такой раздражительный?

— Не знаю. Может, дело в том, что женщину, которая мне нравится, чуть не зарезал разносчик пиццы.

— Забудь и радуйся, что Лейла носит с собой перцовый баллончик, а ее быстрая реакция и наше с Куин присутствие помогли выпутаться. — Сибил взяла молоко; шею и плечи сводило судорогой. — А разносчик пиццы, которого использовали, вместе со всей семьей уезжает к бабушке в Вирджинию. Пять человек будут в безопасности.

— Можно и так на это посмотреть.

Уголки губ Сибил приподнялись в улыбке.

— Но ты предпочитаешь раздражаться.

— Наверное. Меня беспокоит, что теперь у нас не одна беременная женщина, которую нужно беречь, а две.

— Обе доказали свою полную компетентность, в том числе и сегодня. Беременная Лейла сумела сохранить хладнокровие и достать из своей модной сумки перцовый баллончик. Спасла себя, а возможно, и нас с Куин. И парня спасла. Я бы его пристрелила, Гейдж.

Вздохнув, она принялась собирать продукты. Напряжение было вызвано не только тем, что случилось, но и тем, что могло случиться.

— Я бы застрелила парня, не колеблясь ни секунды. Точно знаю. И мне пришлось бы с этим жить. Лейла спасла меня.

— Твоя игрушка его бы только разозлила.

Улыбнувшись, Сибил повернулась к нему.

— Если это попытка меня утешить, то довольно удачная. Черт, мне нужно глотнуть аспирину.

Гейдж вышел, а она продолжила паковать продукты. Он вернулся с флаконом таблеток, налил воды.

— Полка с лекарствами в ванной.

Сибил проглотила таблетки.

— Вернемся к последнему происшествию. Лейла и Куин целы и невредимы — в отличие от того, что мы видели. Это важно.

— Не спорю. — Гейдж положил руки ей на плечи и стал массировать напряженные мышцы.

— Как хорошо. — Сибил закрыла глаза. — Спасибо.

— Значит, сбывается не все, что мы видим, бывают и неожиданности. Например, мы не видели беременную Лейлу.

— Видели. — Руки Гейджа снимали боль не хуже аспирина. — Ты просто не понял. Мы видели ее и Фокса в бутике, в сентябре. Она была беременна.

— Откуда ты... Впрочем, неважно. Женские штучки, — признал Гейдж. — Почему ты сразу не сказала?

— Не была уверена. Выходит, кое-что из наших видений сбывается, а кое-что можно изменить. — Она повернулась и посмотрела ему в глаза. — Тебе не обязательно умирать, Гейдж.

— Я бы тоже предпочел остаться в живых. Но не отступлю.

— Понимаю. Но то, что мы видели, помогло нашим друзьям выжить. И я верю, что они помогут тебе. Я не хочу тебя терять. — Боясь расплакаться, она сунула ему в руку пакет с продуктами. — Ты еще можешь пригодиться.

— В качестве вьючного мула.

— Не только. — Сибил вручила ему второй пакет и, поскольку руки у него были заняты, привстала на цыпочки и поцеловала в губы. — Нам пора. Еще нужно заскочить в кондитерскую.

— Зачем?

— Еще один торт в честь чудесного спасения. — Она открыла дверь и пропустила его вперед. — Знаешь что... Если останешься жив, я сама испеку на твой день рождения торт.

— Испечешь торт, если я останусь жив?

— Такого торта ты еще не видел. — Она захлопнула дверь и покосилась на лист фанеры, которым Фокс закрыл разбитое окно. — Шесть слоев, по одному на каждого. — Глаза вдруг защипало, и Сибил нацепила на нос темные очки.

— Семь, — поправил ее Гейдж. — Ведь семь — магическое число? Да? Слоев должно быть семь.

— Седьмое июля, семь слоев торта. — Сибил ждала, пока он уложит сумки в багажнике. — Договорились.

— А когда у тебя день рождения?

— В ноябре. — Она села в машину. — Второго ноября.

— Вот что я тебе скажу. Если мне суждено попробовать твой знаменитый торт, то на день рождения я отвезу тебя туда, куда пожелаешь.

Сердце ее разрывалась, но Сибил заставила себя улыбнуться.

— Берегись. У меня столько желаний.

— Отлично. У меня тоже.

Еще одна из ее привлекательных черт, подумал Гейдж. Они хотят столько всего повидать. Они? Интересно, когда он перестал разделять ее и себя? Точного момента он вспомнить не мог, но твердо знал, что хочет путешествовать вместе с ней.

Хочет показать ей свои любимые места, узнать ее предпочтения. Хочет поехать туда, где они оба еще не были, вместе увидеть что-то новое.

Гейдж больше не хотел бездумно следовать туда, куда вела его профессия игрока. Один. Ему нужна перемена мест, лиц и — бог свидетель — игра, но мысль об одиночестве его больше не привлекала.

Сибил назвала его раздражительным. Что ж, это достаточно веская причина для раздражения, черт возьми. Это глупо, подумал он и вместо того, чтобы проверить электронную почту, принялся мерить шагами гостевую спальню. Наверное, он сошел с ума, если начинает думать о долговременных отношениях, о преданности, отказывается от одиночества.

Как бы то ни было, эти мысли не выходили у него из головы. Буквально преследовали. И он представлял, как это будет, как это может быть — свою жизнь с Сибил. Они вдвоем будут ездить по свету, избавившись от бремени, которое теперь давит им на плечи. Гейдж даже допускал, что они могут устроить себе базу. В Нью-Йорке, Вегасе, Париже — где угодно.

Общий дом, куда можно возвращаться.

Единственным местом, куда он возвращался, до сих пор был Хоукинс Холлоу.

Нужно лишь поставить на это.

И неплохо бы уговорить Сибил.

Еще осталось время, подумал Гейдж, достаточно времени, чтобы разработать план игры. Только осторожно, размышлял он, открывая ноутбук. Нужно найти способ опутать ее нитями, от которых они — по взаимному соглашению — отказались. Потом завязать узлы — один здесь, другой там. Сибил умна, но и он не дурак. И готов поспорить, что сумеет заманить ее в ловушку, прежде чем она догадается о смене игры — и правил.

Успокоившись, Гейдж открыл письмо от профессора Линца. Читая, он чувствовал, как внутри сжимается тугая пружина. Взгляд его стал жестким.

Вот и планируй будущее, обреченно подумал он. Его будущее уже определено. Осталось меньше двух недель.

18

Гейдж снова потребовал, чтобы они встретились в кабинете Кэла. В то утро он встал пораньше и вышел из дома, не разбудив Сибил; она даже не пошевелилась. Ему нужно было подумать, побыть одному. А теперь ему нужны друзья.

Спокойно и бесстрастно он изложил все, что узнал от Линца.

— Чушь собачья, — высказал свое мнение Фокс. — Забудь, Гейдж.

— Вот чем все закончится.

— Потому что так считает какой-то специалист по демонам, который никогда здесь не был и не видел того, что видели мы?

— Вот чем все закончится, — повторил Гейдж. — Все, что мы знаем, что нам удалось выяснить, подтверждает такой конец.

— Тут я вынужден воспользоваться профессиональным жаргоном нашего адвоката, — сказал Кэл. — Чушь собачья.

Взгляд зеленых глаз Гейджа оставался спокойным и ясным; он примирился с неизбежным.

— Я ценю ваши чувства, но мы все знаем, что это не так. До сих пор от нас этого не требовалось. Причину вы знаете: Дент нарушил правила, вручил нам источник силы, наделил нас нашими способностями. Пришло время расплачиваться. Только не говори: «почему ты». — Гейдж погрозил пальцем Фоксу. — Я по твоему лицу вижу. Мы уже все обсудили. Теперь моя очередь. И моя судьба, черт возьми. В этот раз мы его остановим. Нам известно, когда и как. И мне не придется каждые семь лет возвращаться сюда, чтобы вас спасать.

— Тоже чушь. — Фокс встал, но голос его оставался спокойным. — Должен существовать другой путь. Ты воспринимаешь все слишком буквально. Нужно взглянуть на это под другим углом.

— Другие углы — это моя профессия. Либо демон будет уничтожен, либо вырвется на свободу. Материализуется, вернет былую силу. Мы видим, что происходит.

Гейдж рассеянно потер плечо, на котором остался шрам.

— Я получил сувенир. Чтобы уничтожить демона, избавиться от него навсегда, требуется жизнь. Кровавая жертва, чтобы отдать долг, выровнять чаши весов. Свет против тьмы, и все такое. Было бы гораздо проще, знай я, что вы на моей стороне.

— Мы не собираемся сидеть сложа руки и смотреть, как ты жертвуешь собой ради всех нас, — возразил Кэл. — Слишком многое мы пережили вместе.

— А если ничего не выйдет, можно я возьму твою машину?

Гейдж перевел взгляд на Фокса и почувствовал, как тяжкий груз спадает с его плеч. Они сделают то, что должно. Поддержат его — как всегда.

— Ни за что. Ты водишь ужасно. Она достанется Сибил. Эта женщина умеет обращаться с машинами. Кстати, мне нужен адвокат, чтобы оформить завещание.

— Без проблем, — ответил Фокс, не обращая внимания на чертыхнувшегося Кэла. — В качестве гонорара предлагаю пари. Ставлю тысячу долларов, что мы не только прикончим Большого Злого Ублюдка, но и вернемся от Языческого камня вместе с тобой.

— Я участвую, — сказал Кэл.

— Тогда по рукам.

Кэл покачал головой и рассеянно погладил разлегшегося под столом Лэмпа, который дернулся во сне.

— Только чокнутый сукин сын может ставить тысячу долларов на то, что он умрет.

Гейдж лишь улыбнулся в ответ.

— Люблю выигрывать — живой или мертвый.

— Нужно рассказать женщинам, — заявил Фокс и пристально посмотрел на Гейджа. — Проблема?

— Возможно. Если мы расскажем женщинам...

— Никаких «если», — перебил Кэл. — Нас шестеро.

— Когда мы расскажем женщинам, — уточнил Гейдж, — мы трое должны выступать единым фронтом. Я не собираюсь спорить и с вами, и с ними. Договоримся искать другой путь, пока есть время. Если ничего не получится, я сделаю то, что должен. Пообещайте.

Кэл встал, собираясь обогнуть стол и скрепить договор рукопожатием. Дверь кабинета с грохотом распахнулась. На пороге показался Кай Хадсон, завсегдатай боулинг-клуба; зубы его были оскалены, в руке пистолет 38-го калибра. Одна из пуль попала в грудь Кэла, сбив с ног. Гейдж и Фокс бросились на Кая.

Его громадная туша даже не покачнулась, безумие удвоило его силы, и он отшвырнул их, словно мух. Кай снова прицелился в Кэла, но в последнюю секунду — услышав крик Гейджа и увидев прыжок Лэмпа — навел пистолет на Гейджа. Приготовившись принять пулю, Гейдж краем глаза увидел, как Фокс приподнялся, словно бегун на старте.

В дверь вихрем влетел Билл Тернер. Он прыгнул на спину Каю и принялся дубасить его кулаками. Фокс ринулся на безумца; вслед за ним в Кая вцепился Лэмп. Клубок из четырех тел рухнул на пол. Пистолет снова выстрелил, но Гейдж отпрянул и схватил стул. Потом дважды опустил на голову Кая. Со всего размаха.

— Порядок? — спросил он Фокса, когда тело Кая обмякло.

— Да, да. Молодец. Славный пес. — Фокс обнял Лэмпа за шею. — Кэл.

Гейдж опустился на колени радом с Кэлом. Лицо его побледнело, глаза блестели, дыхание было частым и поверхностным. Но когда он разорвал рубашку, то увидел выталкиваемую из раны пулю. Лэмп, подвывая, принялся вылизывать лицо Кэла.

— Ты в порядке. Ничего страшного. Пуля уже выходит. — Гейдж сжал руку Кэла. — Что у тебя?

— Думаю, сломано ребро, — с трудом произнес Кэл. — И вырван приличный кусок мяса. — Он пытался выровнять дыхание. — Точно не знаю.

— Понятно. Ради бога, Фокс, дай мне руку.

— Гейдж.

— Что? Разве не видишь, он... — Гейдж в ярости повернулся к нему. Фокс стоял на коленях, прижимая свою пропитанную кровью рубашку к груди Билла.

— Вызови «Скорую». Мне нужно зажимать рану.

— Иди. Черт. — Кэл с трудом выдохнул и снова набрал полную грудь воздуха. Потом запустил пальцы в шкуру Лэмпа. — Я сам. Сам. Иди.

Не выпуская руки Кэла, Гейдж вытащил телефон и вызвал «Скорую». Его взгляд не отрывался от бледного лица Билла.

Сибил проснулась с больной головой. Чувствовала она себя отвратительно, что неудивительно после заполненной кошмарами беспокойной ночи. Да еще Гейдж весь вечер был мрачным и замкнутым, почти все время молчал. Встав с постели, она накинула халат — на случай, если в доме мужчины.

Ладно, пусть Гейдж сам разбирается со своим настроением, решила она. У нее свои заботы. Выпить кофе на веранде — в одиночестве. Погрустить.

Эта мысль ее немного взбодрила — вернее, могла бы взбодрить, не обнаружь она на кухне Куин и Лейлу, которые что-то шепотом обсуждали.

— Уходите отсюда. И не обращайтесь ко мне, пока я не приняла две добрые порции кофеина.

— Прошу прощения. — Куин преградила ей путь к плите. — Придется тебе пока обойтись без него.

Глаза Сибил грозно блеснули.

— Никто не смеет лишать меня утреннего кофе. Прочь с дороги, Куин, или я за себя не ручаюсь.

— Сначала вот это. А до этого — никакого кофе. — Она взяла со стола коробочку с тестом на беременность и помахала перед носом Сибил. — Твоя очередь, Сиб.

— Моя очередь для чего? Отойди!

— Писать на полоску.

— Что? Ты с ума сошла? — От удивления Сибил даже забыла о кофе. — Если у вас двоих спермато- зоиды встретились с яйцеклетками, это не значит...

— Правда, смешно, что у меня оказалось два лишних теста, один для тебя и один для Лейлы?

— Ха-ха.

— Кстати, — продолжила Лейла. — Вчера ты сама нам рассказывала о синхронизации циклов у женщин.

— Я не беременна.

— Я тоже так говорила. — Лейла переглянулась с Куин.

Сибил закатила глаза. Отчаянно хотелось кофе.

— Я видела вас беременных. Обеих. А себя нет.

— С собой всегда сложнее, — возразила Куин. — Сколько раз ты мне это говорила? Не будем услож- нять. Хочешь кофе? Пописай на полоску. С двоими тебе не справиться, Сиб.

Сибил выхватила коробочку из ее руки.

— Беременность сделала вас занудными и вред- ными. — Она решительно направилась к ванной на первом этаже.

— Это важно. — Лейла в волнении потерла руки. — Правы мы или ошибаемся, в любом случае это важно. И в любом случае мы должны поддер- жать ее.

— У меня есть кое-какие мысли на этот счет, но... — Обеспокоенная Куин шагнула к двери кухни. — Потом все обдумаем. После. И ты права, в любом случае мы должны ее поддержать.

— Да, конечно. Но почему... Ага. Ты имеешь в виду, если она беременна, но не хочет ребенка. — Кивнув, Лейла подошла к Куин. — Без вопросов. Как скажет.

Они подождали несколько минут, потом Куин провела рукой по волосам.

— Все ясно. Я справлюсь.

Она подошла к ванной, постучала для приличия и открыла дверь.

— Сиб, сколько можно... Ой, Сибил. — Она опустилась на колени и обняла сидящую на полу подругу.

— Что мне делать? — прошептала Сибил. — Что мне делать?

— Для начала встать с пола. — Лейла наклонилась, чтобы помочь ей подняться. — Я заварю тебе чай. Потом поговорим.

— Я дура. Полная дура. — Сибил закрыла лицо руками. Куин отвела ее на кухню и усадила. — Я должна была догадаться. Мы трое. Все сходится, черт возьми. Не видела того, что было у меня под носом.

— И я не догадалась, — сказала Куин. — А сегодня ночью меня озарило. Все будет хорошо, Сибил. Что бы ты ни решила, мы с Лейлой будем с тобой. Мы тебе поможем.

— У меня все не так, как у вас. Мы с Гейджем... Не строим никаких планов. Мы не... — Она заставила себя улыбнуться. — Не так сильно связаны, как вы с Кэлом и Фоксом

— Ты его любишь.

— Люблю. — Сибил не отвела взгляда. — Но это не значит, что мы вместе. Он не хочет...

— Забудь о его желаниях. — Резкий тон Лейлы заставил ее удивленно заморгать. — Чего хочешь ты?

— Ну, уж точно не этого. Я рассчитывала тут все закончить, а потом вместе с Гейджем куда-нибудь поехать. Дальше я не загадывала. Я не настолько сильна и хладнокровна, чтобы так далеко заглядывать в будущее и надеяться, что у нас с Гейджем что-то получится. И не так наивна и оптимистична, как мне хотелось бы.

— Знаешь, не обязательно решать прямо сейчас. — Куин погладила Сибил по голове. — Это останется между нами, и мы будем молчать, сколько ты захочешь.

— Вы же знаете, мы не можем так поступить, — возразила Сибил. — В этом заложен глубокий смысл. Возможно, здесь пролегает грань между жизнью и смертью.

— Боги, демоны, судьба — никто не имеет права решать за тебя, — с жаром сказала Лейла.

Она поставила чашку с чаем на стол, и Сибил взяла ее руку и крепко пожала.

— Спасибо. Правда. Спасибо. Нас трое, их трое. У Энн Хоукинс было три сына, ее надежда, вера и мужество. Теперь еще трое — у нас внутри. Новые возможности. Симметрия, которую нельзя игнорировать. В легендах и преданиях почти всех культур беременным приписывают особую силу. И мы ею воспользуемся.

Вздохнув, она взяла чашку.

— Когда все закончится, я, возможно, предпочту отказаться от этой возможности. Но это будет мой выбор, без всяких богов и демонов. Только мой. И я ни за что не избавлюсь от ребенка. Я уже не девочка, и у меня есть средства. Я люблю его отца. Как бы ни сложились наши отношения с Гейджем, я убеждена, что все правильно.

Она снова вздохнула.

— Я точно знаю, что мне это нужно. И я до смерти напугана.

— Мы с тобой. — Куин сжала руку Сибил. — Это очень важно.

— Конечно. Только пока никому ни слова. Я должна придумать, как преподнести новость Гейджу. Выбрать подходящее время, подходящий способ. А пока нужно понять, что дает наше неожиданное одновременное материнство. Я могу связаться...

— Подожди. — Куин раскрыла зазвонивший телефон. Взглянула на дисплей, улыбнулась. — Привет, любимый. Ты... — Улыбка ее погасла, щеки побледнели. — Едем. Я... Она с тревогой посмотрела на Сибил и Лейлу. — Хорошо. Да, хорошо. Серьезно? Там и встретимся.

Она отключилась.

— Билл Тернер — отец Гейджа — ранен.

Мать увезли на «Скорой помощи», вспоминал Гейдж. Проблесковый маячок, сирена, суматоха. Разумеется, он не поехал с ней. Франни Хоукинс увела его, дала молока и печенья. Не отпускала от себя.

А теперь отец — опять маячок, сирена, суматоха. Он сам не помнил, как оказался между Кэлом и Фоксом в кабине пикапа, спешащего за «Скорой помощью». Он чувствовал запах крови. Кэла, Билла.

Кэл был еще бледен, и рана не полностью затянулась. Гейдж чувствовал, как он дрожит — самоисцеление было очень болезненным. Но Кэл жив. Не лежит бездыханный в луже крови, как ему привиделось во сне. Они изменили... потенциал, как выразилась бы Сибил.

Еще очко в их пользу.

Но ведь они с Сибил не видели старика. Его просто там не было — ни живого, ни мертвого. Не видели, как он прыгает на спину обезумевшего Кая Хадсона. Не видели его исполненного ярости, решительного взгляда. Лежащего на полу старика и Фокса, затыкающего своей рубашкой его рану.

Билл выглядел каким-то потерянным, когда они грузили его в «Скорую». Беспомощным, хрупким и старым. Здесь что-то не так. Эта картина никак не вязалась с образом Билла Тернера, который Гейдж носил в своей голове, как фотографию матери в бумажнике.

Она навсегда осталась молодой, с улыбкой на лице.

В представлении Гейджа Билл оставался крупным мужчиной с пивным животиком. Жесткие глаза, тонкие губы, сильные руки. Таким был Билл Тернер, скорый на расправу.

Кто этот беспомощный, истекающий кровью человек? И какого черта он едет за ним?

Все расплывалось у него перед глазами: дорога, машины, здания. Он никак не мог сфокусировать взгляд. Фокс свернул к больнице. Гейдж понимал, что он двигается, выходит из машины, которую Фокс остановил у входа в отделение «Скорой помощи», входит внутрь. Мозг фиксировал подробности. Смену температуры от июньской жары к прохладе кондиционеров, незнакомые звуки, голоса, суету медиков вокруг окровавленного человека. И телефонные звонки — высокие, раздражающие, требовательные звуки.

Снимите трубку, подумал он, снимите чертову трубку.

Кто-то заговорил с ним, засыпав вопросами. «Мистер Тернер, мистер Тернер», — услышал он и подумал, как старик может отвечать на вопросы, если его уже увезли. Потом вспомнил, что он и есть мистер Тернер.

— Что?

— Какая у отца группа крови?

— Есть ли у него аллергия?

— Его возраст?

— Принимает ли он какие-либо лекарства? Наркотики?

— Не знаю, — отвечал Гейдж на каждый вопрос. — Не знаю.

— Я этим займусь. — Кэл взял Гейджа под руку, встряхнул. — Присядь и выпей кофе. Фокс.

— Сейчас принесу.

В его руке оказалась чашка кофе. Откуда она взялась? Кофе оказался на удивление хорошим. Гейдж сидел вместе с Кэлом и Фоксом в приемной. Серые и синие диваны, кресла. По телевизору идет какое-то утреннее шоу — мужчина и женщина за столом весело смеются.

Приемная в хирургическом отделении, вспомнил Гейдж, словно очнувшись от сна. Старик в операционной. Огнестрельное ранение — так это называется. Старик в операционной, потому что в него попала пуля. «А должна была в меня», — подумал Гейдж, вспоминая наставленный на него пистолет. Та пуля 38-го калибра должна была попасть в него.

— Мне нужно пройтись. — Гейдж покачал головой, останавливая Фокса, который тоже встал. — Нет, просто глотнуть свежего воздуха. Мне нужно... прочистить мозги.

Он спустился на первый этаж в лифте вместе с женщиной с печальными глазами и седыми корнями волос и мужчиной в легком блейзере, обтягивавшем круглый, похожий на футбольный мяч живот.

Наверное, у них тоже кто-то истекает кровью наверху.

Внизу Гейдж прошел мимо сувенирного киоска с лесом ярких воздушных шаров («Скорейшего выздоровления!», «Мальчик!»), витриной слишком дорогих букетов и полками с глянцевыми журналами и романами в мягкой обложке. Потом вышел на улицу и повернул налево, не думая, куда идет.

Оживленное место, заметил он. Парковка забита легковыми и грузовыми машинами, микроавтобусами; другие ищут свободное место. Кто-то остановится у сувенирного киоска, купит шары и журналы. Сколько вокруг больных людей, подумал Гейдж. Интересно, сколько из них с огнестрельными ранениями? И найдется ли в киоске шарик с подходящей надписью?

Он услышал, как кто-то зовет его по имени, и обернулся, хотя голос Сибил казался здесь абсолютно неуместным. Она быстрым шагом шла к нему по дорожке, почти бежала. Чуть выгоревшие на солнце роскошные черные волосы обрамляли красивое лицо.

Гейдж поймал себя на странной мысли: мужчине легче принять смерть, зная, что однажды к нему бежала такая женщина, как Сибил Кински.

Она взяла его за руки.

— Как отец?

— В операционной. Откуда ты взялась?

— Кэл позвонил. Куин с Лейлой внутри. Я увидела тебя и... Расскажешь, что произошло?

— Кай ворвался в кабинет Кэла с пистолетом 38-го калибра, начал стрелять. В Кэла тоже.

— Кэл...

— С ним все нормально. Ты знаешь, как это у нас бывает.

Мимо с воем промчалась машина «Скорой помощи». Кто-то еще попал в беду, подумал Гейдж. Еще один шарик на веревочке.

— Гейдж. Давай присядем.

Усилием воли он вернулся к ней — к Сибил с цыганскими глазами.

— Нет. Я... гуляю. Все произошло так быстро. За пару секунд. Бац, бац, и Кэл падает, Кай снова целится, и я кричу. Нет... — Не совсем так, вспомнил он. — Неважно.

Сибил обняла его за талию. Она с радостью взяла бы на себя его груз. Но груз был нематериальным.

— Важно. Каждая мелочь. — Она осторожно направляла его, и теперь они возвращались к больнице. — Расскажи, что случилось.

— Мы бросились на него, на Кая, но парень здоров как бык — плюс безумие. Просто стряхнул нас. Потом я закричал. Он наставил пистолет на меня.

В его мозгу медленно, со всеми подробностями прокручивалась недавняя сцена.

— Лэмп, как обычно, спал под столом. Пес бросился на Кая, будто ангел мщения. Я бы никогда не поверил, если бы не видел собственными глазами. Фокс уже опять приготовился прыгнуть на Кая. Может, он бы успел. Этого мы уже никогда не узнаем. Старик влетел в дверь, как грузовой состав, прыгнул на Кая, и все трое покатились по полу — собака тоже. Пистолет выстрелил. Фокс был цел, и я бросился к Каю. О старике даже не подумал. Фокс был цел, а из Кэла хлестала кровь, но он уже выталкивал пулю. О старике я даже не подумал.

Сибил остановилась, повернулась к нему. Она ничего не говорила, просто смотрела в глаза и держала за руку.

— Потом я поднял голову. Фокс снял рубашку и прижимал ее к ране. В груди. Огнестрельное ранение. Старик не может вытолкнуть эту проклятую пулю, как мы.

Сибил выпустила его руки и обняла.

— Я не знаю, что должен чувствовать, — пробормотал Гейдж.

— Тебе не обязательно решать прямо сейчас.

— Пуля могла достаться мне. Скорее всего, она бы меня не убила.

— Или Фоксу, с равной вероятностью. Ты сделал все, что мог, Гейдж. Как и любой на твоем месте.

— Мы этого не видели, Сибил.

— Нет, не видели.

— Я все изменил, назначил встречу с Кэлом и Фоксом. И Кэл был не один в кабинете, когда туда ворвался Кай и начал стрелять.

— Послушай меня, Гейдж. — Она снова взяла его за руки, посмотрела прямо в глаза. — Ты спрашиваешь себя, как повлияло твое присутствие, виноват ли ты в том, что произошло. Хотя точно знаешь — после двадцати одного года борьбы — кого винить.

— Кэл жив. И я понимаю, что это значит для меня больше...

— Речь не о том, больше или меньше.

— Он... отец... впервые на моей памяти вступился за меня. И мне тяжело сознавать, что, возможно, в последний.

Сибил чувствовала, что сердце ее разрывается на части. Жаркий июньский воздух вздрогнул от воя сирены — это спешила очередная «Скорая».

— Можно прямо сейчас пойти к твоему отцу. Если это тебе поможет.

— Нет. — Гейдж прижался щекой к ее макушке. — Подождем.

Он думал, что ждать придется несколько часов. Ждать, волноваться. Но едва Гейдж вошел в приемную, как появился врач в хирургическом халате. Встретившись с ним взглядом, Гейдж все понял.

В глазах врача он увидел смерть. Он почувствовал тяжесть в груди, потом резкую, словно удар, боль. Потом все прошло, и осталась только пустота.

— Мистер Тернер.

Гейдж встал, знаком остановил друзей и пошел к врачу, чтобы выслушать известие о смерти отца.

Он похоронил старика рядом с женой и дочерью. Это он мог для него сделать. Никаких поминок, все скромно и просто. Он позволил Кэлу распорядиться насчет заупокойной службы — только покороче. Бог свидетель, Кэл лучше знал Билла Тернера. Того Билла Тернера, который умер на операционном столе.

Он взял из квартиры отца один приличный костюм и отвез в похоронное бюро. Заказал надгробие, оплатил все услуги наличными.

Хорошо бы забрать вещи старика, пожертвовать какой-нибудь благотворительной организации. Хотя скоро Кэлу, наверное, придется заказывать заупокойную службу по нему самому. Так что уборку квартиры можно свалить на Кэла и Фокса, подумал Гейдж.

Полиции они солгали, но никаких угрызений совести Гейдж не испытывал. Джим Хоукинс помог скрыть улики. Кай ничего не помнил, и Гейдж решил, что старик все равно умер и ему уже ничем не поможешь.

Когда он вышел из похоронного бюро, убеждая себя, что исполнил свой долг, рядом с его машиной стояла Франни Хоукинс.

— Сибил сказала, ты здесь. Я не стала заходить, не хотела тебе мешать.

— Вы не можете мне помешать.

Франни крепко обняла его.

— Мне очень жаль. Я знаю, какие у вас с отцом были отношения, но мне все равно жаль.

— Мне тоже. Но я не уверен, что это все компенсирует.

— Несмотря на прошлое, несмотря на то, каким он был, в конечном счете Билл сделал все, чтобы защитить меня. И моего сына тоже. И Фокса. И ты поступил правильно — ради них, ради Холлоу, ради Билла.

— Возлагаю вину за его смерть на него самого.

— Ты спасаешь хорошего, невинного человека от обвинения в убийстве и тюрьмы. — Лицо Франни светилось сочувствием. — В Кэла и Билла стрелял не Кай — мы это знаем. И не Кай должен провести остаток жизни за решеткой, разлученный с женой, детьми и внуками.

— Нет. Мы это обсудили. Старик не имеет возможности высказаться на этот счет, и...

— Тогда ты должен понять, что Билл и Кай дружили. Когда Билл бросил пить, Кай всегда подсаживался к нему с кофе или колой. Я абсолютно уверена, что Билл одобрил бы тебя. По официальной версии, Билл вошел с пистолетом в руке — бог знает почему, — а когда Кай и остальные попытались его остановить, произошел несчастный случай. Билл не хотел бы, чтобы Кая наказали за то, в чем он, в общем-то, не виновен. Теперь Биллу уже не навредишь. Но ты знаешь, что случилось и что сделал твой отец. И неважно, что думают остальные.

От этих слов ему стало легче, чувство вины уже не было таким острым.

— Я не чувствую ни печали, ни гнева. Не могу.

— Почувствуешь, когда — и если — возникнет потребность. А пока достаточно знать, что ты сделал все, что должно. Пока достаточно.

— Можно вас кое о чем попросить?

— Конечно.

— Когда меня здесь не будет, приносите на могилу цветы. Всем троим.

— Обязательно.

Гейдж шагнул к ее машине, открыл дверцу.

— И еще у меня вопрос.

— Спрашивай.

— Если бы вам оставалось жить неделю или две, что бы вы делали?

Франни начала говорить, потом умолкла, и Гейдж понял, что она подавила первую инстинктивную реакцию — ради него.

— Честно? — Франни заставила себя улыбнуться.

— Да.

— В таком случае я делала бы только то, что хочу, особенно если в обычных обстоятельствах в чем-то ограничивала себя или просто не решалась попробовать. Ни в чем бы себе не отказывала. И обязательно сказала бы тем, кто мне неприятен, все, что я о них думаю. А главное, рассказала бы всем, кого люблю, как много они для меня значат.

— Ни признания грехов, ни возмещения ущерба?

— Если я до сих пор не покаялась и не возместила ущерб, значит, черт с ним. Придется держать ответ.

Рассмеявшись, Гейдж наклонился и поцеловал ее.

— Я вас очень люблю.

— Знаю.

Франни, как обычно, уловила самую суть, подумал Гейдж. Но всему свое время. Он прекрасно понимал, что смерть — чья бы то ни было — не остановит приближения Седмицы. То, о чем они говорили в кабинете Кэла, следовало рассказать всем.

— Все просто, — начал он. Они собрались в гостиной Кэла вечером, накануне похорон Билла. — Книги и легенды, которые раскопал Линц, излагают все довольно туманно и запутанно, но суть такова. Ключ к победе — гелиотроп, то есть наш камень. Осколок Альфа-камня, как и предполагала Сибил. Источник силы. Удивительно, но, как выяснил Линц, иногда его называют Языческим камнем.

— С ключом понятно. А замок? — спросила Куин.

— Сердце демона. Черное, сочащееся гноем сердце нашего Большого Злобного Ублюдка. Вставляем ключ, поворачиваем, и Злой Ублюдок возвращается в ад. Все просто.

— Нет, — медленно произнесла Сибил. — Не просто.

— Просто. Но сначала нужно заплатить.

— Хочешь сказать, что плата — это ты?

— На мой взгляд, ставка непомерно велика, — прибавила Лейла. — Зачем играть в его игру? Начнем свою и установим собственные правила.

— Это не его игра, — возразил Гейдж. — Просто единственная. Та самая, которую демон пытался отсрочить или разрушить на протяжении тысячелетий. Гелиотроп уничтожит демона; именно поэтому он достался нам в виде трех осколков, и до сих пор мы не могли им воспользоваться. Пока не повзрослели, не собрались все вместе. Для этого нужны все шестеро. Но ключ повернет только один. Я.

— Как? — спросила Сибил. — Бросишься в его утробу? Умрешь и вместе с ним отправишься в ад?

— В черноту. Ты уже все знаешь. — Гейдж смотрел ей прямо в глаза. — Выяснила раньше Линца.

— Некоторые источники предполагают, что гелиотроп может уничтожить тьму или демона, если пронзит его сердце. Возможно, — поспешно прибавила она, — если он пропитан кровью избранных, если выбрано правильное время. *Возможно и если*.

— Ты не согласна?

— Еще проверяю. Ищу источники. Нет, — прибавила она после короткой паузы. — Я не согласна.

— В черноту, — повторил Гейдж. — Во всех легендах используется это выражение или похожее. Тьма, чернота. Сердце зверя, причем только когда он предстает в истинном облике. *Бестиа*. Все живые существа вокруг него, если они не защищены, умирают вместе с ним. Его смерть требует жертвы. Кровавой жертвы. Света, который уничтожит тьму. И это ты тоже узнала. — Он повернулся к Сибил.

— Я нашла источники, в которых говорится о жертве, о балансе. — Ей хотелось возражать, спорить, что угодно, но Сибил взяла себя в руки. Они достойны знать правду. — Почти везде говорится следующее: сердце демона можно пронзить только тогда, когда он принимает свой истинный облик, причем камень должен держать страж. И этот страж должен осознавать, что, убив демона, он тоже погибнет. Жертва должна быть добровольной.

— То же самое пишет Линц, — кивнул Гейдж.

Все замолкли; Сибил и Гейдж смотрели друг на друга. Потом Куин осторожно кашлянула.

— У меня вопрос, — она подняла палец. — Если для уничтожения демона требуется гелиотроп и кровавая жертва, почему Дент его не убил?

— Во-первых, демон был в облике Твисса, — ответила Сибил, не отрывая взгляда от Гейджа.

— Но не только, — возразил Кэл. — Я размышлял над этим с тех пор, как Гейдж нам все рассказал. Дент нарушил правила и собирался нарушать и впредь. Он не мог собственноручно уничтожить демона. Поэтому он проложил дорогу нам. Ослабил зверя, не давал ему проявиться, как выразился Линц. Демон не мог материализоваться, вернуть себе полную силу. Дент выиграл время и передал все, что мог, своим потомкам, то есть нам. Мы должны завершить начатое.

— Согласна. Но мне кажется, этим дело не исчерпывается. — Куин посмотрела на Сибил; взгляд ее был печален. — Уничтожение демона было — и остается — миссией Дента. Смыслом его существования. Его жертвы — его жизни — недостаточно. Истинная жертва предполагает свободный выбор. Мы все делаем выбор. Дент не совсем человек. А мы люди, несмотря на происхождение. Вот она, цена, вот он выбор — пожертвовать жизнью ради других. Сиб...

Сибил вскинула руку.

— Все имеет свою цену. — Голос ее не дрогнул. — Во все времена боги требовали дани. Другими словами, за все приходится платить. Но это не значит, что мы должны соглашаться на такую цену, как смерть. Не пытаясь найти другой способ уплаты.

— Я всей душой за поиски альтернативного плана погашения долга, — сказал Гейдж. — Но мы должны договориться, здесь и сейчас, чтобы больше к этому не возвращаться: если у нас ничего не выйдет, действовать придется мне.

Все молчали, понимая, что первой должна высказаться Сибил.

— Мы одна команда. Очень сплоченная — никто не станет с этим спорить. Внутри команды существуют союзы. Трое мужчин, три женщины, пары. Все они придают команде динамичность. И тем не менее каждый из нас личность. Со своими характерами, с тем, что нам дано, — именно благодаря

этому мы вместе. Каждый должен делать выбор сам.
Если ты так решил, я не буду мешать тебе или отвлекать, заставляя ошибаться. Я согласна, но верю,
что мы найдем способ всем остаться в живых. И что
еще важнее, я верю в тебя. Я верю в тебя, Гейдж.

Она помолчала.

— Вот и все, что я хотела сказать. Я устала. Пойду наверх.

19

Он не торопился. Сибил нужно время. И ему
тоже. Подходя к двери спальни, которую они зани-
мали, Гейдж точно знал, что должен сказать и как.

Потом открыл дверь, увидел Сибил, и все выле-
тело у него из головы.

Она стояла у окна, в короткой белой рубашке,
с распущенными волосами, босая. Она выключила
свет, зажгла свечи. Пламя и колеблющиеся тени —
все это так шло ей. Вид Сибил, его чувства к ней
острыми стрелами пронзили его сердце.

Гейдж тихо закрыл за собой дверь; Сибил не повернулась.

— Я была не права, скрыв от вас то, что узнала.

— Да.

— Я могу найти оправдания, сказать, что должна
была выяснить все подробности, собрать дополни-
тельную информацию, проанализировать, проверить,
и так далее. Это не ложь, но и не совсем правда.

— Ты знала, что так и будет, Сибил. Чувствовала. Я тоже. Если я этого не сделаю, причем так,
как должно, демон заберет всех нас — и Холлоу в
придачу.

Она молчала, освещенная пламенем свечей,
устремив взгляд на далекие горы.

— Солнце еще освещает вершины гор, — сказала она. — Отблеск умирающего дня. Очень красиво. Я стояла тут, смотрела и думала, как это похоже на нас. Мы несем в себе отблеск света, его красоту. Еще несколько дней. Поэтому очень важно понимать его и ценить.

— Я понял, что ты хотела сказать там, внизу. И оценил.

— Значит, ты должен понимать и то, чего я не сказала. Если ты станешь героем и встретишь свою смерть в том лесу, пройдет много времени, прежде чем я перестану на тебя сердиться. В конечном счете перестану, но очень, очень не скоро. А когда перестану... Потом... — Сибил вздохнула. — Мне потребуется еще больше времени, чтобы тебя забыть.

— Не хочешь посмотреть на меня?

Еще один вздох.

— Вот и все, — прошептала она, когда исчезли последние отблески света. Потом повернулась. Глаза ее были ясными и такими глубокими, что в них могла прятаться не одна вселенная, подумал Гейдж.

— Мне нужно тебе кое-что сказать.

— Не сомневаюсь. И мне тоже. Я спрашивала себя, не будет ли тебе легче, если я промолчу, но...

— Потом решишь. Сначала выслушай меня. Сегодня я кое-что понял. После разговора с человеком, которого я очень уважаю. Поэтому... — Гейдж сунул руки в карманы. Мужчине нужно мужество, чтобы умереть, но еще большее мужество требуется для того, чтобы открыть женщине свои чувства.

Я говорю это не потому... не только потому, что могу умереть. Просто это ускорило события. Рано или поздно я бы все равно сказал. Нет смысла ходить вокруг да около.

— Чего?

— Я привык держать слово. Но... черт с ним. — По лицу Гейджа пробежала тень раздражения, глаза блеснули. — Договор отменяется. Мне нравится моя жизнь. Она меня устраивает. Какой смысл менять то, что тебя устраивает? Это во-первых.

— Наверное. — Сибил, склонив голову, с любопытством посмотрела на него.

— Не перебивай.

Ее брови взлетели вверх.

— Прошу прошения. Я думала, это разговор, а не монолог. Может, мне присесть?

— Просто помолчи пару минут. — Растерянность лишь усиливала его раздражение. — Я давно играю в прятки с судьбой. Не буду отрицать, она меня достала — в противном случае я был бы за несколько тысяч миль отсюда. Но будь я проклят, если она заставит меня делать то, чего я не хочу.

— Если не считать того, что ты здесь, а не где-то еще. Прости. — Сибил махнула рукой, увидев, как сощурились его глаза. — Прости.

— Я сам принимаю решения и жду того же от других. Вот что я хочу сказать. — Все вдруг стало просто и понятно.

— Я здесь не потому, что так было предопределено еще до нашего рождения. Мои чувства к тебе не определяются тем, что кто-то или что-то решили, что так будет лучше для меня. То, что происходит в моей душе, Сибил, — мое, и причина только в тебе. В твоем голосе, запахе, лице, в твоих мыслях. Я этого не хотел, не стремился к этому, но так вышло.

Сибил не шевелилась; золотистое пламя свечей отражалось в ее темных бархатных глазах.

— Пытаешься сказать, что любишь меня?

— Может, ты помолчишь и дашь мне сказать самому?

Она шагнула к нему.

— Хорошо, я сформулирую иначе. А не выложить ли тебе карты на стол?

Бывали карты и похуже, подумал Гейдж, но ему удавалось выходить победителем.

— Я тебя люблю и почти перестал за это на себя злиться.

Лицо Сибил расцвело широкой улыбкой.

— Интересно. Я тоже тебя люблю и почти перестала этому удивляться.

— Интересно. — Гейдж обхватил руками ее лицо, шепотом произнес ее имя. Коснулся губами ее губ, осторожно, словно спрашивая. Потом поцеловал. Она обняла его, прижалась всем телом. И он понял, что так и должно быть. Для него. Для них. Дом — это не только место. Это еще и женщина.

— Если бы все сложилось по-другому, — начал он и крепче обнял ее. — Выслушай меня. Если бы все сложилось по-другому или если бы мне повезло, ты бы осталась со мной?

— Осталась с тобой? — вскинув голову, Сибил посмотрела ему в глаза. — Сегодня у тебя не получается со словами. Ты предлагаешь мне выйти за тебя замуж?

Обескураженный, он слегка отодвинулся.

— Нет. Я имел в виду нечто менее... официальное. Быть вместе. Путешествовать вместе, потому что мы оба это любим. Может, устроить общую базу. У тебя уже есть одна в Нью-Йорке, и она меня вполне устроит. Или еще где-нибудь. Не думаю, что нам нужно...

Он хотел быть с ней. Сибил должна не просто присутствовать в его жизни — должна стать его жизнью. Неужели для этого нужно жениться?

— С другой стороны, — продолжал рассуждать он, — какого черта? Все равно шансов мало. Если мне действительно повезет, ты за меня выйдешь?

— Выйду. Что удивляет меня не меньше, чем тебя. Да. Выйду. Я бы хотела путешествовать вместе с тобой — или чтобы ты путешествовал со мной.

Иметь общую базу, а может, и не одну. Думаю, у нас получится. Нам будет хорошо вместе. По-настоящему хорошо.

— Значит, договорились.

— Еще нет. — Она закрыла глаза. — Сначала тебе следует кое-что узнать. И если ты передумаешь, я не буду настаивать. — Она отодвинулась. — Гейдж. Я беременна. — Он молчал. — Судьба может погладить по головке. А иногда дает пинок под зад. У меня была пара дней на размышление, и...

Мысли его путались, сердце переполняли противоречивые чувства.

— Пара дней.

— Я узнала в то утро, когда убили твоего отца. И просто... Не могла тебе сказать. — Сибил отодвинулась еще на шаг. — Решила не говорить, когда на тебя такое навалилось.

— Понятно. — Он подошел к окну. — У тебя была пара дней на размышления. И что ты надумала?

— Начнем с общего, потому что так легче. Мы трое забеременели практически одновременно, возможно, в одну и ту же ночь, и на то есть причина. Вы с Кэлом и Фоксом родились в один день. У Энн Хоукинс была тройня.

Голос Сибил звучал уверенно. Гейдж представил ее за кафедрой, читающей лекцию. Интересно, с чего бы это?

— Мы с Лейлой дальние родственницы. Я уверена, что все не случайно. Это еще одно оружие против Твисса.

Гейдж молчал.

— Ваша кровь и наша кровь, — продолжала она, — соединились в том, что зреет в Куин, Лейле и мне. Частичка вас и частичка нас. Вот что это значит.

Гейдж повернулся; лицо его оставалось бесстрастным.

— Разумно, логично, немного отстраненно.

— Точно так же ты говорил о смерти, — парировала Сибил.

Он пожал плечами.

— Давай перейдем от общего к частному, профессор. Что будет через две недели, через два месяца? Когда все это закончится?

— Я не жду...

— Не говори мне, чего ты ждешь... — Он сдерживался изо всех сил, но гнев прорывался наружу. — Скажи, чего ты хочешь. Черт возьми, Сибил, перестань читать лекции и скажи, чего ты хочешь.

Она спокойно приняла вызов, по крайней мере внешне. Но Гейдж чувствовал, как между ними возникает стена.

Не торопись, приказал он себе. Подожди, куда упадет мяч.

— Хорошо. Я расскажу тебе, чего хочу. — Стена не ослабила хлесткие удары слов. — Но сначала о том, чего не хотела. Я не хотела этой беременности, не хотела чего-то личного, важного для меня, когда все остальное летит в тартарары. Но так получилось. Поэтому...

Сибил вскинула голову и посмотрела ему в глаза.

— Я рада этой беременности. Я хочу ребенка. Хочу дать ему все, что только смогу. Хочу быть ему хорошей матерью. Хочу показать ему мир. Хочу привезти сына или дочь сюда, познакомить с детьми Лейлы и Куин, показать этот уголок мира, который мы помогли сохранить.

Ее глаза блестели — от гнева и слез.

— Я хочу, чтобы ты остался жив, тупица, чтобы это стало и твоей жизнью. А если ты настолько глуп и эгоистичен, что пожелаешь расстаться, я не только захочу, но и потребую ежемесячного чека на воспитание того, кого ты помог произвести на свет. Потому что я ношу в себе частицу тебя, и тебе не уйти от ответственности. Я не просто хочу семью. Я ее создам. С тобой или без тебя.

— Ты хочешь ребенка, даже если я умру.

— Правильно.

— Ты хочешь ребенка, даже если я выживу и не пожелаю участвовать в его воспитании — за исключением ежемесячного чека.

— Да.

Гейдж кивнул.

— У тебя была пара дней на размышление. Столько мыслей за такое короткое время.

— Я знаю, чего хочу.

— Слышал. А хочешь знать, чего хочу я?

— Я вся внимание.

Губы Гейджа дернулись. Если бы каждое слово было ударом, он давно бы уже лежал на полу.

— Я хочу увезти тебя отсюда. Сегодня же. Сию минуту. Чтобы ты и тот, кого ты в себе носишь, оказались как можно дальше от этого места. Я никогда не задумывался о детях. По разным причинам. Прибавь сюда, что я еще не перестал раздражаться от того, что влюбился в тебя, от того, что сделал тебе гипотетическое предложение.

— *Tant pis.* — В ответ на его удивленный взгляд она пожала плечами. — Хуже некуда.

— Точно. Но я умею быстро соображать. Одно из моих достоинств. Что я думаю? В данный момент? Мне плевать на глобальное мышление — на общее благо, судьбу и все такое. Плевать. Это наше с тобой дело, Сибил. Так что послушай меня.

— Это было проще, когда ты так много не болтал.

— Наверное, мне нужно сказать тебе больше, чем раньше. Ребенок — или как его там называют на этой стадии — не только твой, но и мой. Если я переживу ночь на седьмое июля, вам обоим это надо учитывать. И не ты, а мы. Мы покажем ему мир, мы привезем его сюда. Мы дадим ему все самое лучшее. Мы создадим семью. Вот как это будет.

— Правда? — Голос ее дрогнул, но Сибил не отвела взгляд. — Если так, твое предложение не назовешь гипотетическим.

— Обсудим после седьмого июля. — Гейдж подошел к ней, погладил по щеке, осторожно коснулся ее живота. — Кажется, мы этого не предвидели.

— Наверное, не туда смотрели.

Ладонь Гейджа крепче прижалась к ее животу.

— Я тебя люблю.

Это относится не только к ней, поняла Сибил и накрыла рукой его ладонь.

— И я тебя люблю.

Гейдж подхватил ее на руки, и она рассмеялась, едва сдерживая слезы. Потом сел с ней на край кровати, крепко обнял и замер.

Следующим утром он стоял у могилы отца. Удивительно, сколько людей пришли проститься с Биллом. Жители города, знакомые и незнакомые. Многие подходили к нему, выражали соболезнования, и он автоматически отвечал.

Потом к нему подошел Кай Хадсон. Крепко пожал руку, похлопал по плечу — это жест заменяет мужчинам объятия.

— Даже не знаю, что сказать. — Лицо Кая было все в синяках. — Я разговаривал с Биллом за пару дней до этого... Не понимаю, что случилось. Не помню.

— Неважно, Кай.

— Врач говорит, что от удара и шока у меня в голове все перепуталось. Может, у Билла была опухоль мозга или что-то вроде этого? Знаешь, иногда люди не соображают, что делают, или...

— Знаю.

— В любом случае, Джим сказал, чтобы я увез семью на ферму О'Делла. Странно это все. Но теперь тут все как-то странно. Наверное, поеду. Ну, если тебе что-то нужно...

— Спасибо.

Стоя у могилы. Гейдж смотрел вслед удалявшемуся убийце отца.

Джим Хоукинс обнял Гейджа за плечи.

— Я знаю, ты многое вынес. Дольше и больше, чем следовало бы. Но хочу сказать вот что: ты поступил правильно. Так лучше для всех.

— Вы были мне лучшим отцом, чем он.

— Билл это понимал.

Они ушли — жители города, знакомые и незнакомые. У них свои дела, своя жизнь. Брайан и Джоанна задержались.

— Последние пару недель Билл помогал нам на ферме, — сказал Брайан. — Остались его инструменты, вещи. Заберешь?

— Нет. Пусть будут у вас.

— Он нам очень помог, — сказала Джоанна. — Помог тебе. И в конечном итоге сделал для тебя все, что мог. Это главное. — Она поцеловала Гейджа. — Помни.

Наконец они остались вшестером — и собака, терпеливо сидевшая у ног Кэла.

— Я его не знал. Не помню, каким он был до смерти матери. Но слишком хорошо знаю, каким стал после. Но я не знал человека, которого только что похоронил. И не уверен, захотел бы узнать, будь у меня шанс. Он умер, спасая меня, — вернее, нас всех. Это все уравняло.

Гейдж прислушался к своим чувствам. Возможно, что-то похожее на скорбь. Или просто смирение. И этого было достаточно. Гейдж взял горсть земли и бросил на крышку гроба.

— Вот. Такие дела.

Сибил подождала, пока они не вернулись в дом Кэла.

— Я хочу кое-что обсудить, — сказала она.

— У всех будет по тройне, — сказал Фокс, плюхаясь в кресло. — Для полного счастья.

— Насколько мне известно, нет. Послушайте, я кое-что раскопала, но до сих пор сомневалась. Теперь нет времени на сомнения. Нам нужна кровь Гейджа.

— Уже брали.

— Придется позаимствовать еще немного. Нужно защитить родителей Кэла и Фокса, как мы защитили себя после нападения Твисса. Они первая линия нашей обороны. Твои антитела, — объяснила она. — Ты выжил после укуса демона, и вполне возможно, у тебя выработался иммунитет к его яду.

— Хочешь на кухне изготовить антидемоническую сыворотку?

— Я многое умею. Но не все. Нужно воспользоваться тем же ритуалом, что и раньше, — что-то вроде кровного братства. Защита, — напомнила она Гейджу. — Твой профессор Линц говорил о защите. Если Твисс обманет нас, сможет прорваться в город или, того хуже, на ферму, останется надеяться только на защиту.

— Кроме наших родителей, там будет еще много народу, — заметил Кэл. — Ты хочешь, чтобы все они смешали свою кровь с кровью Гейджа?

— Нет. Существует другой способ. Внутрь.

Гейдж выпрямился, подался вперед.

— Предлагаешь, чтобы население Холлоу пило мою кровь? Готов поспорить, городской совет будет в восторге.

— Они не узнают. Именно поэтому я не торопилась вам рассказывать. — Она присела на подлокотник дивана. — Выслушайте меня. В городе есть водопровод. На ферме колодец. Люди пьют воду. «Боул-а-Рама» еще открыта, и там продают разливное пиво. Всех не охватишь, но это лучший способ иммунизации.

— Осталось несколько дней, — задумчиво произнес Фокс. — Мы пойдем в лес, оставим город, ферму, все остальное. В последний раз едва удалось избежать массовых убийств. Мне будет легче, если я буду знать, что у моей семьи есть защита — или хотя бы шанс. Если этот шанс даст кровь Гейджа, я согласен.

— Тебе легко говорить, — Гейдж принялся массировать шею. — Иммунитет — это всего лишь теория.

— Но разумная, — возразила Сибил. — Основанная на науке и магии. Я изучила обе эти области, рассмотрела вопрос под разными углами. Должно помочь. А если нет, вреда никому не будет.

— Разве что мне, — буркнул Гейдж. — Сколько нужно крови?

Сибил улыбнулась.

— Если придерживаться теории магических цифр, думаю, трех пинт[1] достаточно.

— Трех? И как вы собираетесь их из меня добыть?

— Я уже все подготовила. Минутку.

— Мой отец несколько раз в год сдает кровь Красному Кресту, — сказал Фокс. — Говорит, ни-

---

[1] 0,473 литра.

чего страшного. Потом тебе дают апельсиновый сок и печенье.

— Какое печенье? — поинтересовался Гейдж и с сомнением посмотрел на Сибил, которая вернулась с картонной коробкой в руке. — Что там?

— Все, что нужно. Стерильные иглы, трубки, контейнеры с антикоагулянтом и так далее.

— Что? — Гейдж представил содержимое коробки, и внутри у него все похолодело. — Вампиры уже имеют сайт в Интернете?

— У меня свои источники. Возьми. — Она вручила Гейджу бутылку с водой, стоявшую на крышке коробки. — Тебе лучше выпить воды перед процедурой, особенно если учитывать, что нам нужно в три раза больше крови, чем обычно берут у доноров.

Он взял воду, заглянул в коробку, поморщился.

— Если мне опять придется резать себя для ритуала, почему бы сразу и не взять кровь?

— Так эффективнее и безопаснее. — Сибил улыбнулась. — Ты готов проделать дыру в демоне и умереть, но боишься маленькой иглы?

— «Боишься» — слишком сильно сказано. Просто подозреваю, что ты еще ни в кого не втыкала эту штуку.

— Нет, но в меня втыкали, и я изучила процедуру.

— Эй! Давайте я, — поднял руку Фокс.

— Ни за что. Она, — Гейдж указал на Лейлу, которая от удивления приоткрыла рот.

— Я? Почему?

— Потому что ты больше всех присутствующих будешь меня жалеть. — Он улыбнулся Сибил. — Я тебя знаю, милая. Ты слишком... решительная.

— Но... Я не хочу.

— Совершенно верно, — кивнул Гейдж. — Я тоже не хочу. Из нас получится отличная команда.

— Я тебе все расскажу, — сказала Сибил и протянула Лейле пару защитных перчаток.

— Ладно. Черт. Сначала вымою руки.

Все оказалось на удивление просто, хотя Лейла — он видел, что ей страшно — тихо ойкнула, вонзая иглу в его руку. Потом он ел печенье с австралийским орехом и пил апельсиновый сок — хотя потребовал пива, — а Сибил аккуратно складывала наполненные кровью контейнеры.

— Благодаря твоей способности к восстановлению мы справились за один раз. Дадим тебе немного отдохнуть и поедем, чтобы совершить ритуалы.

— Сначала на ферму, — предложил Фокс. — Это по дороге.

— Хорошо. Я хочу оставить там Лэмпа. — Он посмотрел на разлегшуюся под столом собаку. — В этот раз не стоит ему идти с нами.

— Выгрузим его и поедем к Хоукинсам, — сказал Фокс. — Потом в город. Оттуда к скважине. — Он потянулся за печеньем, но Гейдж шлепнул его по руке.

— Я не вижу твоей крови в контейнере, приятель.

— Он в порядке, — объявил Фокс. — Кто за рулем?

Возможно, это была бесполезная трата времени, сил и крови Гейджа. Следующие несколько дней и ночей эта мысль не давала покоя Сибил. Все, что раньше выглядело логичным, что она записала, изучила, проверила, теперь казалось абсолютно бесполезным. То, что несколько месяцев назад начиналось как интересный проект, превратилось в дело всей ее жизни. Какая польза от интеллекта, когда судьба разрушает все планы, подсовывая вместо них нечто немыслимое?

Неужели время истекло? Как это могло случиться? Остались какие-то часы — теперь время исчислялось часами. Все, что она узнала, что видела, говорило об одном: по истечении этих часов она потеряет любимого мужчину, отца ее ребенка. Того, с кем могла бы прожить жизнь.

Где ответы, которые она так хорошо умеет находить? Почему они все неправильные?

Сибил подняла взгляд на Гейджа, появившегося в дверях столовой, потом снова коснулась пальцами клавиатуры, хотя не представляла, что собирается печатать.

— Три часа утра, — сказал он.

— Знаю. В нижнем углу экрана есть маленькие часы — очень удобно.

— Тебе нужно поспать.

— Я сама знаю, что мне нужно. — Гейдж сел, вытянул ноги, и она недовольно покосилась на него. — И не желаю, чтобы ты сидел тут и пялился на меня, когда я пытаюсь работать.

— Последнее время ты работаешь сутками. Мы имеем то, что имеем. Больше ты ничего не найдешь.

— Неправда.

— Знаешь, первое, что на меня произвело впечатление, это твои мозги. Первоклассные мозги. Остальное тоже выше всяких похвал, но началось с мозгов. Забавно, но до встречи с тобой мне было плевать, какой коэффициент умственного развития у женщины, с которой я сплю, — как у Марии Кюри или картофеля «айдахо».

— Многие специалисты считают коэффициент умственного развития недостоверным, пригодным лишь для белых представителей среднего класса.

— Ну вот. — Он погрозил ей пальцем. — Опять факты и теории. Это меня просто убивает. Как бы то ни было, ты умная женщина, Сибил, и понимаешь: мы имеем то, что имеем.

— А еще я понимаю, что спектакль еще не окончен. И пытаюсь собрать информацию о потерянном племени из Южной Америки, которое может происходить от...

— Сибил. — Он накрыл ее ладонь своей. — Остановись.

— Как я могу остановиться? Как ты можешь об этом говорить? Черт возьми, уже четвертое июля. Прошло три часа и двенадцать минут четвертого июля. У нас почти ничего не осталось. Сегодня, завтра, следующая ночь, а потом мы отправимся в это проклятое место, и ты...

— Я тебя люблю.

Она закрыла лицо свободной рукой, силясь сдержать рыдания, но это его не остановило.

— Это для меня очень важно. Я не стремился к этому, не ждал такого удара. Мой старик говорит, что мама сделала его лучше. Я его понял, потому что ты сделала меня лучше. Я возвращаюсь к Языческому камню не ради города. Не ради Кэла, Фокса, Куин или Лейлы. Я иду туда не только ради тебя. Ради себя тоже. Мне нужно, чтобы ты это поняла. Мне нужно, чтобы ты знала.

— Я знаю. Понять — не проблема. Я могу выйти на эту поляну вместе с тобой. Но я не знаю, как буду жить без тебя.

— Я мог бы ответить какой-нибудь банальностью, вроде того, что всегда буду с тобой, но ни ты, ни я в это не поверим. Нужно посмотреть, как легла карта, и играть тем, что у тебя на руках. Вот и все.

— Я была уверена, что найду выход, найду *что-нибудь*. — Невидящим взглядом она смотрела в монитор. — Спасу положение.

— Похоже, это придется сделать мне. Пойдем. Пора ложиться.

Сибил встала, повернулась к нему.

— Так тихо, — прошептала она. — Четвертое июля, а никаких фейерверков.

— Пойдем наверх, устроим небольшой фейерверк, а потом будем спать.

Они спали и видели сон. Языческий камень пылал, словно печь, с неба лилась горящая кровь. Клубящаяся черная масса жгла землю, опаляла деревья.

Ей снилось, что Гейдж умер. Она сжимала его в объятиях, плакала, но Гейдж не вернулся к ней. Даже во сне горе превратило ее сердце в пепел.

Сибил больше не плакала. Не проронила ни слезинки, когда весь день пятого июля они собирали вещи и готовились к сражению. Ее глаза остались сухими, когда Кэл сообщил, что в городе уже начались пожары, грабежи и насилие и что его отец, начальник полиции Хоубейкер и еще несколько человек делают все возможное, чтобы поддерживать порядок.

Все возможное уже сделано, все слова сказаны.

Поэтому утром шестого июля она взяла оружие, надела рюкзак и вместе с остальными покинула уютный дом на опушке леса и направилась к тропе, которая вела к Языческому камню.

Теперь все ей было знакомо — звуки, запахи, дорога. Больше тени, чем несколько недель назад, отметила Сибил. Больше цветов, громче поют птицы, но все остальное не изменилось. Осталось примерно таким же, как во времена Энн Хоукинс. И чувства, которые переполняли Энн, когда она покидала этот лес, покидала любимого мужчину, похожи на то, что чувствовала сама Сибил, ступая на лесную тропу.

Но, по крайней мере, она будет рядом с ним, чтобы покончить с демоном.

— Мой нож больше твоего. — Куин коснулась ножен на поясе подруги.

— У тебя не нож, а мачете.

— Все равно больше. И твоего тоже, — сказала она Лейле.

— Я выбрала колун, как в прошлый раз. Он приносит удачу. Не у всех есть такой колун.

Сибил знала: они пытаются ее отвлечь.

— Сибил. — Шепот послышался слева, из густой зеленой тени.

Она повернула голову, и сердце ее словно остановилось.

— Папа.

— Нет. — Гейдж шагнул к ней, схватил за руку. — Ты знаешь, что это не твой отец.

Гейдж выхватил пистолет, но Сибил остановила его.

— Знаю. Я знаю, что это не он. Но все равно не надо.

— Иди, обними папочку. — Призрак раскинул руки. — Давай, принцесса! Поцелуй своего папочку. — Сверкнули острые акульи зубы, послышался смех. Затем он разодрал когтями свое лицо и тело и исчез в потоке черной крови.

— Спектакль, — буркнул Фокс.

— Причем плохо поставленный. Он переигрывает. — Пожав плечами, Сибил взяла Гейджа за руку. Ее уже ничем не испугаешь. — Мы пойдем впереди, — сказала она и вместе с Гейджем возглавила маленький отряд.

20

Они собирались сделать привал у пруда, где утопилась юная безумная Эстер Дейл через несколько недель после того, как родила ребенка от Твисса. Но вода пузырилась кровью. На поверхность всплывали тела птиц и мелких рыб.

— Не особенно подходящая обстановка для пикника, — решил Кэл. Не отпуская плечо Куин, он наклонился и поцеловал ее в висок. — Еще десять минут, и привал. Не возражаешь?

— Я могу пройти целых три мили в день.

— Ты беременная. И не только ты.

— Мы в порядке, — успокоила его Лейла. Потом ухватилась за плечо Фокса. — Фокс.

Что-то поднималось из бурлящей воды. Голова, шея, плечи, по которым стекала кровавая жижа, туловище, бедра, ноги — на поверхности пруда, словно на каменной платформе, стояла человеческая фигура.

Эстер Дейл, выносившая семя демона, убившая себя несколько веков назад, смотрела на них дикими, безумными глазами.

— Вы родите их в муках — демонов. Вы все прокляты. Его семя холодное. Такое холодное. Дочери мои, — она раскрыла объятия. — Идите ко мне. Пощадите себя. Я ждала вас. Вот вам моя рука.

Тонкая, костлявая рука, вся в красных пятнах.

— Пойдем. — Фокс обнял Лейлу за талию, уводя за собой. — Безумие не прекращается со смертью.

— Не бросайте меня! Не оставляйте меня одну! Куин оглянулась.

— Это она или очередной трюк Твисса?

— Она. Эстер. — Лейла не оглядывалась. Не могла. — Сомневаюсь, что Твисс способен принимать ее облик — или Энн. Женщины еще здесь, и он не может притворяться ими. Как ты думаешь, она упокоится, когда мы разделаемся с Твиссом?

— Я в это верю. — Сибил оглянулась на Эстер, которая с плачем снова погрузилась в пруд. — Она часть нас. Мы сражаемся и ради нее тоже.

Они вообще не стали делать привал. То ли это нервное напряжение, то ли адреналин, то ли печенье, которое они передавали друг другу — как бы то ни было, они не останавливались до самой поляны. Языческий камень ждал их.

— Твисс не пытался нас остановить, — заметил Кэл. — Практически не трогал.

— Бережет силы. — Сибил сняла рюкзак. — Не хочет тратить энергию. Думает, что уничтожил наше главное оружие. Самонадеянный ублюдок.

— Или напал на город, как в прошлую Седмицу, когда мы пришли сюда. — Кэл достал сотовый телефон, набрал номер отца. Потом закрыл телефон. Лицо его было мрачным. — Одни помехи.

— Джим Хоукинс задаст ему жару. — Куин обняла его. — Отец и сын достойны друг друга.

— Давай мы с Фоксом попробуем посмотреть, — предложила Лейла, но Кэл покачал головой.

— Нет. Все равно мы ничем не поможем. Ни в городе, ни на ферме. Нам тоже нужно беречь силы. Давайте устраиваться.

Кэл принес охапку хвороста, а Сибил принялась раскладывать продукты.

— Зачем? — Гейдж пожал плечами. — Похоже, через несколько часов тут не будет недостатка в огне.

— Это наш огонь. Существенная разница. — Сибил взяла термос. — Кофе хочешь?

— Пока нет. Лучше пиво. — Открывая банку, он огляделся. — Странно, но в прошлый раз, когда он нас преследовал, я чувствовал себя увереннее. Кровавый дождь, ураганный ветер, пронизывающий до костей холод, та сцена с твоим отцом...

— Да. Знаю. Нечто вроде приветствия. Приятной прогулки, я вас догоню. Самонадеянность до добра не доводит, и он за это заплатит.

Гейдж взял ее за руку.

— Иди сюда на минутку.

— Нужно развести костер, — запротестовала она, но Гейдж потянул ее за собой на край поляны.

— Кэл бойскаут. Он справится. Времени осталось мало. — Он сжал ладонями плечи Сибил. — У меня к тебе просьба.

— Самое подходящее время. Но тебе придется выжить, чтобы убедиться, что я сдержу слово.

— Я все равно узнаю. Если это девочка... — Гейдж увидел, что на глазах Сибил выступили слезы, подождал, пока она возьмет себя в руки. — Я хочу, чтобы второе имя у нее было Кэтрин, в честь моей матери. Мне всегда казалось, что первое имя принадлежит ребенку, а второе...

— Кэтрин, в честь твоей матери. Эту просьбу легко выполнить.

— А если будет мальчик, я не хочу, чтобы ты давала ему мое имя. Никаких «младший» и подобной ерунды. Назови как хочешь, а второе имя пусть будет как у твоего отца. Вот и все. И позаботься, чтобы он — или она — не выросли размазней. Не рассчитывать на «стрит» без одной карты, не делать ставку больше, чем можешь себе позволить...

— Может, мне записать?

Он дернул ее за волосы.

— Запомнишь. Отдашь ему вот это. — Гейдж извлек из кармана колоду карт. Когда я последний раз играл этой колодой, мне выпало четыре туза. Она приносит счастье.

— Возьму — пока все не закончится. Я должна верить — и ты должен мне это позволить, — что ты сам отдашь ему эту колоду.

— Разумно. — Гейдж обхватил ладонями ее лицо, кончиками пальцев коснулся волос, поцеловал в губы. — Ты лучшее, что у меня было в жизни. — Он поцеловал ее ладони, заглянул в глаза. — Пора с этим заканчивать.

Все по порядку, напомнила себе Сибил. Огонь, камень, свечи, слова. Кольцо из соли. Фокс включил маленький приемник, и теперь на поляне звучала музыка. Сибил считала, что это тоже важно, пусть этот ублюдок знает: мы не сдаемся.

— Скажи, что от меня нужно, — шепотом спросила Куин, помогая Сибил расставлять свечи на каменной плите.

— Верить, что мы его прикончим — что Гейдж его прикончит. И останется жив.

— Тогда я буду верить. Верю. Посмотри на меня, Сибил. Никто, даже Кэл, не знает меня лучше, чем ты. Я верю.

— Я тоже. — Лейла встала рядом, накрыла ладонью руку Сибил. — Верю.

— Ну вот. — Ладонь Куин легла сверху. — Три беременные женщины не могут... Ой, что это?

— Он... пошевелился. — Лейла посмотрела на подруг. — Да?

— Тише. Подождите. — Сибил растопырила пальцы и сосредоточилась на своей руке, прижатой к камню ладонями Лейлы и Куин. — Он нагревается и вибрирует. Как будто дышит.

— Когда мы с Кэлом в первый раз прикоснулись к нему, он стал теплым, — сказала Куин. — А потом мы перенеслись на несколько веков назад.

Может, если мы сосредоточимся, то сможем что-то увидеть.

Резкий порыв ветра повалил всех троих на землю.

— Представление начинается! — крикнул Фокс. Черные клубящиеся тучи понеслись по небу навстречу заходящему солнцу.

В городе Джим Хоукинс помогал Хоубейкеру втащить кричащего мужчину в боулинг-клуб. Лицо Джима было в крови, рубашка порвана, и во время стычки на Мейн-стрит он потерял ботинок. Отовсюду слышались крики, жалобы и истерический смех десятка человек, которых они уже привели в клуб и связали.

— У нас скоро закончится веревка. — Стараясь не беспокоить пульсирующую болью руку, которую прокусил человек, преподававший историю его сыну, Хоубекер привязал учителя к механизму возврата шаров. — Боже милосердный. Джим.

— Еще несколько часов. — Тяжело дыша, Джим опустился на пол, вытер платком мокрое лицо. Несколько человек они заперли в библиотеке, остальных распределили по другим безопасным зонам, которые указал Кэл. — Нам нужно продержаться еще несколько часов.

— В городе остались сотни людей. И горстка тех, кто не потерял разум и не прячется по щелям. Пожар в школе, еще один в цветочном магазине, два в жилых домах.

— Их вывели из огня.

— На этот раз да.

Снаружи раздался грохот. Хоубейкер вытащил пистолет.

Сердце, бешено стучавшее в груди Джима, забилось еще быстрее. Хоубейкер взял пистолет за ствол и протянул Джиму.

— Возьми.

— Ты что, Уэйн? Зачем?

— Голова раскалывается. Как будто кто-то пытается проникнуть в нее. — Он вытер блестевшее от пота лицо. — На этот случай пусть оружие будет у тебя. Присмотри за ним. И за мной тоже, если потребуется.

Джим медленно встал и осторожно взял пистолет.

— Знаешь, что я думаю? Если вспомнить, чем мы занимались последние пару часов, у кого угодно голова заболит. У меня в баре есть суперсильный тайленол.

Хоубекер удивленно посмотрел на Джима и расхохотался. Он смеялся так, что заболели бока.

— Точно. Тайленол. — На глазах у него выступили слезы. Он снова почувствовал себя человеком. — Лучшее средство. — Снова раздался грохот, и Хоубейкер посмотрел на дверь. Потом вздохнул. — Неси сразу целую бутылку.

— Он использует ночь. — Кэл перекрикивал порывы ледяного ветра. За пределами круга кишели змеи, которые кусали и пожирали друг друга, превращаясь в пепел.

— Помимо всего прочего. — Куин подняла мачете, готовая поразить все, что прорвется внутрь.

— Мы пока не можем перейти в наступление. — Гейдж смотрел на трехголового пса, который бежал по поляне, рыча и клацая зубами. — Он пытается нас выманить.

— Его здесь нет. — Фокс подвинулся, стараясь заслонить Лейлу от ветра. — Это всего лишь... эхо.

— Довольно громкое эхо. — Пальцы Лейлы сжали рукоятку колуна.

— В темноте он становится сильнее. Так было всегда. — Гейдж следил за громадной черной собакой, размышляя, стоит ли тратить на нее пулю. — И во время Седмицы. Уже скоро.

— Если Твисс теперь в городе...

— Они отобьются. — Сибил смотрела, как огромная — величиной с кошку — крыса прыгнула на спину пса. — А мы его прикончим.

Зазвонил телефон Фокса.

— Не пойму, кто это. Дисплей черный. — Из динамика хлынул поток звуков. Крики, плач, просьбы о помощи. Голоса матери, отца, других людей.

— Это ложь! — крикнула Лейла. — Это иллюзия, Фокс!

— Не знаю. — В его глазах плескалось отчаяние. — Не знаю.

— Это ложь. — Лейла выхватила у него телефон и отшвырнула прочь. Фокс не успел ее остановить.

Из леса вышел Билл Тернер; с губ его сорвался презрительный свист.

— Связался с ней. С этой сукой. Эй ты, маленький никчемный кусок дерьма. Я кое-что для тебя приготовил. — Он взмахнул ремнем, который держал в руках. — Иди сюда, будь мужчиной.

— Эй, козел! — Сибил оттолкнула Гейджа. — Он умер как мужчина. А ты будешь визжать от страха.

— Не дразни демона, милая, — сказал Гейдж. — Помни о позитивных человеческих эмоциях.

— Проклятье. Ты прав. Сейчас ты у меня получишь позитивные человеческие эмоции. — Борясь с порывами ветра, она резко повернулась, притянула Гейджа к себе и поцеловала в губы.

— Я оставлю тебя на закуску! — Фигура Билла расплылась, стала меняться. Сибил услышала голос отца.

— Мое семя разорвет тебя на части, чтобы выйти наружу.

Она не слушала, направив переполнявшую ее любовь на Гейджа.

— Он не знает, — прошептала она, касаясь губами его губ.

Ветер стих, и наступила тишина. Как в центре урагана, подумала Сибил, переводя дух.

— Он не знает, — повторила Сибил и кончиками пальцев коснулась своего живота. — Вот один из ответов, которые мы так и не нашли. Он есть. Другой путь, если мы поймем, как воспользоваться этой информацией.

— До половины двенадцатого, до полной темноты, осталось чуть больше часа. — Кэл посмотрел на черное небо. — Пора начинать.

— Ты прав. Давайте зажжем свечи, пока можем. — Она молилась, чтобы ответ не опоздал.

Снова вспыхнули свечи. Снова переходил из рук в руки нож. Три руки соединились, смешав кровь. Но теперь, подумала Сибил, их не трое, а шестеро. Или даже девять.

На Языческом камне горели шесть свечей, по одной на каждого, а седьмая символизировала общую цель. Внутри этого круга мерцали три маленькие свечки.

— Он приближается. — Гейдж посмотрел в глаза Сибил.

— Откуда ты знаешь?

— Гейдж прав. — Кэл перевел взгляд на Фокса, увидел его кивок и поцеловал Куин. — Что бы ни случилось, не выходи из круга.

— Только если ты не выйдешь.

— Не будем ссориться, ребята. — Фокс не дал Кэлу возразить. — Время дорого.

Он склонился к Лейле и поцеловал.

— Ты моя судьба, Лейла. Куин, Сибил — вы входите в очень ограниченный, эксклюзивный круг лучших женщин, которых я знаю. Парни? Я не жалею ни об одной минуте из последних тридцати одного года. Когда все закончится, будет много рукопожатий. И я рассчитываю на кучу страстных поцелуев — и еще кое-что от моей любимой.

— Это твое заключительное слово? — спросил Гейдж. Камень оттягивал карман, словно кусок свинца. — Мне тоже причитаются поцелуи. Один авансом. — Он обнял Сибил. Если через несколько минут ему суждено умереть, он унесет с собой вкус ее губ. Пальцы Сибил стиснули его рубашку. Потом разжались.

— Это первый взнос, — сказала она, доставая оружие. Лицо ее было бледным и решительным. — Теперь я тоже чувствую. Он близко.

Из лесной чащи донесся оглушительный рев. Деревья задрожали и принялись неистово хлестать друг друга, словно злейшие враги. По краю поляны вспыхнул огонь, посыпались искры.

— Постучи в дверь, малыш, — прошептала Куин, и Кэл удивленно посмотрел на нее.

— «Хижина любви»?[1]

— Не знаю, почему я ее вспомнила, — стала оправдываться Куин, и Фокс захохотал, как безумный.

— Отлично! Постучи громче, милая, — пропел он.

— О боже. Постучи в дверь, малыш, — повторила Лейла и вытащила из ножен колун.

— Давай! — крикнул Фокс. — Громче. Я тебя не слышу.

Пламя взметнулось вверх, по поляне распространялось зловоние, а они продолжали петь. Наверное,

---

[1] Песня рок-группы «В52».

глупо, подумал Фокс. Но так по-человечески. Дерзкий вызов. Или боевой клич.

Небо пролилось кровавым дождем, капли которого с шипением испарялись, коснувшись земли. Воздух пропитался дымом. Деревья трещали, ветер выл, как тысячеголосый хор мучеников.

На поляне стоял мальчик.

Он должен выглядеть смешным, подумал Гейдж. Нелепым. Но мальчик был ужасен. Потом он открыл растянутый в улыбке рот, из которого вырвался оглушительный вопль.

Они продолжали петь.

Гейдж выстрелил. Пули разорвали плоть, из ран хлынула черная, густая кровь. От крика демона трескалась земля. Потом мальчишка взвился вверх и закружил над поляной, оставляя после себя удушающее облако дыма и пыли. Он менялся. Мальчик, собака, змея, мужчина — все они извивались и кричали. Нет, демон еще не принял свой истинный облик. Камень бесполезен.

— Постучи в дверь! — крикнул Фокс и, выпрыгнув из круга, принялся кромсать демона ножом.

Тот завизжал. В этом звуке, исполненном боли и ярости, не было почти ничего человеческого. Кивнув, Гейдж достал из кармана гелиотроп и положил в центр круга из горящих свечей.

Все ринулись на помощь Фоксу — прямо в объятия ада.

Кровь и пламя. В тело вонзались острые зубы холода, дым обжигал горло. Сзади, в центре круга, Языческий камень вспыхнул и скрылся за пеленой пламени.

Гейдж увидел, как что-то мелькнуло в темноте, ударив в грудь Кэла. Он споткнулся. Фокс бросился вперед, но его удар лишь рассек воздух — там уже ничего не было. Потом нечто схватило Лейлу и сбило с ног. Гейдж увидел вынырнувшие из дыма когти в нескольких дюймах от его лица.

— Он забавляется! — крикнул Гейдж. — Что-то прыгнуло ему на плечи, вонзило зубы в шею. Он покатился по земле, пытаясь сбросить врага. Вдруг тяжесть исчезла — рядом стояла Сибил с окровавленным ножом в руке.

— Пусть забавляется, — спокойно сказала она. — Я люблю такие игры.

Гейдж покачал головой.

— Назад. Все в круг! — Вскочив, он силой затащил Сибил внутрь круга, где полыхал Языческий камень.

— Мы его ранили. — Тяжело дыша, Лейла опустилась на колени. — Я чувствовала его боль.

— Этого недостаточно. — Они все в крови, подумал Гейдж. В крови демона и собственной. А время уходит. — Так не пойдет. Есть только один способ. — Он сжал руку Сибил и не отпускал, пока она не опустила нож. — Когда он примет свой истинный облик.

— Он убьет тебя раньше, чем ты успеешь принести себя в жертву.

— По крайней мере, мы сражаемся, причиняем ему боль, ослабляем.

— Нет. — Фокс потер слезящиеся глаза. — Мы его развлекаем. Возможно, чуть-чуть отвлекаем. Мне жаль.

— Но... — Отвлечь его. Сибил оглянулась на Языческий камень. *Их* камень. Она в это верила. Должна верить. Камень ответил, когда они с Куин и Лейлой вместе прикоснулись к нему.

Выронив нож — бесполезный, — она повернулась к алтарю. Потом, затаив дыхание, сунула руку в огонь и прижала к пылающему камню.

— Куин! Лейла!

— Что ты делаешь? — спросил Гейдж.

— Отвлекаю его. И очень надеюсь разозлить. — Огонь согревал, но не обжигал. Вот он, ответ, подумала Сибил, и надежда вспыхнула в ней с новой силой. — Демон не знает. — Она прижала другую ладонь к животу, повернулась к взметнувшимся вверх языкам пламени. — Это и есть сила. Свет. Это мы. Куин, пожалуйста.

Не колеблясь ни секунды, Куин протянула руку в огонь, накрыла ладонь Сибил.

— Он шевелится! — воскликнула она. — Лейла?

Но Лейла была уже рядом. Их руки соединились.

Поет, подумала Сибил. Камень пел, словно тысячи чистых, звонких голосов. Пламя в его центре сделалось ослепительно-белым. Земля под ними задрожала.

— Не убирайте руки! — крикнула Сибил. Что она наделала? Глаза ее наполнились слезами. Боже, что она наделала?

Сквозь столб белого пламени она поймала взгляд Гейджа.

— Умница, — прошептал он.

В затянувшем поляну дыме — или из дыма — сгущалась черная масса, распространяя вокруг безумную ярость, ненависть к свету. Постепенно проступали руки, ноги, голова — в это было невозможно поверить. Открылись глаза, неестественно зеленые, с кроваво-красным ободком. Фигура росла, поднималась, заслоняя собой небо и землю. Пока не остались лишь тьма и стена огня. И бешенство.

В голове Сибил раздался крик ярости. Она поняла, что остальные тоже слышат.

Я вырву его из твоего чрева и буду пить, как вино.

— Пора. Не отпускай его. — Дрожащей рукой она протянула Гейджу камень, но продолжала смотреть ему в глаза. — Не отпускай.

— Вот еще. — Он сунул руку в огонь и схватил охваченный пламенем гелиотроп.

Потом отвернулся, но лицо Сибил словно отпечаталось у него в мозгу. Его мысль устремилась к Фоксу и Кэлу. Братья, подумал он. Пора заканчивать.

— Теперь или никогда. Позаботьтесь о них.

Зажав в кулаке гелиотроп, он прыгнул навстречу тьме.

— Нет. Нет, нет, нет. — Слезы Сибил падали на камень сквозь белое пламя.

— Держись. — Куин крепче сжала ее руку и обняла, не давая упасть. Лейла последовала ее примеру.

— Я его не вижу! — вскрикнула Лейла. — Я его не вижу. Фокс!

Он шагнул к ней. Повинуясь инстинкту или просто от отчаяния, они с Кэлом прижали руки к камню. Тьма взревела, и глаза демона закатились — наверное от наслаждения.

— Нет, так не должно быть! — крикнул Кэл. — Я иду за ним!

— Ты не должен. — Сибил подавила рыдания. — Вот что нужно. Вот он, ответ. Не отпускайте. Камень и друг друга. Гейджа. Не отпускайте его.

Ослепительная вспышка вспорола завесу дождя. Земля содрогнулась.

В Холлоу Джим Хоукинс опустился на мостовую. Рядом с ним Хоубейкер прикрыл глаза ладонью, защищаясь от яркой вспышки.

— Ты слышал? — спросил Джим, но его голос утонул в оглушительном грохоте. — Ты слышал?

Они стояли на коленях посреди Мейн-стрит, держась друг за друга, словно пьяные.

На ферме Брайан крепко сжимал руку жены. Сотни людей, стоявших на его поле, смотрели на небо.

— Господи, Джо. Господи. Лес горит. В лесу пожар.

— Это не пожар. Не только пожар, — с трудом проговорила она. — Это... что-то еще.

У Языческого камня дождь превратился в пламя, пламя в свет. Стрелы света вонзились в тьму. Глаза демона вращались, но не от желания или наслаждения, а от шока, боли и ярости.

— Он смог, — прошептала Сибил. — Он убивает демона. — Внезапно она почувствовала гордость. — Не отпускайте его. Мы не должны его отпускать. Мы можем его вернуть.

У него осталось одно чувство. Невыносимая боль, не выразимая словами мука. Жестокий холод и одновременно нестерпимый жар. Тысячи когтей, тысячи зубов рвали плоть — каждая рана причиняла невыносимые страдания. Кровь вскипала под разодранной кожей, а кровь демона обволакивала его, словно масло.

Тьма сомкнулась вокруг него, стиснула в железных объятиях так, что затрещали ребра. В ушах звучали вопли, плач, смех, мольбы.

Его пожирают заживо?

Он прокладывал себе путь сквозь колыхающуюся склизкую массу, задыхаясь от невыносимой вони, жадно втягивая пропитанный дымом воздух. Остатки рубашки на нем горели, пальцы онемели от холода.

Это ад, подумал он.

А вот и сердце ада — пульсирующая черная масса с горящим красным глазом.

Силы покидали его, вытекали, как вода через решето, но он упорно шел вперед, дюйм за дюймом. Десятки картин сменяли друг друга в его мозгу. Вот они с матерью, держась за руки, идут по зеленому полю. Кэл и Гейдж возят игрушечные машинки по песочнице, которую соорудил для них на ферме Брайан. Вот они едут на велосипедах по Мейнстрит. Соединяют окровавленные запястья над костром. Вот Сибил бросает на него презрительный взгляд через плечо. Идет к нему. Вот она под ним. Плачет о нем.

Осталось чуть-чуть, подумал он. Жизнь проходит перед глазами. Как он устал. Совсем измучился. Уже скоро. А вот и свет, мелькнуло у него в голове. Туннель из света. Какая банальность, черт возьми.

Теперь карты на стол. Он почувствовал — подумал, что чувствует, — как гелиотроп завибрировал в его руке. Из-под пальцев вспыхнуло пламя. Он попятился.

Свет стал белым, ослепив его. Пред мысленным взором возникла фигура. Рука легла на его ладонь, внимательные серые глаза смотрели прямо на него.

Это не смерть. Моя кровь, ее кровь, наша кровь. Его уничтожит огонь.

Вместе они вогнали камень в сердце зверя.

Яркая вспышка сбила Сибил с ног. Волна жара прокатилась по поляне, расшвыряла людей, словно сердитый прибой гальку. Короткая вспышка была ярче солнца, а потом все успокоилось. Лес, камень, небо — все на мгновение превратилось в сплошную пелену огня, а потом застыло, словно негатив фотографии.

На краю поляны в страстном объятии замерли две фигуры, мужчины и женщины. Потом они исчезли, и мир снова пришел в движение.

Порыв ветра, последний рык угасающего пламени, остатки стелющегося по земле дыма — все исчезло, впиталось в землю. Когда ветер стих и пламя погасло, Сибил увидела Гейджа, лежавшего без движения на обожженной земле.

Она бросилась к нему, опустилась на колени, прижала дрожащие пальцы к шее.

— Не могу найти пульс!

Сколько крови. Казалось, его лицо и тело рвали на части.

— Давай, черт бы тебя побрал. — Кэл схватил руку Гейджа, Фокс другую. — Возвращайся.

— Реанимируем, — сказала Лейла, но Куин уже сидела верхом на Гейдже, прижав ладони к его груди для массажа сердца.

Сибил откинула его голову, собираясь делать искусственное дыхание. Ее взгляд упал на Языческий камень, все еще охваченный пламенем, белым и чистым.

— Несите его на камень. На алтарь. Быстрее, быстрее.

Кэл и Фокс положили его — окровавленного и бездыханного — прямо в мерцающее пламя.

— Кровь и огонь, — повторила Сибил, целуя ладонь Гейджа, потом губы. — Я видела сон... только неправильно поняла. Вы все лежали на камне, как будто я вас убила, а Гейдж выходил из леса, чтобы убить меня. Эгоизм, вот что это было. Пожалуйста, Гейдж, пожалуйста. Это мой эгоизм. Сон не обо мне. О нас. Мы все стоим вокруг камня, а Гейдж выходит к нам из тьмы после того, как убил зверя. Пожалуйста, вернись. Пожалуйста.

Она снова поцеловала его в губы, приказывая дышать. Ее слезы упали ему на лицо.

— Смерть — неправильный ответ. Жизнь.

Сибил склонилась к нему и увидела, как шевельнулись его губы.

— Гейдж! Он дышит. Он...

— Мы его вытащили. — Кэл сжал руку Гейджа. — Мы тебя вытащили.

Его глаза раскрылись, и он встретился взглядом с Сибил.

— Я... Мне повезло.

Сибил, задрожав, уронила голову ему на грудь, слушая удары его сердца.

— Нам всем повезло.

— Эй, Тернер, — широко улыбаясь, Фокс наклонился, чтобы Гейдж мог видеть его лицо. — Ты должен мне тысячу баксов. С днем рождения.

Эпилог

Гейдж проснулся в постели, один. Позор, подумал он, поскольку чувствовал себя почти нормально. Солнце светило в окна. Наверное, он проспал не один час. Что неудивительно. Смерть отнимает много сил.

Дорогу назад он почти не помнил. Все путешествие стало суровым испытанием, когда нужно было просто по очереди передвигать ноги, одну, потом другую, обняв за плечи Кэла и Фокса. Но ему очень хотелось домой — как и всем.

Кажется, он был слаб, как младенец. Настолько слаб, что, когда они добрались до дома, Кэлу и Фоксу пришлось помочь ему смыть кровь, грязь и Бог знает что еще, что он принес с собой из преисподней.

Но дышать уже было не больно — хороший признак. А когда он сел, мир не вращался вокруг него. Потом Гейдж встал — пол остался на месте, внутри ничего не болело. Убедившись, что способен сохранять вертикальное положение, он посмотрел на шрам на запястье, нащупал другой шрам, на плече.

Тьма и свет. В нем есть и то и другое.

Он надел джинсы, рубашку и спустился по лестнице.

Парадная дверь была открыта, впуская в дом солнечный свет и теплый летний ветерок. Кэл и Фокс сидели на веранде, а между их креслами растянулся Лэмп. Увидев его, они улыбнулись, а Фокс откинул крышку стоявшего рядом с ним переносного холодильника, достал бутылку пива и протянул ему.

— Читаешь мои мысли.

— Это я умею. — Фокс встал. Кэл тоже. Они чокнулись бутылками, выпили.

— Надрали ему задницу, — сказал Фокс.

— Точно.

— Рад, что ты жив, — прибавил Кэл.

— На обратном пути ты раз двадцать это повторил.

— Не был уверен, что ты запомнил. Ты периодически отключался.

— Теперь включился. Холлоу?

— Мой отец, Хоубейкер и еще несколько человек сдерживали его сколько могли. Туго им пришлось, — прибавил Кэл. — Пожары, грабежи...

— Обычные акты насилия, — продолжил Фокс. — Кто-то в больнице, кому-то нужно строиться заново. Но Джим Хоукинс настоящий герой.

— Сломанная рука, несколько порезов, куча синяков, но он выстоял. И ферма тоже, — сказал Кэл. — Пока ты сладко спал, мы съездили туда, забрали Лэмпа и прокатились по городу. Могло быть гораздо хуже. И бывало гораздо хуже. Никто не погиб. Ни один человек. Холлоу перед тобой в долгу, братишка.

— Перед всеми нами. — Гейдж сделал глоток из бутылки. — Но особенно передо мною.

— Кстати, о долге, — напомнил ему Фокс. — Ты должен тысячу баксов — каждому.

Гейдж опустил пиво.

— Это одно из немногих пари, которое я с радостью проиграю. — Он отшатнулся, потому что Фокс обнял его и поцеловал.

— Я передумал насчет мужских рукопожатий.

— Господи, О'Делл. — Гейдж, защищаясь, вскинул руку, но Кэл последовал примеру Фокса. Рассмеявшись, Гейдж вытер губы. — Хорошо, что никто не видел, иначе мне пришлось бы врезать вам обоим.

— Тридцать один год — большой срок, чтобы понять друг друга. — Кэл снова поднял бутылку с пивом. — С днем рождения.

— Присоединяюсь. — Фокс повторил его жест.

Они чокнулись бутылками, и в этот момент вошли Лейла и Куин.

— Вот он. Иди сюда, красавчик.

Куин обняла его и поцеловала в губы. Гейдж с довольным видом кивнул.

— Именно об этом я и говорил.

— Теперь моя очередь. — Лейла оттолкнула Куин и тоже поцеловала Гейджа. — Готов праздновать?

— Более или менее.

— Хотим пригласить родителей Фокса и Кэла. Мы им позвоним, если ты не против.

День рождения, подумал Гейдж. Давно он его не праздновал.

— Хорошо.

— Кстати, там, на кухне, кое-кто хотел бы тебя видеть.

Сибил была не на кухне, а на веранде. Одна. Услышав его шаги, она обернулась. Ее лицо было красноречивее любых слов. Он подхватил ее на руки, закружил.

— Мы молодцы.

— Еще какие.

Потом Гейдж опустил ее на пол, поцеловал синяк на виске.

— Сильно тебе досталось?

— Не очень. Очередное чудо. Я снова начала верить в судьбу.

Это Дент. Со мной был Дент.

Она откинула ему волосы со лба, провела кончиками пальцев по лицу, по плечам.

— Ты нам почти ничего не рассказывал. Был очень слаб, временами бредил.

— Я твердо решил, что смогу... покончу с демоном. Чувствовал, что смогу. Знал. Но для этого нужно отказаться от всего, что у меня есть. Потом свет — луч света, вспышка. Как новая звезда.

— Я тоже видела.

— Я увидел Дента, мысленно. Или подумал о нем. В моей руке был камень. Он горел, и пламя словно сочилось у меня сквозь пальцы. Он... это кажется безумием.

— Пел, — закончила она. — Камень пел. Оба камня.

— Да, тысячи голосов. Я почувствовал, как пальцы Дента обхватывают мою руку, камень. Я почувствовал... связь. Ты понимаешь, о чем я.

— Да, конечно.

— Это не смерть. Так он мне сказал, когда мы ударили камнем прямо в сердце демона. Я слышал его крик, Сибил. Слышал крик и почувствовал, как он... взрывается. Сердце взрывается. Потом ничего, пока я не очнулся. Но не так, как в прошлый раз, после укуса ублюдка. Ощущение, как после хорошей дозы.

— Свет пронзил его, — сказала Сибил. — Распылил. Наверное, это самое точное определение. Я их видела, Гейдж, — долю секунды. Джайлз Дент и Энн Хоукинс обнимали друг друга. Я видела их вместе, чувствовала, что они вместе. И поняла.

— Что поняла?

— Это была его жертва. Он нуждался в нас. В тебе. Чтобы ты взял камень, зная, что жертвуешь жизнью. Мы делали то, что должны, а ты был готов отдать свою жизнь, и поэтому Дент смог пожертвовать своей. Это не смерть — так он говорил Энн, тебе, мне. Все эти годы он существовал. А прошлой ночью с нашей помощью, с твоей помощью принес жертву, необходимую для того, чтобы убить демона. Наконец смог уйти. Теперь он с Энн, и они — как это ни банально звучит — пребывают в мире. Как и все мы.

— К этому не так просто привыкнуть. Но я буду стараться. — Он взял ее за руку. — Я вот что подумал. Мы побудем тут несколько дней, пока все не успокоится. Потом уедем на пару недель. Удача на моей стороне, и я чувствую, что смогу выиграть достаточно денег, чтобы купить тебе кольцо размером с дверную ручку. Если хочешь.

— Хочу, если это настоящее предложение, а не гипотетическое.

— Настоящее, говоришь? Давай поженимся в Вегасе. Все, кто пожелает, могут туда приехать.

— В Вегасе. — Она вскинула голову, затем рассмеялась. — Не знаю почему, но звучит здорово. Принимается. — Она поцеловала его. — С днем рождения.

— Уже слышал.

— И еще услышишь. Я испекла тебе торт.

— Серьезно?

— Семь слоев, как обещала. Я тебя люблю, Гейдж. Я так тебя люблю.

— Я тоже тебя люблю. Мне досталась женщина, которая согласна выйти замуж в Вегасе, печет торты и имеет мозги. Мне повезло.

Он прижался щекой к ее затылку и замер, устремив взгляд на лес, где проторенная тропинка вела к Языческому камню.

В конце тропинки, за прудом Эстер, вода в котором вновь стала прохладной и чистой, на выжженной поляне снова зазеленела трава. Над обновленной землей под лучами солнца возвышался Языческий камень.

Литературно-художественное издание

НОРА РОБЕРТС. МИРОВОЙ МЕГА-БЕСТСЕЛЛЕР

Нора Робертс

ТАЛИСМАН МОЕЙ ЛЮБВИ

Ответственный редактор *М. Носкова*
Младший редактор *М. Гуляева*
Художественный редактор *В. Щербаков*
Технический редактор *О. Куликова*
Компьютерная верстка *А. Пучкова*
Корректор *Н. Овсяникова*

В оформлении переплета использовано фото:
Zagorodnaya/Shutterstock.com
Используется по лицензии от Shutterstock.com

ООО «Издательство «Эксмо»
127299, Москва, ул. Клары Цеткин, д. 18/5. Тел. 411-68-86, 956-39-21.
Home page: **www.eksmo.ru** E-mail: **info@eksmo.ru**

Өндіруші: «ЭКСМО» ЖШҚ Баспасы, 127299, Ресей, Мәскеу, Клара Цеткин көшесі, 18/5 үй.
Тел. 8 (495) 411-68-86, 8 (495) 956-39-21
Home page: www.eksmo.ru . E-mail: info@eksmo.ru.
Қазақстан Республикасындағы Өкілдігі: «РДЦ-Алматы» ЖШС, Алматы қаласы,
Домбровский көшесі, 3»а», Б литері, 1 кеңсе. Тел.: 8(727) 2 51 59 89,90,91,92,
факс: 8 (727) 251 58 12 ішкі 107; E-mail: RDC-Almaty@eksmo.kz
Қазақстан Республикасының аумағында өнімдер бойынша шағымды Қазақстан
Республикасындағы Өкілдігі қабылдайды: «РДЦ-Алматы» ЖШС,
Алматы қаласы, Домбровский көшесі, 3»а», Б литері, 1 кеңсе.
Өнімдердің жарамдылық мерзімі шектелмеген.

Сведения о подтверждении соответствия издания согласно
законодательству РФ о техническом регулировании можно получить по
адресу: http://eksmo.ru/certification/

Подписано в печать 21.05.2013.
Формат 80×100 $^1/_{32}$. Гарнитура «Таймс».
Печать офсетная. Усл. печ. л. 16,3.
Тираж 7 000 экз. Заказ № 203.

Отпечатано с электронных носителей издательства.
ОАО "Тверской полиграфический комбинат". 170024, г. Тверь, пр-т Ленина, 5.
Телефон: (4822) 44-52-03, 44-50-34, Телефон/факс: (4822)44-42-15
Home page - www.tverpk.ru Электронная почта (E-mail) - sales@tverpk.ru

ISBN 978-5-699-64306-6

9 785699 643066

16+

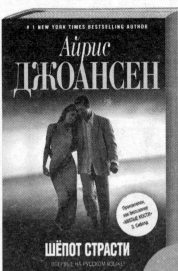
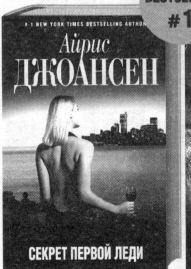

ДАНИЭЛА
СТИЛ

Ее книги многократно перечитываются и бережно хранятся миллионами женщин!

Увлекательные и полные бурных страстей романы Даниэлы Стил повествуют о радостях любви и материнства, счастливых семьях и несчастных браках, необыкновенных женских судьбах и настоящих мужских характерах.

2012-052